ROAD TRIPS
FRANCE

ROAD TRIPS
FRANCE

hachette

SOMMAIRE

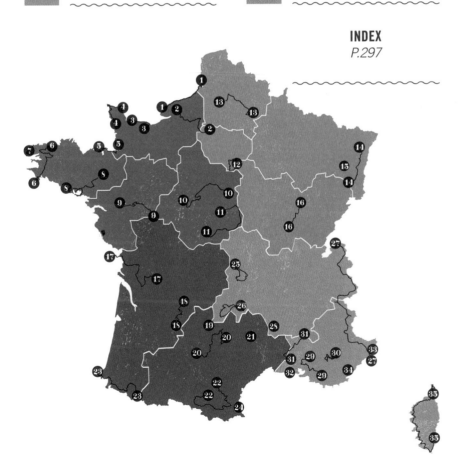

NORD-OUEST

N°1

190 KM

MANCHE

ARRIVÉE

ÉTRETAT 12 D79 D11

FICHE PRATIQUE

SITUATION

La côte entre Picardie et Normandie.

MEILLEURE PÉRIODE

Cet itinéraire est recommandable en toute saison. Les phoques et les oiseaux sont de sortie toute l'année et la côte revêt des charmes certains été comme hiver. Pour la baignade en revanche, mieux vaut ne pas être frileux !

MEILLEURS SOUVENIRS

Observer les phoques se dorer la pilule sur un banc de sable, traverser la baie à pied avec un guide, marcher dans les pas d'Arsène Lupin à Étretat et s'offrir une superbe randonnée le long des vertigineuses falaises.

PRÉPARER SON ROAD TRIP

• grandsitebaiedesomme.fr

DÉPART

PARC
DU MARQUENTERRE

1   2   RUE

POINTE DU HOURDEL   5   3   LE CROTOY

CAYEUX-SUR-MER   6   4   SAINT-VALERY-SUR-
LE HABLE D'AULT   SOMME

7   AULT

MERS-LES-BAINS   8
LE TRÉPORT

LA SOMME

D940

D925

VARENGEVILLE-
SUR-MER   9
10   DIEPPE
11
VEULES-LES-ROSES

DE LA BAIE DE SOMME
À LA CÔTE D'ALBÂTRE

PARC DU MARQUENTERRE ➤ ÉTRETAT

Entre grands espaces et grandes marées, la baie de Somme redessine ses contours selon le flux et le reflux de l'eau, les mouvements du sable et le passage des saisons. Cette terre de nature sauvage est le terrain privilégié des moutons de pré salé et le refuge des oiseaux. Et un véritable enchevêtrement de zones incertaines, balayées par les embruns. Quant à la Côte d'Albâtre, c'est un des fleurons du littoral normand. Son atout majeur : de hautes falaises calcaires sculptées par l'érosion, dont les plus fameuses se trouvent à Étretat.

LÉGENDES

ÉTAPES   ●

À NE PAS LOUPER   •

FLEUVES, RIVIÈRES   —

190 KM

LA BAIE DE SOMME DU MARQUENTERRE À SAINT-VALERY

Si le parc ornithologique du **Marquenterre** ❶ est un polder artificiel, la nature y a progressivement repris ses droits dans toute sa diversité : dunes, forêts de pins laricio, zones humides qui s'assèchent en été, roselières... Moitié terre, moitié eau – *marquenterre* signifie d'ailleurs « mer qui est en terre ». Aujourd'hui, des oiseaux migrateurs y ont élu domicile et vivent en toute quiétude. On recense 311 espèces ici ! Et sur les trois parcours d'observation (compter 45 mn à 2h30), des guides pédagogues sont disponibles pour expliquer le site et identifier les oiseaux.

À ne pas manquer 🔍 *Les sorties initiation, en compagnie d'un guide naturaliste. Extra ! Plein d'autres possibilités de balades guidées.*

À lire 📖 *Guide des oiseaux de la baie de Somme*, de Yann Dupont (photos) et Philippe Carruette (éditions Sud-Ouest, 2009). Cet ouvrage recense les espèces que l'on observe dans le parc et donne les clés pour les reconnaître. Un must pour profiter au mieux de sa visite.

À 7 km au nord du Crotoy, et situé aujourd'hui à 10 km de la mer, **Rue** ❷ fut au Moyen Âge... un port fort actif ! Le village a conservé quelques monuments de son lointain passé, dont l'exceptionnelle chapelle du Saint-Esprit. Superbe exemple de l'art gothique flamboyant de la fin du XVe s richement décoré. Également un remarquable beffroi, tour carrée massive du XVe s, à laquelle on a ajouté d'élégantes échauguettes au XIXe s, par souci d'esthétisme.

LE PLANEUR DE LA LIBERTÉ

Le dernier appareil sorti des usines de Rue sous le nom Caudron fut le planeur biplace Épervier C.800, certainement l'avion le plus vu par les Français au cinéma. En effet, c'est celui qu'on retrouve dans La Grande Vadrouille, et qui permet à Bourvil, à Louis de Funès et à leurs copains anglais d'échapper aux griffes allemandes en s'envolant vers la zone libre.

Face à Saint-Valery-sur-Somme, **Le Crotoy** ❸ est une station balnéaire familiale. La petite ville se vante d'avoir la seule plage exposée au midi de tout ce littoral. La lumière qui baigne la baie et ses hauts-fonds y est éclatante. Ses variations constantes ont de quoi séduire peintres, à l'instar de Toulouse-Lautrec et d'Eugène Boudin, photographes et artistes de tous les horizons. Parmi les autres invités de marque qui firent halte au Crotoy : Jules Verne et Colette.

EXPÉRIENCE

Promenades en baie de Somme

À marée basse, il est tentant de s'aventurer sur les bancs de sable où stationnent les oiseaux. Mais attention, il est impératif de partir avec un guide. La baie peut être dangereuse. Et la progression est fastidieuse : on s'enfonce facilement jusqu'aux mollets dans certaines zones de sable mou...

Saint-Valery-sur-Somme ❹ clôt la baie au sud avec son agréable port de plaisance et sa longue digue alanguie le long de la Somme. C'est d'abord une promenade qui se poursuit par une allée piétonne bordée de belles demeures et qui se termine par une plage urbaine et sauvage. Sur l'arrière, le petit quartier des pêcheurs, adorable et tranquille, aligne de modestes maisons étroites. Petite cité oubliée de l'Histoire, c'est pourtant de là que partit Guillaume de Normandie à la conquête de l'Angleterre en 1066. Un vénérable passé que l'on lit encore dans le centre médiéval. Il conserve une partie de ses charmants remparts, fermés par la jolie porte de Nevers du XVIe s, dotée d'un pont-levis. Belles maisons à colombages. Point de départ (ou d'arrivée) de la traversée de la baie à pied, de sympathiques balades en bateau ou du circuit en train à vapeur.

À voir aussi 📷 La Maison de la baie de Somme. Dans cet espace consacré aux oiseaux de la baie, étonnante collection de plus de 250 spécimens naturalisés, très élégamment présentée.

EXPÉRIENCE

Le chemin de fer de la baie de Somme

Grâce aux efforts d'une association, ce petit train à vapeur a été remis sur les rails, au fil de 27 km de promenade. L'option commentée permet de découvrir l'histoire du réseau des bains de mer, les paysages, la faune et la flore, etc. Compter 1h40 pour parcourir toute la ligne. Le tronçon le plus fréquenté se situe entre Saint-Valery et Le Crotoy (durée : 1h).

Plus d'infos www. cfbs.eu

Mers-les-Bains

DE LA POINTE DU HOURDEL À MERS-LES-BAINS, LE SUD DE LA BAIE DE SOMME

Fini les plages de sable, vive les galets ! Et un chapelet de villages et de bourgades qui respirent encore la grande époque des bains de mer. De la pointe du Hourdel, où soufflent les embruns de la baie, jusqu'à la très chic Mers-les-Bains, en passant par Cayeux-sur-Mer, on profite alors d'une étonnante diversité architecturale, mise en scène par une lumière changeante, toujours éblouissante.

À la **pointe du Hourdel** **5** finit la Somme et commence la mer. Le Hourdel forme l'extrémité sud de la baie de Somme. Au bout de la jetée, une plage de galets qui s'étend à l'infini est bordée d'un cordon végétal touffu. Avec un peu de chance, vous pourrez observer une colonie de veaux marins et de phoques gris.

Cayeux **6** est une gentille station aussi balnéaire que populaire. Ici, les cabines de plage sont peintes de douces tonalités et portent des noms amusants. L'occasion d'une agréable promenade iodée.

À 12 km au sud de Cayeux-sur-Mer et à 8 km au nord de Mers-les-Bains (Le Tréport), **Ault** **7**, site unique, s'accroche à des falaises hautes de 80 m par endroits. Certaines demeures bravent encore leurs flancs. Depuis le haut d'Onival (1,5 km au nord d'Ault), la longue plage de galets forme une digue qui protège les prairies et plans d'eau situés sous le niveau de la mer. On y voit les pâturages où paissent les agneaux de pré salé « du hâble d'Ault » et de doux chevaux *henson*. C'est aussi un site ornithologique de première importance.

Mers-les-Bains **8** a été épargné par les bombes des deux guerres mondiales. En fin de journée, quand les merveilleuses façades au style éclectique du front de plage s'habillent de chaudes couleurs, la promenade tourne au moment de grâce. Avec le chemin de fer qui fit la jonction dès 1873 avec la capitale, ce modeste village devint très prisé dès l'avènement de la mode des bains de mer.

À ne pas manquer 🔍 **La fête des Baigneurs.** Le 3e week-end de juillet, les habitants, habillés comme au début du XXe s, proposent promenades en calèche, défilés de voitures anciennes et spectacles. Bain de midi en costume de bain Belle Époque.

POUR SE DÉGOURDIR LES JAMBES

PROMENADE SUR LE FRONT DE MER

Mers compte plus de 300 édifices de charme, autant de coquetteries architecturales, fantaisies de bourgeois désirant étaler leur fortune, artistes en quête d'inspiration, hurluberlus à la recherche de nouvelles tendances… Art nouveau, néo-Renaissance (pignons en saillie), Art déco pur jus, petit manoir anglais, châtelet de plaisance… il y a de tout.

DE DIEPPE À VEULES-LES-ROSES, LA CÔTE D'ALBÂTRE ENTRE FALAISES ET GALETS

La plage la plus proche de Paris (198 km) ! Raison pour laquelle **Dieppe** ❾, dont le front de mer a en partie été détruit par les bombardements, fut la première station balnéaire de France, attirant les touristes dès le XIXe s. On trouve dans son petit centre quelques pépites, dont la belle église Saint-Jacques qui hésite entre gothique et Renaissance, un passionnant château-musée et la non moins intéressante cité de la Mer. Sinon, le Pollet est le plus ancien quartier de Dieppe. Par la pittoresque rue du Petit-Fort, pavée et bordée de vieilles maisons de pêcheurs, on accède à la chapelle Notre-Dame-de-Bon-Secours. Point de vue époustouflant sur la ville.

Se diriger ensuite vers le château-musée qui domine la grande plage de sa silhouette austère. Une première forteresse, sans doute édifiée au XIIe s, fut détruite par Philippe Auguste. Afin de défendre la ville contre les Anglais pendant la guerre de Cent Ans, on reconstruisit un château au XVe s autour d'un donjon du XIVe. Les tourelles d'angle joufflues et les toits en poivrière donnent du sel à ce gros édifice de grès et de silex. Le musée est vaste et très riche : peintures des XIXe et XXe s (les amateurs d'impressionnisme ne seront pas déçus !), exceptionnelle collection d'objets en ivoire, peintures du XVIIe au XIXe s et maquettes anciennes évoquant la grande aventure maritime de la Renaissance au Second Empire. Depuis les terrasses, beau panorama sur le front de mer.

À ne pas manquer 🔍 **Le festival international du Cerfs-volant de Dieppe.** Spectacle merveilleux durant lequel virevoltent des dizaines de cerfs-volants (une quarantaine de délégations du monde entier). 10 jours en septembre les années paires. • dieppe-cerf-volant.org •

CINÉMA *Une affaire de femmes* (1988), de Claude Chabrol, avec Isabelle Huppert et François Cluzet. Inspiré de l'histoire réelle de la dernière femme guillotinée en France en 1943 pour avoir pratiqué des avortements clandestins dans la région de Cherbourg. Le film a néanmoins été tourné dans le quartier du Bout du Quai à Dieppe.

Véritable coup de cœur, à la fois champêtre et bourgeoise, **Varengeville-sur-Mer** ❿ recèle de superbes demeures du début du XXe s, bien camouflées derrière des écrans d'arbres. Ne surtout pas manquer le parc du Bois-des-Moutiers (fermé jusqu'à nouvel ordre) et ses rhododendrons géants, ni le jardin Shamrock, la plus grande collection d'hydrangeas au monde. Enfin, le village abrite l'un des plus beaux cimetières marins qui soient, celui où Braque est inhumé, au pied de l'église dont il dessina les vitraux. La liste des artistes ayant séjourné à Varengeville est impressionnante. Côté littérature : Dorgelès, Prévert, Proust, Breton, Cocteau, Gide, Virginia Woolf... Parmi les musiciens : Debussy, Ravel, Satie ou encore Albert Roussel, qui repose au cimetière marin... Et puis une belle palette côté peintres : Corot, Monet, Renoir, Pissarro, Degas, Picasso, Léger et, chez les Anglais, Turner, Whistler, Sickert... Miró y séjourna de 1937 à 1940 et s'inspira de ce coin pour réaliser son cycle Constellations et ses œuvres *Varengeville 1* et *Varengeville 2*. Enfin, Braque, le seul peintre exposé au Louvre de son vivant, y avait son atelier.

Située dans une vallée verdoyante, **Veules-les-Roses** ⓫ est une petite station balnéaire vraiment adorable. Son charme tient autant au village, que l'on découvre en flânant à pied au gré des ruelles fleuries bordées par la Veules, le plus petit fleuve de France (1,1 km), qu'à son adorable plage.

DANS LES PAS D'ARSÈNE LUPIN À ÉTRETAT

L'itinéraire continue le long de la Côte d'Albâtre, ainsi nommée en référence à la blancheur de ses falaises crayeuses s'élevant de 60 à 120 m au-dessus de la mer. La magie de cette côte réside dans son accessibilité. Sur une bonne partie de son parcours, de petites routes longent la mer au plus près, offrant sans cesse des points de vue grandioses ou intimistes.

POUR SE DÉGOURDIR LES JAMBES

Le fabuleux **GR® 21** longe la côte d'Albâtre du Tréport à Étretat. Long de 190 km au total, il chemine entre falaises, ports de pêche et plages de galets. Une fois arrivé à Étretat, on peut poursuivre l'aventure jusqu'au Havre.

Arrivé à **Étretat** **12**, on tutoie la légende tant l'Arche de craie plongeant dans la mer fait partie des images les plus ancrées dans nos mémoires. Sans oublier cette Aiguille, juste derrière, dont Arsène Lupin tente de percer le secret dans l'une de ses aventures... Et sa plage, déjà l'une des plus réputées de France au XIXᵉ s. Les villas y poussèrent comme des champignons. Ses galets furent chantés ou couchés sur toile par maints artistes. Boudin, Courbet et Monet bien sûr, qui y fuyait les mondanités parisiennes. C'est aujourd'hui une station balnéaire à l'air vivifiant et très fréquentée. On vient y contempler la falaise et la porte d'Aval, merveilleuse arche naturelle sculptée par une rivière souterraine et l'Aiguille évidemment, qui n'est pas creuse contrairement à ce qu'affirmait Arsène Lupin. À la falaise d'Amont, on trouve un calvaire et la charmante petite chapelle Notre-Dame-de-la-Garde.

FRINGALES

- **L'agneau de pré salé** se déguste de juin à janvier, après avoir pâturé au moins 75 jours dans la baie de Somme. Une pratique qui confère des notes délicatement salines à ses chairs rosées. Côté mer, **coquilles Saint-Jacques**, **harengs** et **moules** mènent la danse.
- Et le **neufchâtel**, fromage normand en forme de cœur, que l'on apprécie jeune et crayeux autant que sec et affiné.

LIVRES DE ROUTE

- *L'Aiguille creuse*, de Maurice Leblanc (éditions Pierre Lafitte, 1909). D'abord publiées sous forme de feuilleton, les péripéties du célèbre gentleman-cambrioleur en quête d'un ancestral butin dissimulé dans la craie.
- *La Place*, d'Annie Ernaux (Gallimard, 1983). Lauréat du prix Renaudot en 1984, ce roman autobiographique revient sur l'enfance de l'autrice en Normandie, s'attardant sur la figure du père disparu.

À VOIR

- *Journal d'une femme de chambre* (2015), de Benoît Jacquot, avec Léa Seydoux et Vincent Lindon. Cette adaptation du roman d'Octave Mirbeau nous plonge dans l'intimité de Célestine, figure sulfureuse et courtisée pour sa grande beauté. Le film fut en partie tourné au Crotoy.
- *La Vie et rien d'autre* (1989), de Bertrand Tavernier, avec Philippe Noiret et Sabine Azéma. En 1920, alors que la France porte encore les stigmates de la Première Guerre mondiale, deux femmes recherchent leur amant, disparu pendant le conflit.

CARNET D'ADRESSES

ÉTAPES	INFORMATIONS
❸ LE CROTOY	🏨|●| **Hôtel-restaurant Les Tourelles** : *2-4, rue Pierre-Guerlain.* ● *lestourelles.com* ● Un ancien hôtel particulier du XIXᵉ s, surplombant la baie de Somme. Accueil, cadre, confort, gastronomie, activités... tout y est. |●| **Le Carré Gourmand** : *53, rue de la Porte-du-Pont.* Ici, chaque produit est sublimé par un chef généreux et inspiré. La courte carte change régulièrement afin de servir ce que la baie de Somme a de meilleur à offrir.
❹ SAINT-VALERY-SUR-SOMME	🏨|●| **Les Pilotes** : *62, rue de la Ferté.* ● *lespilotes.fr* ● Déco très british, tout à la fois rétro, chic et décalée, avec vue sur la baie pour certaines chambres. Au bistrot, quelques plats fraîchement cuisinés, simples et goûteux, sans complications. Bar sympa également. |●| **Le Mathurin** : *1, pl. des Pilotes.* ● *restaurantlemathurin.fr* ● Le poisson, spécialité de la maison, est pêché localement... Du bateau à l'assiette ! Une adresse incontournable pour les amateurs de saveurs iodées.
❻ CAYEUX-SUR-MER	🏨|●| **Hidden Bay – Au Petit Café** : *192, rue du Maréchal-Foch.* ● *hiddenbay.eu* ● Sous l'apparence d'un bistrot de village, un hôtel design chic et choc. Au Petit Café, le chef concocte une savoureuse cuisine avec quelques plats seulement, à base de produits frais de la région.
❾ DIEPPE	|●| **Le Comptoir à Huîtres** : *12, cours de Dakar.* Un ancien café de marin devenu bistrot chic tout en conservant l'âme première des lieux. Produits d'une extrême fraîcheur et excellente cuisine de la mer.
❿ VARENGEVILLE-SUR-MER	|●| **Le Piment Bleu** : *la Cidrerie, château de Varengeville, route de Dieppe.* ● *lepimentbleu.fr* ● Dans le parc du château, une bonne petite cuisine familiale et des gâteaux à prix doux.
⓫ VEULES-LES-ROSES	🏨 **Relais hôtelier Douce France** : *13, rue du Docteur-Pierre-Girard.* ● *doucefrance.fr* ● Un relais de poste du XVIIᵉ s abritant une jolie cour verdoyante, avec jardin cloîtré au bord de la Veules. Chambres spacieuses et douillettes.
⓬ ÉTRETAT	🏨 **Détective Hôtel** : *6, av. George-V.* ● *detectivehotel.com* ● Avec ses chambres aux noms, à la décoration et aux accessoires évocateurs, cet hôtel hors norme fait dans l'insolite et le ludique. Essayez de trouver la salle de bains dans les chambres « Arsène Lupin » et « Sherlock Holmes »... |●| **Restaurant du Golf** : *au bord du golf, route du Havre.* Cadre simple mais vue imprenable : on embrasse toutes les falaises... Quant à la cuisine, elle est tout à fait honorable, à base de produits frais.

N°2

140 KM

ARRIVÉE

ABBAYE SAINT-WANDRILLE

10

D982

SEINE

ABBAYE DE JUMIÈGES

9

PARC NATUREL RÉGIONAL
DES BOUCLES DE LA SEINE

LE CONIHOUT DE JUMIÈGES

ROUEN

A13

FICHE PRATIQUE

 SITUATION

Île de France et Normandie.

 MEILLEURS SOUVENIRS

Le patrimoine religieux et artistique de la région, entre abbayes séculaires et l'empreinte laissée par les impressionnistes…

 PRÉPARER SON ROAD TRIP

WWW.

• seinemaritime.fr
• pnr-vexin-francais.fr

ITINÉRAIRE ROMANTIQUE AU FIL DE LA SEINE

THÉMÉRICOURT ➤ SAINT-WANDRILLE

La Seine, d'ordinaire paresseuse, trouve le moyen d'entamer fortement le plateau crayeux du Vexin, y découpant de hautes falaises blanches pittoresques. Tandis qu'à quelques encablures au nord s'étend la forêt de Lyons, superbe écrin verdoyant et vallonné. En aval de Rouen, le fleuve dessine des courbes généreuses au creux de paysages normands bucoliques. Le temps d'un week-end, suivons les méandres de la Seine !

D321

7 **ABBAYE DE MORTEMER**

8 **ABBAYE NOTRE-DAME DE FONTAINE-GUÉRARD**

D2

CHÂTEAU GAILLARD **6** **LES ANDELYS**

D313

SEINE

CHÂTEAU ET DOMAINE D'AMBLEVILLE

ALLÉE COUVERTE DE GUIRY-EN-VEXIN

COMMENY

PARC NATUREL RÉGIONAL DU VEXIN FRANÇAIS

D37

CHÉRENCE

D983

MUSÉE ARCHÉOLOGIQUE DU VAL D'OISE

DÉPART

THÉMÉRICOURT

1

2

D5

5 **4** **LA ROCHE-GUYON**

3

VÉTHEUIL

GIVERNY (MAISON DE CLAUDE MONET)

SAGY

SEINE

LÉGENDES

ÉTAPES ●
À NE PAS LOUPER ·
FLEUVES, RIVIÈRES —

140 KM

BADINAGE AU CŒUR DU VEXIN

À l'instar de la Beauce, grenier à blé français, le parc naturel du Vexin français étale ses ondoyantes plaines fertiles plantées de sporadiques exploitations agricoles dans la Val d'Oise et les Yvelines. Départ à **Théméricourt** ❶, où se trouvent les musées et maisons à thème du parc naturel régional du Vexin français. Dans un château niché au cœur d'un parc avec étangs, la Maison du parc et le musée du Vexin accueillent les visiteurs curieux de découvrir les nombreuses randonnées possibles dans le coin. Dans les environs de Théméricourt, à Sagy, le musée de la Moisson permet d'appréhender la vie rurale. Plus loin au nord, la Maison du pain à Commeny est un autre petit musée typique installé dans l'ancien grenier à farine de la boulangerie du village.

Sur la route de Vétheuil, le **Musée archéologique du Val-d'Oise** ❷ à Guiry-en-Vexin ravira les amateurs d'archéologie. C'est un must de la région parisienne, qui réunit les plus belles trouvailles archéologiques des alentours du Paléolithique au Moyen Âge.

Vétheuil

POUR SE DÉGOURDIR LES JAMBES

À partir du musée, un sentier pédestre (1h30 A/R) mène à l'**allée couverte du Bois-Couturier**, une tombe mégalithique souterraine dont la datation approximative est de 2 000 ans av. J.-C. Les restes humains de 200 corps ont été retrouvés dans la chambre funéraire fermée par un « bouchon » de calcaire de 150 kg.

On parvient ensuite au village de **Vétheuil** ❸, alangui près de l'un des méandres de la Seine. Claude Monet y vécut avant d'aller s'installer à Giverny. Un grand escalier aux marches disjointes mène à l'église (XIIᵉ s) qu'il immortalisa.

PAS DE CÔTÉ

À 15 km au nord de Vétheuil, le **château d'Ambleville** offre un étonnant assortiment de styles. D'abord féodale, la forteresse médiévale prend une allure italianisante à la Renaissance. Le propriétaire actuel est passionné de jardins. Le parc, organisé en terrasses (XVIIᵉ et XVIIIᵉ s) et inspiré de celui de la villa Gamberaia à Florence, est une vraie réussite !

La route d'Haute-Isle, reliant Vétheuil à La Roche-Guyon et sinuant le long de la Seine, permet d'approcher les falaises de craie, l'église troglodytique de l'Annonciation et même le poste DCA construit par Rommel en 1943. Alors, **La Roche-Guyon** ❹ s'annonce de loin avec son majestueux donjon dominant les boucles de la Seine.

LE CHÂTEAU DE LA ROCHE-GUYON

À flanc de falaise, surmonté de son donjon (XIIᵉ s), le **château** a fière allure. Il faut dire que sa situation frontalière entre le royaume franc et le duché de Normandie lui donne un intérêt militaire. Propriété des La Rochefoucauld, le château passe entre les mains du duc de Rohan-Chabot qui, bien qu'entré dans les ordres, y donne de sacrées fêtes coquines ! Avant que le château ne revienne définitivement aux La Rochefoucauld. Depuis la cour d'honneur, les larges escaliers de pierre mènent à l'enfilade des grands salons du XVIIIᵉ s. Outre les cours intérieures, les terrasses, le bâtiment médiéval, ne pas manquer les chapelles troglodytiques, le pigeonnier et le donjon. De là-haut, quelle vue ! Les plus courageux emprunteront le **chemin de ronde** jusqu'à la tour sud-est qui servait d'observatoire astronomique au XVIIIᵉ s. En redescendant, jeter un œil aux casemates (cache d'armes) de la Seconde Guerre mondiale et aux magnifiques écuries. Le maréchal allemand Rommel y avait établi son quartier général. Une réplique du « chronoscaphe », une drôle de machine à remonter le temps, nous rappelle que le château inspira un épisode de la célèbre B.D. *Le Piège diabolique* de *Blake et Mortimer*.

La Roche-Guyon

L'INVENTION DE LA PEINTURE EN TUBE

Autrefois, les peintres fabriquaient eux-mêmes leurs couleurs. Cela impliquait du temps et un matériel énorme. En 1841, un Américain, John Goffe Rand, inventa la peinture en tube, donc transportable. Avec cette invention, conjuguée à celle du chevalet pliant et au développement du chemin de fer, le peintre pouvait quitter son atelier pour travailler en pleine nature : l'impressionnisme était né.

Monet contribua fortement à la gloire de **Giverny** ❺ lorsqu'il choisit d'y vivre de 1883 jusqu'à sa mort, en 1926. Le peintre s'installa dans cette longue maison rose aux volets verts, devenue la fondation Claude Monet. La bâtisse et les jardins ont d'ailleurs recouvré leur aspect d'origine. Quel paisible cadre de vie ! On s'émerveille particulièrement dans le superbe jardin fleuri du maître, qui détourna les eaux de l'Epte pour alimenter son petit univers japonais. L'étang aux nénuphars, situé de l'autre côté de la route, est accessible par un passage souterrain au fond du jardin. C'est là que le peintre réalisa ses séries de *Nymphéas*. Dans la maison, outre le mobilier, les estampes japonaises appartiennent à la collection personnelle de Monet. Un enchantement !

À son tour, le superbe musée des Impressionnismes met en lumière la richesse et la diversité de ce courant pictural. À l'extérieur, très beaux jardins et un champ protégé de coquelicots ou de meules, selon la saison.

Itinéraire romantique au fil de la Seine ⑲

Célèbre pour son château fort surplombant la boucle du fleuve et pour le charme de ses rives, **Les Andelys** ❻ est un site remarquable. Aujourd'hui en ruine, le château mérite qu'on s'y attarde. Panorama magique sur les falaises de craie habillées d'arbres, le foisonnement de verdure enserrant les eaux placides du fleuve, la forêt de vieux toits du village, la Seine s'étalant langoureusement dans son méandre… Balzac, Hugo, Ingres, Monet, Signac, Léger vinrent souvent y chercher l'inspiration. Le Château-Gaillard fut édifié par Richard Ier dit « Cœur de Lion », duc de Normandie et roi d'Angleterre, pour prévenir les attaques de Philippe Auguste, roi de France. Richard se serait écrié, une fois l'œuvre achevée : « Que voilà un château gaillard ! », d'où le nom… Philippe Auguste attendit la mort de Richard pour assiéger le château, en 1203. Eu égard à l'épaisseur des murs et à la qualité des défenses, il aurait échoué si des soldats n'avaient trouvé une faille en passant par les fenêtres basses situées sous la chapelle. La chute de Château-Gaillard précipita celle de Rouen, et Philippe Auguste reconquit la Normandie. Les magnifiques vestiges donnent une idée de sa puissance d'antan. L'enceinte intérieure présente une suite de saillies rondes contiguës et enveloppe le donjon qui comptait initialement trois étages et présentait une conception géniale : sa base était inclinée, avec des contreforts triangulaires supportant le chemin de ronde. Cela permettait aux projectiles lancés des mâchicoulis de ricocher et de rebondir vers l'ennemi sans qu'il puisse prévoir leur trajectoire !

Filature Levavasseur, Fontaine-Guérard

⑦ ⑧

DÉTOUR PAR LA FORÊT DE LYONS

Tapies dans un vallon séduisant, au détour d'une route étroite, s'élèvent les ruines d'une ancienne abbaye cistercienne, dans un environnement exceptionnel. **L'abbaye de Mortemer** ⑦ tire son nom de la « mer morte » (marécages) qui inondait alors la région. Transformée en carrière après la Révolution, il ne reste que quelques pans de l'église du XIIᵉ s édifiée par Henri Iᵉʳ, fils de Guillaume le Conquérant. Plus tard, un riche imprimeur acheta ce qu'il restait de l'abbaye et la transforma en petit château. Des musées occupent désormais l'édifice. Le musée des Fantômes et des Légendes, dans les sous-sols, retrace des scènes de la vie des moines. Ne pas rater la petite fontaine des célibataires : il suffit, paraît-il, d'y jeter une pièce pour trouver l'âme sœur ! On découvre les contes et légendes liés à l'abbaye et à la région. Dans le parc, un colombier du XVᵉ s à la remarquable charpente en châtaignier.

L'abbaye cistercienne de Fontaine-Guérard ⑧ fut édifiée au XIIIᵉ s. Bâtie au pied d'une source aux vertus dermatologiques, « la fontaine qui gué-

rit » est située dans une nature préservée de la vallée de l'Andelle. À flanc de colline, la chapelle Saint-Michel (XVᵉ s) surmonte le cellier troglodytique où les religieuses gardaient leur vin. De l'abbaye, subsistent l'église abbatiale et le bâtiment des moniales. À l'est, le jardin des plantes médicinales de l'infirmerie, le jardin des éléments, le jardin de méditation et des sculptures qui évoquent les moniales aujourd'hui disparues. De l'ensemble se dégage une merveilleuse impression de sérénité.

À 400 m de l'abbaye, extraordinaires ruines de **la filature Levavasseur.** Bâtie en 1861 dans le style néogothique anglais (!), elle ne servit guère, détruite par un incendie en 1874. Il ne reste qu'une sorte de cathédrale industrielle, flanquée de tours aux quatre angles. Vraiment étonnant.

> **Bon à savoir** 💡
> La C 92 qui part de l'abbaye et longe la filature est réservée aux vélos et aux piétons les 1ᵉʳ et 3ᵉ dimanches du mois.

DE JUMIÈGES À SAINT-WANDRILLE PAR LES BOUCLES DE LA SEINE

On ne peut rêver plus pittoresque pour traverser la Seine que les bacs. Il existe huit points de franchissement qui fonctionnent toute l'année (sauf le 1er mai), avec une fréquence variable. En plus, ils sont gratuits !

Au lieu d'emprunter la route directe pour l'abbaye de Jumièges, au Mesnil-sous-Jumièges, aller vers le lieu-dit Le Conihout et longer les boucles de la Seine. On traverse de beaux vergers parsemés de fermes pittoresques et de maisons rurales à l'architecture normande typique.

Fondée au VIIe s par saint Philibert, sur l'ordre du roi Dagobert, l'**abbaye bénédictine de Jumièges** ❾ est incendiée par les Vikings en 841, reconstruite plus tard sous l'influence du moine lombard Volpiano (fondateur de l'abbaye de Fécamp) et consacrée en 1067 en présence de Guillaume le Conquérant. L'abbaye ne cesse ensuite de prospérer jusqu'à la Révolution. Elle est ensuite utilisée comme carrière de 1802 à 1824, mais ses vestiges sont toujours debout.

L'imposante église Notre-Dame affiche toujours fièrement sa façade flanquée de deux tours et la majeure partie de sa nef. Aujourd'hui, la végétation s'est emparée de l'ensemble. Arbres, taillis et pelouse fusionnent avec la pierre. L'impression est grandiose dans cette église à ciel ouvert. Le style roman de l'ensemble est très dépouillé. De-ci, de-là, on devine quelques voûtes et chapelles gothiques qui furent ajoutées aux XIIIe et XIVe s. Du chœur, il ne reste que les vestiges du déambulatoire et de deux chapelles. Sur le côté droit du chœur, on trouve le passage de Charles VII, menant aux ruines de l'église Saint-Pierre dont une partie date du VIIIe s.

À 14 km de l'abbaye de Jumièges, le superbe village de Saint-Wandrille abrite une abbaye bien différente puisqu'elle accueille toujours une trentaine de moines bénédictins. Tout comme Jumièges, l'**abbaye Saint-Wandrille** ❿ fut fondée au VIIe s, puis détruite par les Vikings au IXe s. De cette époque date *La Geste des abbés de Fontenelle*. Ce sera la première à narrer la vie d'une abbaye. L'église est transformée en carrière après la Révolution. Les moines ne s'y réinstallent qu'en 1931. En 1969, on fait venir une ancienne grange seigneuriale située dans l'Eure, qui deviendra la nouvelle église, absolument superbe par sa simplicité. Les moines résidant à Saint-Wandrille appliquent la règle de saint Benoît : « Prie et travaille. » Mais les temps ont changé : finie la fameuse cire monastique ! On y réalise à présent des microfiches et de la numérisation dans un atelier de reprographie à la pointe de la technologie, ainsi que des restaurations de tableaux…

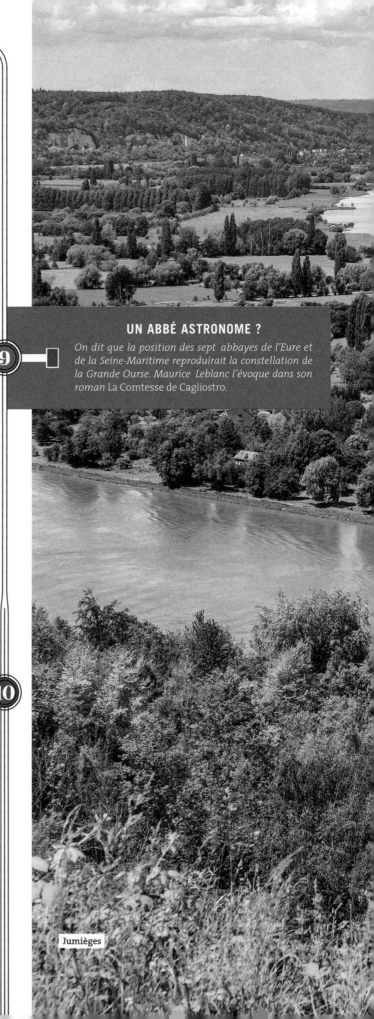

UN ABBÉ ASTRONOME ?

On dit que la position des sept abbayes de l'Eure et de la Seine-Maritime reproduirait la constellation de la Grande Ourse. Maurice Leblanc l'évoque dans son roman La Comtesse de Cagliostro.

Jumièges

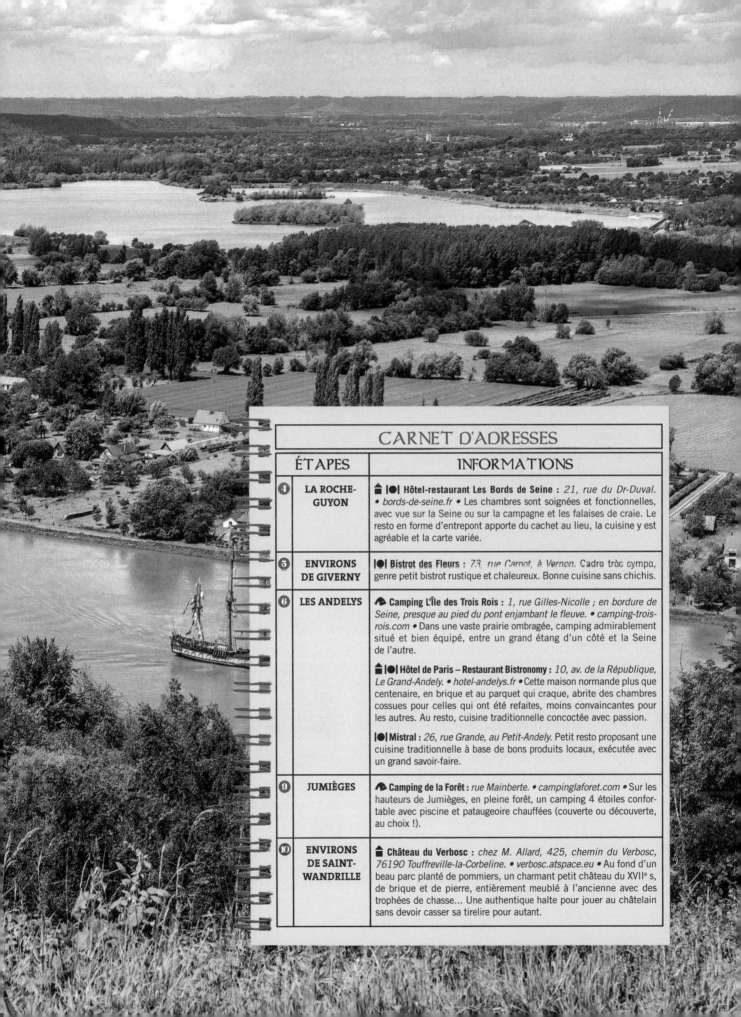

CARNET D'ADRESSES

ÉTAPES	INFORMATIONS
④ **LA ROCHE-GUYON**	🏠 🍽 **Hôtel-restaurant Les Bords de Seine :** *21, rue du Dr-Duval.* • *bords-de-seine.fr* • Les chambres sont soignées et fonctionnelles, avec vue sur la Seine ou sur la campagne et les falaises de craie. Le resto en forme d'entrepont apporte du cachet au lieu, la cuisine y est agréable et la carte variée.
⑤ **ENVIRONS DE GIVERNY**	🍽 **Bistrot des Fleurs :** *73, rue Carnot, à Vernon.* Cadre très sympa, genre petit bistrot rustique et chaleureux. Bonne cuisine sans chichis.
⑥ **LES ANDELYS**	⛺ **Camping L'Île des Trois Rois :** *1, rue Gilles-Nicolle ;* en bordure de Seine, presque au pied du pont enjambant le fleuve. • *camping-trois-rois.com* • Dans une vaste prairie ombragée, camping admirablement situé et bien équipé, entre un grand étang d'un côté et la Seine de l'autre.
	🏠 🍽 **Hôtel de Paris – Restaurant Bistronomy :** *10, av. de la République, Le Grand-Andely.* • *hotel-andelys.fr* • Cette maison normande plus que centenaire, en brique et au parquet qui craque, abrite des chambres cossues pour celles qui ont été refaites, moins convaincantes pour les autres. Au resto, cuisine traditionnelle concoctée avec passion.
	🍽 **Mistral :** *26, rue Grande, au Petit-Andely.* Petit resto proposant une cuisine traditionnelle à base de bons produits locaux, exécutée avec un grand savoir-faire.
⑨ **JUMIÈGES**	⛺ **Camping de la Forêt :** *rue Mainberte.* • *campinglaforet.com* • Sur les hauteurs de Jumièges, en pleine forêt, un camping 4 étoiles confortable avec piscine et pataugeoire chauffées (couverte ou découverte, au choix !).
⑩ **ENVIRONS DE SAINT-WANDRILLE**	🏠 **Château du Verbosc :** *chez M. Allard, 425, chemin du Verbosc, 76190 Touffreville-la-Corbeline.* • *verbosc.atspace.eu* • Au fond d'un beau parc planté de pommiers, un charmant petit château du XVIIe s, de brique et de pierre, entièrement meublé à l'ancienne avec des trophées de chasse... Une authentique halte pour jouer au châtelain sans devoir casser sa tirelire pour autant.

SAINTE-MÈRE-L'ÉGLISE

N°3

95 KM

FICHE PRATIQUE

SITUATION

Le long de la côte bas-normande.

MEILLEURS SOUVENIRS

Les lieux de mémoire dédiés à tous ces inconnus qui tombèrent pour notre liberté.

ARRIVÉE
POINTE DU HOC ⑪

VIERVILLE-SUR-MER
OMAHA BEACH
⑩ **COLLEVILLE-SUR-MER**

SAINT-LAURENT-SUR-MER
**ARROMANCHES-
LES-BAINS**
BERNIÈRES-
SUR-MER
SAINT-AUBIN-SUR-MER

⑨ ⑧ ⑦ D514 ⑥ ⑤ ④ **LUC-SUR-MER**
③
PORT-EN-BESSIN-HUPPAIN **LONGUES-SUR-MER** **VER-SUR-MER** **COURSEULLES-
SUR-MER** D514

DOUVRES-
LA-DÉLIVRANDE
②

BAYEUX

OUISTREHAM

ORNE

DÉPART
CAEN

①

MANCHE

LES PLAGES
DU DÉBARQUEMENT

CAEN ➤ POINTE DU HOC

*De Ouistreham à la pointe du Hoc se déroulèrent des combats pour la libération de l'Europe :
des moments d'héroïsme ; des exploits techniques tels que la construction du port artificiel
d'Arromanches ; sans oublier des catastrophes militaires, comme l'hécatombe des soldats
américains à Omaha Beach. Près de 75 ans après le Débarquement, ces plages
ont conservé leurs cicatrices : cratères de bombes, blocs de béton armé, tombes de dizaines
de milliers de victimes… des deux camps. Tandis que, sur la Côte de Nacre, une poignée
de stations balnéaires familiales offrent leur front de mer coquet, habillé de belles villas
qui ont bien résisté aux combats. Et, à l'intérieur des terres, de magnifiques corps de ferme
ceints de hauts murs de pierre calcaire caractéristiques de ce coin du Calvados.*

LÉGENDES

ÉTAPES ●

À NE PAS LOUPER ·

FLEUVES, RIVIÈRES —

DÉPART DE CAEN

Caen ❶ est une cité plaisante, avec ses rues médiévales rescapées des bombardements ou les quais de son joli port, en plein centre-ville. Mais, malgré la douceur ambiante, l'émouvant Mémorial de Caen nous rappelle combien la paix peut être fragile... C'est à la fois un musée, un forum d'échanges, une banque de données, un « monument » pour la paix, un lieu de rassemblement et de promenade. Sobriété, clarté du propos, intelligence de la mise en scène, rigoureuse sélection des documents font du Mémorial un site unique et passionnant, pour tous les âges. En tout, plus de 4 500 m² d'espaces consacrés aux XXᵉ et XXIᵉ s à partir de 1918.

Plus d'infos ᵂᵂ. **memorial-caen.fr**

L'OPÉRATION SWORD

Le 6 juin, l'assaut a été rude pour s'emparer des plages d'Hermanville, Colleville et Riva-Bella (nom de code Sword Beach). Les forces alliées y débarquent à 7h25. À Colleville, dès les premières minutes, le 2ⁿᵈ East Yorkshire perd près de 200 hommes. Des chars amphibies sont déjà en flammes à l'abord de la plage. Des obstacles en bois, surmontés de mines, entravent la progression des Alliés. La marée monte et recouvre bientôt les véhicules, désorganise les plans et compromet la libération de Caen. C'est aussi à Colleville qu'on débarqué les 177 soldats français du commando Kieffer.

DE OUISTREHAM – RIVA-BELLA À COURSEULLES-SUR-MER, PÈLERINAGE SUR LA CÔTE DE NACRE

Suite du circuit à **Ouistreham – Riva-Bella** ❷. Sur la route, on pourra faire au halte au pont de Ranville, copie du Pegasus Bridge, ainsi nommé en 1944 en hommage aux parachutistes britanniques, dont l'emblème était Pégase. Petit musée sur place, où l'on peut observer le pont original. On parvient ensuite à Ouistreham, bourgade organisée autour d'un village ancien, d'un port, d'une station balnéaire et de sa longue plage de sable fin. Entre deux baignades, on voguera jusqu'à l'église Saint-Samson. Sa hauteur ainsi que ses contreforts, qui lui ont valu l'appellation d'église-forteresse, s'expliquent par le fait qu'elle servait de repère aux marins. Elle témoigne aussi de la prospérité du bourg au Moyen Âge.

À voir aussi 📷 Lion-sur-Mer, l'une des plus anciennes stations balnéaires de Normandie.

POUR SE DÉGOURDIR LES JAMBES 🚶

LE CHEMIN DE HALAGE (OU GR®36)
15 km • 2h

Belle promenade le long du **canal de l'Orne,** du port jusqu'à Caen, à 15 km.

Sinon, la **pointe du Siège.** À l'est du port de plaisance, cette avancée de bancs de sable, bordée par l'estuaire de l'Orne, est le rendez-vous des eaux marines et fluviales. Le site est riche en oiseaux (compter 2h).

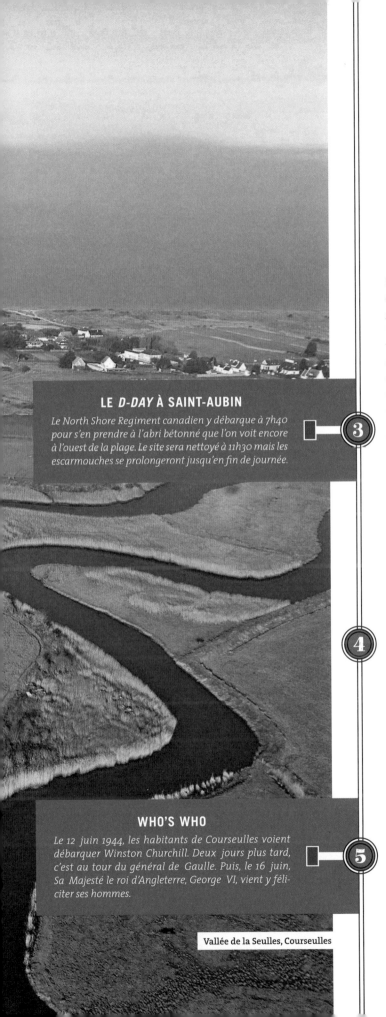

LE *D-DAY* À SAINT-AUBIN

Le North Shore Regiment canadien y débarque à 7h40 pour s'en prendre à l'abri bétonné que l'on voit encore à l'ouest de la plage. Le site sera nettoyé à 11h30 mais les escarmouches se prolongeront jusqu'en fin de journée.

③

WHO'S WHO

Le 12 juin 1944, les habitants de Courseulles voient débarquer Winston Churchill. Deux jours plus tard, c'est au tour du général de Gaulle. Puis, le 16 juin, Sa Majesté le roi d'Angleterre, George VI, vient y féliciter ses hommes.

⑤

Vallée de la Seulles, Courseulles

Luc-sur-Mer ❸ est une station balnéaire réputée pour la pureté de son air iodé. Son front de mer a retrouvé un visage riant grâce à la création du joli square Gordon-Hemming qui rend hommage au commando qui libéra Luc le 7 juin et à une restructuration de la place du Petit-Enfer. Le 6 juin 1944, le bourg est entre deux secteurs d'assaut alliés : Sword et Juno. Des chars allemands réussirent à s'infiltrer dans cette brèche, le soir du 6 juin. Mais ils seront obligés de faire demi-tour, faute de renforts ! Dans la soirée du 7, un commando britannique libère Luc-sur-Mer après avoir triomphé des résistances de la Wehrmacht, au lieu-dit Petit-Enfer, sans subir la moindre perte. À 3 km de Luc-sur-Mer, Douvres-la-Délivrande est une jolie cité scindée en deux « quartiers ». La Délivrande est réputée pour son pèlerinage et sa basilique Notre-Dame. Cette église aux vastes proportions abrite une Vierge noire sculptée en 1580. La chapelle Notre-Dame-de-Fidélité est dotée de splendides verrières en pâte de verre immaculée signées René Lalique. Douvres ne manque pas non plus de cachet : quelques belles demeures et une superbe baronnie.

Ancien village de pêcheurs, **Saint-Aubin-sur-Mer** ❹ (photo ci-dessus) est devenu une station balnéaire familiale au charme indéniable, avec un lacis de venelles qui servaient autrefois à étendre les filets et une belle promenade bordée de villas, le long de la grande plage.

À ne pas manquer 🔍 Bernières-sur-Mer, à 3 km. C'est un lieu important pour les Canadiens puisque c'est là que fut libérée l'une des premières maisons par la mer. Une application (Remem'Bernières) permet d'ailleurs, à travers deux circuits, de revivre le Débarquement. L'intérieur du village est charmant.

De toutes les stations balnéaires de la côte, **Courseulles** ❺ n'est pas la plus séduisante mais la plus vivante. Son dynamisme est dû au port de pêche et, surtout, de plaisance. On y vient faire un tour de carrousel, goûter au gui-gui, un bonbon gluant, ou déguster poissons et fruits de mer. C'est ici qu'est installé le centre Juno Beach, vaste bâtiment de titane en forme de feuille d'érable d'abord construit en souvenir des 45 000 soldats canadiens morts durant la Seconde Guerre mondiale. Pour reprendre le port, protégé par 26 constructions bétonnées surarmées, deux attaques furent nécessaires. Après d'épuisants combats de rue, les Allemands cédèrent au prix de lourdes pertes.

LA LIBÉRATION ENTRE MER ET TERRE

Ver-sur-Mer 6 constitue, à l'aube du 6 juin 1944, l'entité stratégique du secteur Gold Beach. L'opération est confiée à l'infanterie britannique. Les soldats débarqués à Ver s'emparent tout de suite des canons ennemis, les artilleurs allemands s'étant rendus, traumatisés par les bombardements. Aujourd'hui, la plage ne déborde pas d'intérêt mais le village est plus séduisant. Il accueille le musée America Gold Beach, consacré aux traversées aériennes transatlantiques.

À moins de 10 km à l'ouest de Ver-sur-Mer, **Arromanches** 7 n'est pas une plage du Débarquement. Elle fut libérée... par voie terrestre le soir du 6 juin. Arromanches est devenue l'un des hauts lieux de la bataille de Normandie grâce au port flottant qui y fut installé, considéré comme la plus grande prouesse technique de la guerre. On découvre ce qu'il en reste depuis la route côtière, avant d'entrer dans le bourg.

L'INCROYABLE HISTOIRE DU PORT ARTIFICIEL

Le Mulberry B, vaste port flottant préfabriqué, est construit en Angleterre en 1943, en secret. Le 9 juin, les éléments arrivent, tirés par 200 remorqueurs... Si le port d'Arromanches est une merveille de technologie, son rôle réel pendant la guerre est à nuancer. Celui d'Omaha Beach, moins sophistiqué, assura 30 % du trafic allié contre 17 % pour Arromanches. Le port a été démonté juste après la guerre et la mer s'est chargée d'engloutir le reste. Les vestiges témoignent tout de même de sa solidité. On se rend mieux compte du dispositif après avoir vu les maquettes et l'animation en 3D du musée du Débarquement.

PAS DE CÔTÉ : BAYEUX DE FIL EN AIGUILLE

Bayeux est l'une des très rares villes du coin à ne pas avoir souffert des destructions de la guerre. Le centre-ville abrite nombre de maisons médiévales et de superbes hôtels particuliers. À voir aussi, le passionnant musée d'Art et d'Histoire Baron-Gérard et celui consacré à la bataille de Normandie, sans oublier la majestueuse cathédrale, fleuron de l'art roman élevé au XIe s. Cerise sur le gâteau, l'Aure, qui la traverse nonchalamment, donne à la ville un cachet supplémentaire et est l'occasion d'une jolie flânerie. Mais le trésor de Bayeux, c'est évidemment sa fameuse tapisserie. Cette broderie sur toile de lin, longue de 70 m (!), retrace la conquête de l'Angleterre par Guillaume le Conquérant. Achevée en 1077, cette gigantesque « bande dessinée » était destinée à décorer la cathédrale tout en diffusant un message édifiant sur les vertus de Guillaume. Les détails dans les costumes, la robe des chevaux, sans oublier le fabuleux bestiaire imaginaire sont époustouflants, surtout si l'on songe que seuls trois colorants végétaux ont donné quelque dix teintes de fil !

Falaises du cap Manvieux, Arromanches

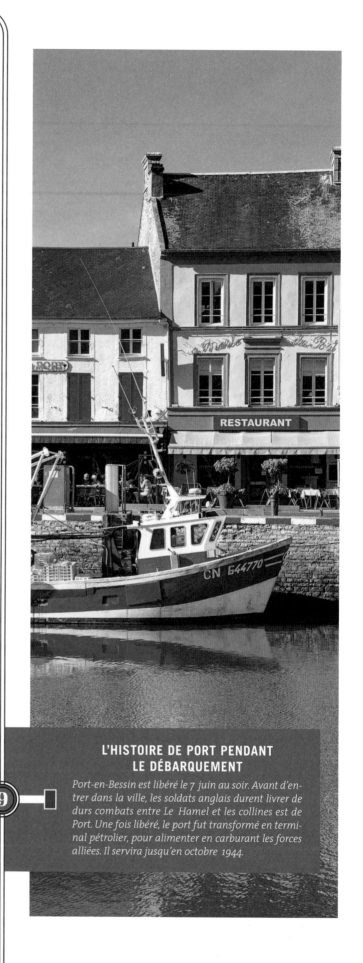

RETOUR SUR LES PLAGES DU DÉBARQUEMENT À LONGUES-SUR-MER JUSQU'À OMAHA BEACH

Pas de plage à **Longues-sur-Mer** ❽ ! Mais de jolies criques taillées dans de hautes falaises dans un site sauvage battu par les vents, où les Allemands construisirent une redoutable batterie que l'on pourra visiter. Mais aussi une bien belle abbaye. Édifiée en septembre 1943, cette batterie aurait pu nuire au déroulement du Débarquement. Mais l'aviation alliée troubla la fin des travaux et les bombardements sur le site redoublèrent avant le *D-Day*. La batterie fut réduite au silence après 20 minutes de duel à l'aube du 6 juin. Le lendemain, toute la garnison allemande de Longues se rendit aux Britanniques venus d'Arromanches.

CINÉMA *Le Jour le plus long (1962)*, **de Darryl F. Zanuck,** avec John Wayne, Sean Connery… et Bourvil ! Une peinture crue et fidèle du Débarquement de Normandie. Surtout tourné en Corse et à l'île de Ré !

À **Port-en-Bessin** ❾, presque toute la population active vit du poisson. Ce port naturel niché entre deux hautes falaises érodées, couvertes d'un velours vert, fut notamment immortalisé par Seurat et Signac. À certains endroits, ces monstres de calcaire atteignent 70 m. La tour Vauban veille sur la cité depuis son petit promontoire. Tard le soir, on peut assister au retour des pêcheurs puis à la criée. Ambiance garantie !

À faire ! Pêche en mer, avec Régis (☐ 06-03-02-00-42). Sorties suivant les heures de marées.

À ne pas manquer 🔍 On peut assister à la bénédiction de la mer tous les 5 ans, autour du 15 août. Depuis 1908, rues et maisons se parent de filets multicolores. Une procession grimpe jusqu'à la statue de la Vierge Notre-Dame des Flots, puis les bateaux décorés de roses de papier sortent en mer pour se recueillir autour d'un catafalque flottant, symbolisant les disparus en mer. La prochaine aura lieu en août 2023.

L'HISTOIRE DE PORT PENDANT LE DÉBARQUEMENT

Port-en-Bessin est libéré le 7 juin au soir. Avant d'entrer dans la ville, les soldats anglais durent livrer de durs combats entre Le Hamel et les collines est de Port. Une fois libéré, le port fut transformé en terminal pétrolier, pour alimenter en carburant les forces alliées. Il servira jusqu'en octobre 1944.

Sous le nom de code d'Omaha, se cachent les plages de trois villages : Vierville-sur-Mer, Saint-Laurent-sur-Mer et **Colleville-sur-Mer** ❿. Les Américains qui débarquèrent ici connurent les pires conditions : mer agitée, obstacles meurtriers, site quasi imprenable, ennemis plus nombreux que prévu, etc. Omaha, seule plage où le réembarquement fut envisagé, reste le symbole de la détermination des militaires américains, mais aussi, avec le bilan le plus catastrophique du *D-Day* (on estime le nombre de blessés, tués et disparus à environ 3 000), celui du prix (cher) payé pour libérer

l'Europe. Le site qui surplombe la plage (concession américaine à perpétuité) fut choisi pour accueillir le cimetière : ici reposent les corps de plus de 9 000 Américains... Le Visitor Center accueille un musée qui donne un éclairage humain et poignant à ces milliers de croix blanches. Juste à côté, l'Overlord Museum évoque les six armées présentes en Normandie au travers de décors et scènes reconstitués. Enfin, ces plages au passé tragique sont certainement parmi les plus belles du Calvados. Au pied de collines verdoyantes, de magnifiques bandes de sable fin s'étendent à perte de vue.

EXPÉRIENCE

D-Day Festival

Comme chaque année sur l'ensemble des plages du Débarquement, le D-Day Festival Normandy commémore l'anniversaire du Débarquement et rend hommage aux soldats alliés qui ont libéré la France à partir du 6 juin 1944. C'est Bayeux qui fut libérée la première, dès le 7 juin 1944. Ce festival célèbre la liberté retrouvée autour de manifestations festives : défilé de véhicules militaires à Isigny-sur-Mer, pique-nique géant à Omaha Beach, parachutages à La Fière et Utah Beach, randonnée historique à Merville-Franceville-Plage, défilé de joueurs de cornemuse de Luc-sur-Mer à Bernières-sur-Mer, camps militaires...

Plus d'infos ᵂᵂ. ddayfestival.com

FIN DE LA ROUTE À LA POINTE DU HOC

Imaginez une falaise abrupte, atteignant 35 m de haut à certains endroits. Ce lieu sublime fut choisi par les Allemands pour l'implantation d'une puissante batterie de canons. L'héroïque prise du site par les rangers américains fit de l'assaut de la pointe du Hoc l'une des pages les plus célèbres de l'histoire du Débarquement. La délicate mission de prendre ce site réputé imprenable fut confiée à un Texan, le colonel James Rudder, ancien entraîneur de foot d'un lycée ! Le 6 juin, peu de choses se passent comme prévu : brouillard, erreur de navigation, vagues… À 7h10, les hommes mettent enfin pied à terre. Il suffit de quelques minutes à la plupart des soldats pour atteindre le sommet de la falaise. Mais il faudra plus de deux jours pour déloger l'ennemi. Le site de la **pointe du Hoc** ⑪ est propriété des États-Unis. Il est resté en grande partie intact, dans l'état où il avait été laissé par les rangers le 8 juin 1944.

POUR ALLER PLUS LOIN

SAINTE-MÈRE-L'ÉGLISE

L'un des symboles du Débarquement, rendu célèbre par John Steele, le parachutiste américain entré dans l'histoire pour être resté accroché au clocher de l'église (au remarquable portail, soit dit en passant). Le circuit « Musée à ciel ouvert » trace un itinéraire de 50 km autour de Sainte-Mère-Église et Utah Beach (rens à l'office du tourisme). Diaporama, repérages cartographiques, commentaires audio et témoignages aident à comprendre les évènements. Enfin, le Airborne Museum revient sur l'histoire du glorieux parachutage qui permit la libération de la ville.

⑪

ON NE PEUT PAS TOUT PRÉVOIR…

Les soldats s'étaient entraînés avec leur lance-grappin à escalader une falaise comparable. Mais ils eurent la cruelle surprise de s'apercevoir que les cordes, alourdies par l'eau de mer, ne pouvaient atteindre le haut de la falaise, compliquant encore l'ascension.

Pointe du Hoc

PLAYLIST

Les Ricains, Michel Sardou, 1967 : un hommage vibrant aux soldats américains qui combattirent pendant le Débarquement de Normandie.

À VOIR

• *Un singe en hiver* (1962), de Henri Verneuil avec Jean Gabin et Jean-Paul Belmondo. Un ancien alcoolique, guéri de ses démons après que son hôtel a échappé aux bombardements de 1944, renoue avec ses premières amours.
• *Il faut sauver le soldat Ryan* (1998), de Steven Spielberg, avec Tom Hanks et Matt Damon. La périlleuse mission d'une escouade américaine pour secourir le soldat Ryan, parachuté en territoire ennemi.

CARNET D'ADRESSES

ÉTAPES	INFORMATIONS
② OUISTREHAM	|●| **La Cabane du Vivier** : *16, rue Georges-Lelong, 14800 Colleville-Montgomery.* Amateur d'huîtres, l'heure est venue de découvrir les différents « crus » qu'offre la Normandie. On vient aussi là pour se régaler d'une assiette de bulots ou de crevettes, ou de quelques plats de poisson.
LION-SUR-MER	|●| **La Taverne** : *15, pl. Clemenceau.* La cantine du village. Ambiance conviviale, plats traditionnels et bons produits.
④ SAINT-AUBIN-SUR-MER	🛏 **Hôtel Saint-Aubin** : *26, rue de Verdun.* • *hotelsaintaubin.com* • L'un des plus confortables hôtels de la Côte de Nacre, avec une terrasse qui casse l'aspect cubique du bâtiment, des chambres fonctionnelles et une équipe en cuisine qui assure.
⑤ COURSEULLES-SUR-MER	|●| **Restaurant Dégustation de L'Île** : *route de Ver-sur-Mer.* Tout vitré, ce resto offre une jolie vue sur d'anciens parcs à huîtres. Assiettes ou plateaux de fruits de mer de qualité, et des plats qui mettent les produits de la mer à l'honneur.
BAYEUX	🛏 **Hôtel de la Reine Mathilde** : *23, rue Larcher.* • *hotel-bayeux-reinemathilde.fr* • Dans trois bâtiments différents, des chambres dans l'air du temps. Coup de cœur pour la Maison de Mathilde, demeure médiévale au calme. |●| **La Colline** : *14, rue Saint-Exupère.* • *bayeux-la-colline.fr* • On est immédiatement séduit par le jardin central à l'allure zen, la demeure fin XIXe et l'annexe chic bardée de bois qui abrite les chambres. Déco contemporaine et raffinée, aux tons sobres et chaleureux. |●| **Au Ptit Bistrot** : *31, rue Larcher.* Contemporaine, sobre et élégante, la déco s'harmonise avec la cuisine, moderne, fraîche et créative, aux saveurs méditerranéennes.
⑦ ARROMANCHES	🛏 **Chambres d'hôtes Le Pressoir d'Asnelles** : *chez les Reverdi, 1, rue de l'Église, 14960 Asnelles.* • *maisondhotesnormandie.fr* • Dans cette belle ferme en U typique de ce coin de Normandie, les chambres, installées dans l'ancienne étable, mêlent avec bonheur l'ancien et le contemporain.

N°4

166 KM

SAINT-GERMAIN-DES-VAUX

PORT RACINE

AUDERVILLE **10 9** OMONVILLE-LA-PETITE

D45 **8** **7** OMONVILLE-LA-ROGUE

LA BAIE D'ÉCALGRAIN

MAISON NATALE JEAN-FRANÇOIS MILLET

11 MANOIR DU TOURP

D901 **D45**

NEZ DE JOBOURG

12 VAUVILLE

D37

DUNES DE BIVILLE

D64

D4

SCIOTOT **13**

LE ROZEL

D650

14 **D650**

BARNEVILLE-CARTERET

ARRIVÉE **D264**

PORT-BAIL **15**

FICHE PRATIQUE

SITUATION

Au nord de la Manche, à travers les presqu'îles du Val de Saire et de la Hague.

MEILLEURE PÉRIODE

Itinéraire envisageable toute l'année. Plus de monde l'été, mais pas non plus de foules oppressantes. À l'intersaison, la lumière confère une dimension dramatique au littoral. L'hiver contentera le voyageur en quête d'isolement.

MEILLEURS SOUVENIRS

Le dépaysement total, les sauts de puce de coquets villages en ports charmants, les délicieux produits du terroir.

PRÉPARER SON ROAD TRIP

• manchetourisme.com
• encotentin.fr

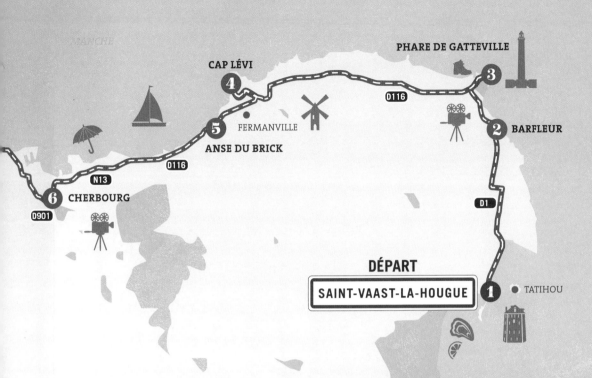

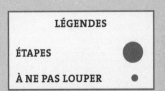

LE COTENTIN CÔTÉ MER, CAP SUR LA HAGUE !

SAINT-VAAST-LA-HOUGUE ⟶ PORT-BAIL

Des plages qui s'étendent à perte de vue, une côte préservée, un littoral tour à tour serein et généreux, accidenté et famélique… Les routes sillonnent un pays rural mais jamais monotone. Des paysages où s'égrènent les clos entourés de haies vives dans lesquels poussent des pommiers ; de vertes prairies où paissent les meilleures laitières de France et des moutons presque partout. De la Hougue à la Hague, de ports en ravissants villages, sans oublier l'immense rade de Cherbourg-en-Cotentin, on découvre une région tantôt austère, tantôt pastorale ; sauvage et fascinante en tout cas.

LÉGENDES

ÉTAPES ●

À NE PAS LOUPER ·

DE SAINT-VAAST-LA-HOUGUE À GATTEVILLE, LA CÔTE TRANQUILLE

La presqu'île du Val de Saire coule des jours paisibles entre plaines fertiles et côte tranquille. On y découvre des ports parmi les plus charmants du Cotentin. À commencer par « **Saint-Va** » ①, élu village préféré des Français en 2019. Centre ostréicole renommé autant que lieu de villégiature prisé, son microclimat favorise l'éclosion des fuchsias et mimosas. Mais ce cadre bien léché ne doit pas occulter qu'il s'agit du 3ᵉ port de pêche le plus important de Normandie ! On peut y voir une dizaine de bateaux traditionnels. Du port justement, une jolie balade arpente la jetée jusqu'au phare. En chemin, s'arrêter à la charmante chapelle des marins, vestige du chœur roman de l'ancienne église paroissiale. Un autre sentier fait le tour du fort de la Hougue, dont la tour Vauban est inscrite au Patrimoine mondial de l'Humanité par l'Unesco. Avec ses 20 m de hauteur (superbe vue sur la baie alentour) et ses murs épais, elle est un très bel exemple d'architecture du XVIIᵉ s.

La route se poursuit placidement jusqu'à **Barfleur** ②, port coquet apprécié des peintres, à l'image du pointilliste Paul Signac. On se promène avec plaisir dans ce bourg à l'architecture austère mais homogène, avec son église trapue et ses maisonnettes blotties les unes contre les autres, se protégeant des tempêtes et vents assassins.

FOCUS
L'ÎLE TATIHOU

D'ici part le bateau amphibie qui fait la liaison avec l'île Tatihou. Les plus téméraires chemineront à pied (en se renseignant bien sur les horaires des marées !). Fortifiée par Vauban au XVIIᵉ s, elle abrita une garnison, un lieu de quarantaine, des prisonniers allemands de la guerre 14-18, des adolescents difficiles et un laboratoire de biologie marine. Aujourd'hui on y visite un passionnant musée maritime avant d'aller jeter un œil au lazaret et à la tour Vauban.

Bon à savoir ☀ Possibilité de dormir sur l'île dans la trentaine de chambres confortables aménagées dans le lazaret.

À ne pas louper 🔍 Le festival des *Traversées Tatihou* (en août), qui combine marche à pied et musiques traditionnelles du monde entier.

À 4 km du centre, **le phare de Gatteville** ③ fait figure de bout du monde. 365 marches, 52 ouvertures et 12 niveaux. Ça ne vous rappelle rien ? D'en haut, à 75 m au-dessus de la mer, le paysage est à couper le souffle.

CINÉMA

Diva, de Jean-Jacques Beineix, avec Frédéric Andrei et Richard Bohringer (1981). Un jeune homme, fasciné par une diva, l'enregistre à son insu et déclenche une haletante chasse à l'homme. Le héros finit par se réfugier au phare de Gatteville.

DE GATTEVILLE À CHERBOURG-EN-COTENTIN, LE LONG DE LA CÔTE GRANITIQUE

À partir du phare de Gatteville, la côte granitique offre quelques points de vue saisissants. En retrait, nombre de châteaux et manoirs se cachent dans un paysage préservé. Des villages tranquilles s'entourent d'herbages et de cultures maraîchères abritées derrière des murets de pierre.

Un arrêt s'impose au **cap Lévi** ④, d'où part une magnifique balade jusqu'au phare, à travers les landes surplombant la mer. Devant le phare, on comprend ce qu'est l'angoisse d'une côte « mal pavée » pour un marin : ces rochers affleurant, au ras de l'eau, en ont coulé plus d'un...

À voir aussi 📷 **Derrière le cap, Fermanville, beau village aux nombreux hameaux et moulins.**

Une poignée de kilomètres plus loin, on parvient à **l'anse du Brick** ⑤. L'évocation de ce nom réveille tout un imaginaire : pavillon à tête de mort, bandeau noir sur l'œil et coffre débordant d'or... Et le paysage de cette adorable petite baie ne déçoit pas : des eaux turquoise ourlant une langue de sable... On oublie les Caraïbes et les îles au trésor en découvrant les gros rochers granitiques polis par les flots.

Phare du cap Lévi

LES CHARMES MÉCONNUS DE CHERBOURG

À quelques encablures se dessine déjà l'immense rade artificielle de **Cherbourg** 6, la plus grande au monde ! De prime abord grise et industrieuse, cette ville dégage pourtant une atmosphère particulière, vivante et affairée, et réserve de belles surprises. Après un petit tour dans le centre historique, on visite le joli théâtre à l'italienne à l'élégante façade en calcaire habillée de colonnes, le musée Thomas-Henry à la collection d'art éclectique ou le musée Emmanuel-Liais, étonnant cabinet de curiosités. Mais le point d'orgue d'une escale à Cherbourg, c'est la Cité de la mer.

CINÉMA

***Les Parapluies de Cherbourg*, de Jacques Demy (1964), avec Catherine Deneuve.** Les amours contrariées de Geneviève et Guy, séparés par la guerre d'Algérie. Cultissime bande originale composée par Michel Legrand. Au n°13 de la rue du Port se trouve la boutique qui servit de décor principal au film.

FOCUS
LA CITÉ DE LA MER

Installée dans ce qui fut la gare maritime transatlantique, construite pour répondre à l'émigration des Européens vers les Amériques, la Cité de la mer revient sur la conquête des fonds marins par l'homme. Fleuron de l'architecture Art déco, le bâtiment retrace cette périlleuse épopée à grand renfort d'engins, maquettes, témoignages inédits et même une plongée interactive dans les abysses... Mais la vedette, c'est *Le Redoutable*, 1er sous-marin nucléaire français, lancé à l'arsenal de Cherbourg en 1967 par Charles de Gaulle.

Plus d'infos www. citedelamer.com

EXPÉRIENCE

Le bastion des « voileux »

Cherbourg est l'un des meilleurs spots de voile en Manche. Le port accueille les grands classiques de la course au large : Course de l'Europe (open UAP), Tour de France à la voile, Solitaire Le Figaro, Tall Ships' Race... D'excellents marins sont des enfants du pays, comme Halvard Mabire ou Thierry Lacour. Les petits rusés sauront qu'en allant traîner leurs guêtres du côté de la capitainerie du port, il est toujours possible de trouver un embarquement... Une expérience inoubliable.

Baie d'Écalgrain

DE CHERBOURG À AUDERVILLE : LA HAGUE, C'EST L'IRLANDE EN NORMANDIE !

La Hague est une terre déchirée, une longue échine décharnée entourée d'écueils. Une région hostile, efflanquée, battue par les vents et martelée par les marées.

Bon à savoir 💡

Les opérateurs hexagonaux n'ayant pas jugé bon de s'installer dans ce magnifique bout de monde, le réseau est... anglais ! Attention à la facture.

On accoste à **Omonville-la-Rogue** ❼, adorable village niché dans une riante vallée à l'abri du vent. Après avoir déambulé parmi ses maisonnettes en granit et en grès, on reprend le volant jusqu'au manoir du Tourp, une ferme seigneuriale qui accueille d'intéressantes expositions sur le patrimoine local. Juste à côté, **Omonville-la-Petite** ❽ essaime ses coquettes demeures, claquemurées en de tendres hameaux.

Une poésie qui n'avait pas échappé à Jacques Prévert, qui vécut ici dans une jolie maison fleurie. Elle se visite et on retrouve intacte l'atmosphère qui fut celle de la famille dans l'atelier de l'artiste, resté en l'état. Fin du pèlerinage au cimetière où il repose en compagnie de sa femme et de sa fille.

À voir aussi 📷 La maison natale de Jean-François Millet à Gréville-Hague, à 6 km au sud-est d'Omonville-la-Rogue, peintre des réalités paysannes de la région.

La route progresse entre mer et champs jusqu'à **Saint-Germain-des-Vaux** ❾, petit bijou de pierres et de verdure. On ne manquera pas d'aller prendre la mesure du port Racine (photo ci-contre), qui passe pour être le plus petit de France. Puis on procèdera à un inventaire floral à la Prévert aux jardins qui lui rendent hommage.

❿

COUP DE CŒUR

LA BAIE D'ÉCALGRAIN

L'austère plateau de la Hague s'ouvre en une majestueuse entaille. La baie d'Écalgrain, suspendue entre nuages et vagues, se répand en une plage d'étincelants galets, léchés par des eaux cristallines. Les points de vue sont encore plus somptueux quand on arpente le sentier des douaniers...

L'impression d'un bout du monde se précise à **Auderville** ❿, presque un Ushuaia normand. En contrebas, Goury est le théâtre d'un spectacle fascinant : les courants du raz Blanchard soulèvent des barrières d'écume, infranchissables pour beaucoup de bateaux. Ils comptent parmi les plus puissants au monde. Cultures et pâturages ont les pieds dans l'eau, confiant leur protection aux murets de pierre couverts de mousses et de lichens.

Château de Nacqueville

LA HAGUE ET AU-DELÀ !

On parvient au **nez de Jobourg** ⑪. Du haut de ses quelque 128 m, il s'agit des falaises les plus hautes d'Europe continentale. Par beau temps, on aperçoit l'île d'Aurigny. C'est alors qu'éclot une somptueuse baie, que l'on suit jusqu'à **Vauville** ⑫. Là, une stupéfiante plage immaculée et un village oublié des foules.

On cabote ensuite jusqu'aux incongrues **dunes de Biville** (jusqu'à 111 m !), refuge d'une riche faune et flore. Passé le port de Diélette où l'on exploitait le fer sous la mer (si, si !), un détour s'impose par l'anse de **Sciotot** ⑬ et sa plage magnifique, puis par le **hameau du Rozel**, où l'on découvre un

fastueux château et de petites maisons qui se serrent étroitement les coudes face aux intempéries.

L'itinéraire s'achève à **Barneville-Carteret** ⑭, l'une des plus anciennes stations balnéaires françaises, dont la plage familiale et peu urbanisée invite à la détente. On peut aussi pousser jusqu'à **Port-Bail** ⑮, charmante bourgade alanguie le long d'un petit estuaire.

> **Bon à savoir** 💡
> De Diélette et Barneville-Carteret partent les ferrys à destination des îles anglo-normandes.

LE JARDIN BOTANIQUE DE VAUVILLE

L'émerveillement continue au jardin botanique, éden face à la mer. Il abrite plus de 1 000 espèces, toujours à feuillage persistant et souvent de l'hémisphère austral. Tantôt une petite palmeraie, tantôt un délicieux et surprenant jardin d'eau, le tout ondulant paisiblement vers la mer.

LIVRE DE ROUTE

Paroles, de Jacques Prévert (1946 ; Gallimard). Ce recueil rassemble des textes publiés séparément dans diverses revues. Une œuvre composite où se rejoignent des poèmes de formes et de longueurs variables, marquée par une oralité parfois déroutante et l'absence de ponctuation. Prévert se fait ici le chantre d'une poésie du quotidien, tour à tour tendre, cocasse ou engagée.

CARNET D'ADRESSES

ÉTAPES	INFORMATIONS
❶ SAINT-VAAST-LA-HOUGUE	**Épicerie Gosselin** : *27, rue de Verrüe*, une belle affaire de famille, fondée il y a plus de 100 ans. Belles spécialités régionales (calvados, caramels, cidres...), cafés, thés, épices, whiskies, chocolats fins, fromages, fruits et légumes... Aussi une cave. **❙❉❙ Le Panoramique** : *1, village de l'Église, 50630 La Pernelle*. On ne se lasse pas de cette vue superbe, à 360°, qui s'étend de Barfleur à Saint-Vaast. À l'honneur : les produits de la région (huîtres de Saint-Vaast, pêche locale, filet de bœuf, canard...).
❷ BARFLEUR	**La Laiterie** : *15, rue de la Gare, 50330 Tocqueville*. Cette ancienne laiterie a retrouvé vie et beauté, tout en conservant son caractère : magnifiques volumes, carrelages ou vieux parquets. Pour le mobilier, chiné, il mélange avec bonheur les styles et les époques. **Manoir de la Fèvrerie** : *chez Marie-France Caillet, 4, route d'Arville, 50760 Sainte-Geneviève*. Maison de famille des XVIe et XVIIe s. Toute de granit jusqu'au solide escalier en pierre qui grimpe vers des chambres confortables et décorées avec soin de façon cosy, un peu campagne à l'anglaise.
❻ CHERBOURG	**Hôtel Le Cercle** : *13, pl. de la République. • hotel-lecercle.com •* Cette bâtisse construite en 1945 appartenait à la Marine nationale. Elle abritait le restaurant des officiers et servait à accueillir leur famille. Depuis, la maison a fait peau neuve et propose des chambres coquettes. **❙❉❙ Le Pily** : *39, Grande-Rue. • le-pily.com •* Cuisine gastronomique inventive et créative à base de produits du marché. Une carte courte où saveurs et goûts sont sublimés par l'utilisation subtile d'épices variées.
❼ OMONVILLE-LA-ROGUE	**Gîtes du Sémaphore Jardeheu** : *pointe Jardeheu, à Digulleville. • digulleville.fr •* Entre Omonville-la-Rogue (2 km) et Omonville-la-Petite, sur la D 45. Un site exceptionnel ! Une vue exceptionnelle ! Un calme que seul le ressac ou la tempête peut troubler... On vient dans ce sémaphore daté de 1860 pour le site lui-même, d'une grande poésie.
❿ AUDERVILLE	**La Buhôtellerie Backpacker** : *3, La Buhôtellerie, 50440 Jobourg. • la-buhotellerie.com •* Blottie au milieu des champs, dans un beau corps de ferme typique, le paradis des routards. Sanitaires partagés pour tout le monde, y compris pour les veinards qui logeront dans le chalet installé dans le délicieux jardin en pente avec ses biquettes et sa mare.
⓫ BARNEVILLE-CARTERET	**❙❉❙ Le Clos Rubier** : *14, hameau Gaillard, 50270 Saint-Jean-de-la-Rivière*. Belle auberge de campagne, avec sa façade dévorée par la vigne vierge et son jardin fleuri. Salle rustique, avec une cheminée immense devant laquelle officie le patron. Bienvenue au royaume de la grillade conviviale.

POINTE DU GROUIN

ROTHÉNEUF

DÉPART

SAINT-MALO

LA VILLE BAGUE

CANCALE

④

D201

⑤

① ③ SILLON
LA CHIPAUDIÈRE

②

CITÉ D'ALETH
DINARD

SAINT-SERVAN-SUR-MER

N°5

95 KM

FICHE PRATIQUE

SITUATION

Bretagne et Normandie.

MEILLEURS SOUVENIRS

Comme les pèlerins au Moyen Âge, aborder le Mont-Saint-Michel en traversant la baie à pied (avec un guide). L'approche se révèle particulièrement magique à l'aube ou au crépuscule.

PRÉPARER SON ROAD TRIP

• bienvenueaumontsaintmichel.com
• abbaye-mont-saint-michel.fr

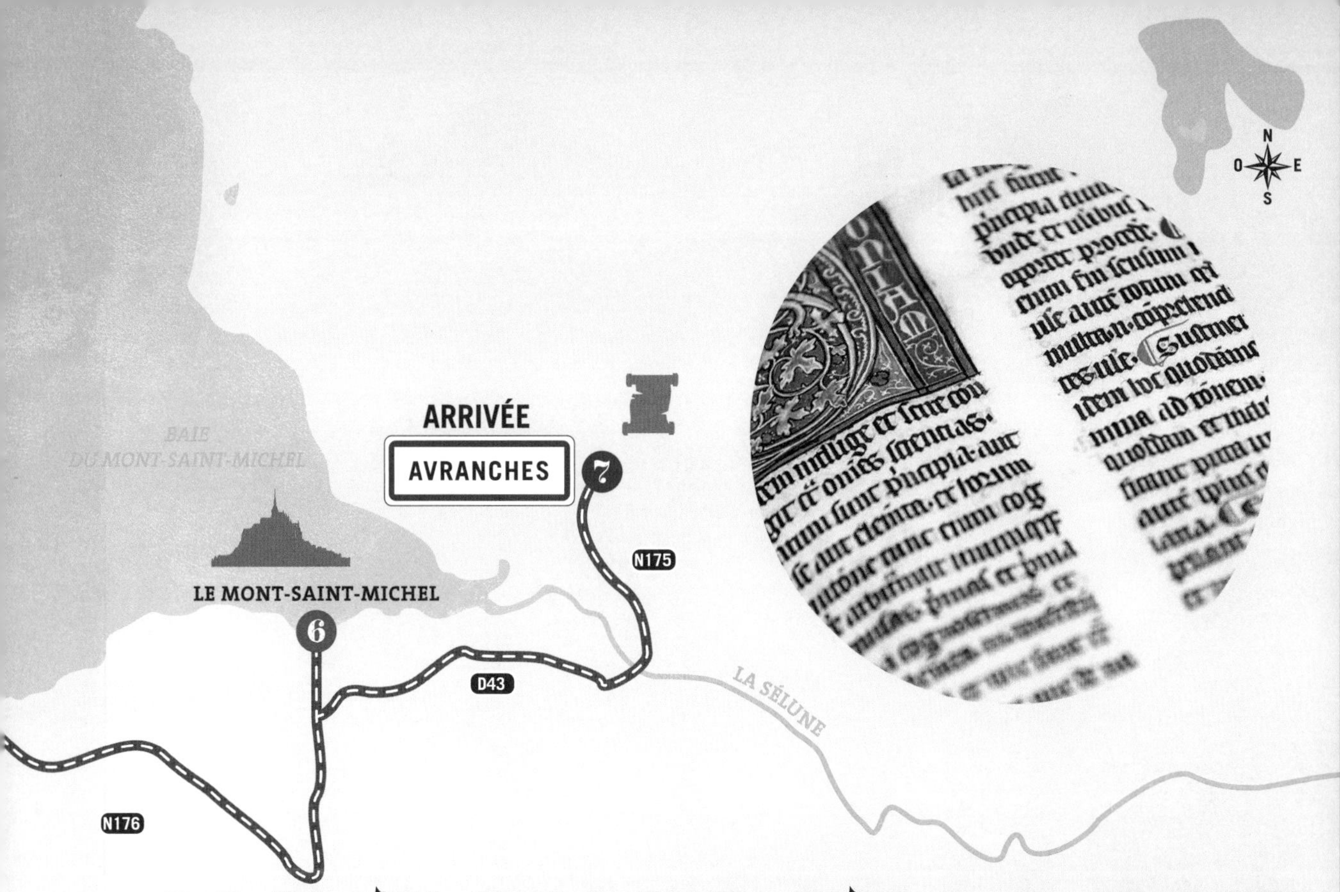

ARRIVÉE

AVRANCHES

7

N175

BAIE DU MONT-SAINT-MICHEL

LE MONT-SAINT-MICHEL

6

D43

LA SÉLUNE

N176

SAINT-MALO ET LA BAIE DU MONT-SAINT-MICHEL

SAINT-MALO ➤ AVRANCHES

De Saint-Malo à Avranches, entre Bretagne et Normandie, la côte s'étire, indolente, sur des bandes de sable lisse, léchées par des eaux couleur émeraude. Les villes balnéaires cossues et leurs petits ports animés s'égrènent le long de la route, et on s'arrête volontiers pour faire trempette ou déguster une bourriche d'huîtres. Point d'orgue de la balade, la saillante silhouette du Mont-Saint-Michel, surgissant au milieu d'une immense baie ouverte, laisse sans voix. Le prestigieux rocher, coiffé d'une minérale abbaye, est la carte de visite de la région.

LÉGENDES

ÉTAPES ●

À NE PAS LOUPER •

FLEUVES, RIVIÈRES —

DE SAINT-MALO À CANCALE PAR LA ROUTE DE LA CÔTE

Agitée par des courants malicieux, faite par et pour la mer, **Saint-Malo** ❶ vit au rythme des marées, du commerce et du tourisme. C'est « une couronne de pierres posée sur les flots », selon Flaubert. La ville se dévoile par la promenade des remparts. Ne pas manquer le beau panorama depuis le bastion de la Hollande. À partir de la place Chateaubriand, le circuit fléché de l'Hermine permet de découvrir le vieux Saint-Malo : maisons anciennes d'origine ou reconstruites, hôtels particuliers, cours pittoresques, passages, vestiges historiques divers. On a du mal à imaginer que la vieille ville fut totalement détruite par les bombardements alliés… On s'arrêtera un instant pour visiter la cathédrale Saint-Vincent, ainsi que la Demeure de Corsaire (hôtel Magon) pour faire la connaissance de François-Auguste Magon de La Lande, personnage emblématique de l'histoire malouine de la ville. Avis aux avaleurs d'écume et à ceux qui veulent y goûter : Saint-Malo est le lieu idéal pour se jeter à l'eau. Amarré au quai Duguay-Trouin, la réplique parfaite d'un navire corsaire de 1745, l'*Étoile du Roy*, se visite et propose même des sorties en mer. Quant aux plages, celle du Sillon est vaste et superbe. Les plages de Bon-Secours et du Môle sont plus petites mais appréciées pour leur tranquillité.

À ne pas louper 🔍
Les Thermes marins, sur la Grande Plage du Sillon. Pour quelques heures de détente dans une eau de mer à 34 °C.
• thalasso-saintmalo.com •

Tout a commencé à **Saint-Servan** ❷, et tout y est encore réuni aujourd'hui : l'estuaire d'une belle rivière qui se jette dans la Manche, plusieurs criques abritant de petits ports nichés dans les échancrures du littoral, la superbe plage des Bas-Sablons, un remarquable port de plaisance, sans oublier la célèbre tour Solidor en granit et en schiste breton. Elle pourrait à elle seule symboliser le passé de la ville, dominant fièrement le port de Saint-Servan, au pied d'un magnifique promontoire rocheux (la cité d'Aleth) qui s'avance dans les eaux de l'estuaire de la Rance. Observatoire unique dominant la baie de Saint-Malo, le site d'Aleth est le berceau de l'histoire malouine. Les premiers habitants y vécurent, avant qu'ils ne décident, vers 1144-1152, de se mettre à l'abri sur le site de l'actuelle ville close intra-muros. Sur le chemin qui monte aujourd'hui au sommet de la colline, on trouve les ruines de la cathédrale Saint-Pierre d'Aleth. À pied, on peut suivre la corniche d'Aleth qui sinue sur la butte. Le chemin continue jusqu'au fort d'Aleth qui abrite le musée Mémorial 39-45.

À voir aussi 📷 **Le Grand Aquarium à Saint-Malo.** Il dresse de manière ludique un inventaire étonnant des habitants de toutes les mers du globe.

PAS DE CÔTÉ : DINARD

En face de Saint-Malo, sur la rive gauche de l'estuaire de la Rance, **Dinard** est l'une des plus anciennes stations balnéaires françaises. Avec la légendaire plage de l'Écluse, constellée de cabines de bain et de tentes rétro à rayures, la petite « Nice du Nord » reste un lieu de villégiature discret et élégant.

EXPÉRIENCE

Sorties en mer

Nombreuses balades possibles : remontée de la Rance jusqu'à Dinan, baie de Saint-Malo, promenade jusqu'au cap Fréhel, découverte de la côte est, au large de Saint-Malo, qui aboutit dans la baie de Cancale et pour les amateurs, matinée de pêche en mer.

Embarquement 🚢 Cale de Dinan

Plus d'infos 🌐 compagniecorsaire.com

On rejoint le **Sillon** ❸ et sa plage, très marquée par le style balnéaire de la fin du XIXᵉ s et de la Belle Époque. Un charme rétro et désuet se dégage de ces ribambelles de villas faisant face à la Manche, en surplomb de la mer. L'occasion de faire étape pour fouler la longue digue-promenade de Rochebonne, une superbe balade de 2 km le long de la plage de sable, jusqu'à la pointe de Rochebonne. Les jours de grande marée, sortez et goûtez au spectacle naturel des vagues qui se brisent sur la digue...

La route suit son cours jusqu'aux fameux Rochers sculptés de **Rothéneuf** ❹, dans un site superbe face à la mer. Ces étonnantes roches taillées de 1894 à 1907 (près de 300 personnages), par l'abbé Fouré émeuvent toujours autant les amateurs d'art brut.

FOCUS
LES MALOUINIÈRES DE L'ARRIÈRE-PAYS

Les malouinières sont ces beaux manoirs que les bourgeois, les négociants et les armateurs fortunés de Saint-Malo se firent construire dans la proche campagne aux XVIIᵉ et XVIIIᵉ s. Ce petit territoire se nomme le Clos-Poulet (contraction en fait de « pays d'Alet », dans le langage des anciens !). Aujourd'hui encore, la région compte une centaine de malouinières qui ont traversé les turpitudes de l'histoire. Quelques-unes parmi les plus belles se visitent : la **Chipaudière** (Paramé) et la **Ville Bague** (Saint-Coulomb).

Cancale

De Saint-Malo à Cancale, la route de la côte distille 22 km de pur bonheur avec vue sur la mer couleur émeraude. Au large, par temps clair, on aperçoit Granville, les îles Chausey et parfois Jersey... Une succession de plages de sable fin et de petites criques émaillent le parcours.

POUR SE DÉGOURDIR LES JAMBES 🚶

Une superbe randonnée de 24 km environ aller-retour, tronçon du **GR® 34**, permet d'apercevoir le célèbre **rocher de Cancale** émergeant des eaux et rejoint la sauvage **pointe du Grouin** d'où l'on a une vue splendide sur l'île des Landes.

Bien connue des amateurs d'iode, voilà ensuite **Cancale** ❺, coquette bourgade semée de maisons d'armateurs et de pêcheurs. L'animation se concentre sur le quai du port. Jadis réputée pour ses terre-neuvas, ses femmes au verbe haut et ses somptueuses régates de bisquines (bateaux de pêche typiques), elle est aussi la « capitale » des fameuses huîtres qui, aux XVIIᵉ et XVIIIᵉ s, arrivaient sur la table du roi et des nobles deux fois par semaine, par courrier spécial. C'est dire la réputation de la ville ! Ici, les huîtres sont traditionnellement plates, parfois grosses comme un « pied-de-cheval ». Tout au bout de la promenade du port, à marée basse, on peut admirer l'ordonnancement rigoureux des parcs à huîtres. La route panoramique au sud sur la corniche est superbe.

LE MONT-SAINT-MICHEL ET AVRANCHES

On savoure déjà avec enchantement la vue sur le **Mont-Saint-Michel** 6 depuis les prés verdoyants et les côtes qui l'entourent. Un vrai mirage, quelles que soient l'heure, la couleur du ciel, de la mer et leur humeur. Le Mont naquit d'une l'apparition ; celle de l'archange saint Michel ordonnant en 708 à Aubert, évêque d'Avranches, la construction d'un sanctuaire sur le mont Tombe. Mais Aubert n'y crut d'abord pas. Et probablement un peu exaspéré, saint Michel apparut de nouveau dans le sommeil de l'évêque et insista jusqu'à faire un trou dans son crâne têtu avec son doigt de lumière ! Ce crâne étonnant est d'ailleurs exposé dans le trésor de la basilique Saint-Gervais à Avranches... Ainsi débute sa construction, par une modeste chapelle attirant les pèlerins. Dans la foulée – au Xe s –, le duc de Normandie Richard Ier y installa une communauté de moines bénédictins qui construisirent progressivement une immense et magnifique abbaye en granit des îles Chausey. Inscrit au Patrimoine mondial de l'Unesco en 1979, le Mont demeure un lieu de pèlerinage. En 2015, après 10 ans de travaux qui ont vu la disparition de la digue-route historique, le Mont est redevenu une île, retrouvant ainsi le bel écrin maritime de ses origines. Le meilleur moment de la journée pour découvrir le Mont, c'est à la nuit tombée, lorsque les remparts sont déserts et que les marchands du Temple ont tiré le rideau de fer sur toute leur quincaillerie. Les murs de l'abbaye, illuminés, surgissent alors dans la nuit comme une armure de pierre et l'archange aux ailes dorées se dresse au milieu des étoiles. Magique ! Dans le bourg, la Grande-Rue grimpe à l'assaut du rocher, entre deux haies d'hôtels-restos et de magasins de souvenirs. Déjà au Moyen Âge, elle répondait aux besoins des pèlerins de trouver le gîte, le couvert, et de s'acheter un petit souvenir. Là, il subsiste quelques maisons vraiment anciennes qui aident à imaginer le décor d'origine. L'église paroissiale Saint-Pierre, négligée des visiteurs, mérite une courte halte. En faisant le tour des remparts, on embrasse la vue splendide sur toute la baie, en respirant l'air marin à pleins poumons !

Les noms d'**Avranches** 7 et du Mont-Saint-Michel sont indissociables. Capitale administrative de la Manche-Sud, ville commerçante, marché agricole avec également de petites industries, Avranches est une cité animée plutôt plaisante, et son musée Le Scriptorial, qui abrite les manuscrits du Mont-Saint-Michel, en fait une étape incontournable après la visite du Mont.

Vue depuis la pointe du Groin

FRINGALES

On peut déguster les fameuses **huîtres** de Cancale en les achetant directement aux ostréiculteurs installés sur le port, toute l'année. Ensuite, muni de son plateau, on prend place sur les marches de la digue. La tradition veut que l'on jette sa coquille vide à la mer, cela porterait chance.
Voir aussi notre carnet d'adresses à **Saint-Malo**.

LIVRES DE ROUTE

- *Ces messieurs de Saint-Malo*, (Le Livre de Poche, 1987), Bernard Simiot. Le premier livre d'une longue saga littéraire. Toute l'histoire de l'âge d'or (XVIIe s) de Saint-Malo racontée à travers les aventures de Mathieu Carbec, un riche armateur malouin parti de rien.
- *Le Sang du temps*, (Pocket, 2007), Maxime Chattam. Un polar haletant dont l'intrigue se situe au Mont-Saint-Michel.

CARNET D'ADRESSES

ÉTAPES	INFORMATIONS
➊ SAINT-MALO	🏠 **Hôtel France et Chateaubriand** : *pl. Chateaubriand.* • *hotel-chateaubriand-st-malo.com* • Une vingtaine de chambres, certaines avec vue sur la mer, dans l'un des plus beaux immeubles du vieux Saint-Malo.
	🍽 **Crêperie Grain Noir** : *16, rue de la Herse.* Des ingrédients d'exception pour des galettes gastronomiques qui trouvent ici un cadre à la hauteur.
	🍽 **Le Bistrot du Rocher** : *19, rue de Toulouse.* Sympathique intérieur de bistrot, tout en bois, où l'on vous sert une délicieuse cuisine du marché à prix tenus. Bravo !
	🍽 **Le Bistro autour du Beurre** : *7, rue de l'Orme.* Vous êtes ici dans l'annexe de la Maison du Beurre Jean-Yves Bordier ; autant vous dire que la qualité des produits est irréprochable.
	🍽 **Tanpopo** : *5, pl. de la Poissonnerie.* Cuisine d'amour et d'Armor, d'ici et de là-bas, revisitant les classiques japonais avec les produits de la mer. Irrésistible.
	🛍 **La Maison du Sarrasin** : *10, rue de l'Orme.* En ressortant de la boutique, vous saurez tout sur le *Fagopyrum esculentum Moench*, de la famille des polygonacées : ses origines, ses vertus, ses usages…
	🛍 **La Cave de l'Abbaye Saint-Jean** : *7, rue des Cordiers.* • *cave-abbaye.com* • Ce sommelier a trouvé la cave idéale : la mer. Il immerge plus de 600 bouteilles pendant 1 an, à 15 m de profondeur. Le mouvement des marées et la température proche de 10° seraient propices à la vinification.
➎ CANCALE	🏠 🍽 **Château Richeux – Le Coquillage, bistrot marin** : *Le Point-du-Jour, 35350 Saint-Méloir-des-Ondes.* • *maisons-de-bricourt.com* • Ambiance maison de campagne à tous les étages et vue époustouflante sur la mer dans ce manoir des années 1920. Les chambres sont sublimes. Au resto, excellente cuisine sous la houlette d'Olivier Roellinger. Et ne pas manquer en ville sa boulangerie *Grain de Vanille*.
	🍽 **Chez Victor** : *8, quai Administrateur-Thomas.* Brasserie de la mer près du phare. Beau choix et grande fraîcheur des produits.
	🍽 **Breizh Café** : *2, quai de la Loire, 49350 Les Rosiers-sur-Loire.* • *breizhcafe.com* • Au rez-de-chaussée, une « Crêperie gourmande » extra. À l'étage, une table japonaise chic et inspirée. Également cinq belles chambres design.
➏ MONT-SAINT-MICHEL	🏠 **Hôtel Du Guesclin** : *Grande-Rue.* • *hotelduguesclin.com* • Chambres confortables avec vue sur la mer pour certaines.
	🍽 **Le Jardin d'Anouck et La Ferme Saint-Michel** : *Le Bas-Pays.* On déguste ici le fameux agneau des prés salés cuit au feu de bois.

N°6

216 KM

FICHE PRATIQUE

SITUATION

Centre du Finistère.

MEILLEURS SOUVENIRS

Les trésors architecturaux de ces petits villages hors du temps et totalement intacts. Et en été « Quand les calvaires s'illuminent », une mise en lumière des sept calvaires monumentaux. Sublime !

EXPÉRIENCE

Assister à une fête du pardon.

LA ROCHE-MAURICE   D712   6

LANDERNEAU   7

LA MARTYRE

PARC
NATUREL RÉGIONAL
D'ARMORIQUE

QUIMPE

13

NOTRE-DAME-DE-TRONOËN

ARRIVÉE

N12

D9

② **MORLAIX**

GUERLESQUIN

③ **SAINT-THÉGONNEC**

①

PLOUGONVEN

DÉPART

⑤ ④ **GUIMILIAU**

LAMPAUL-GUIMILIAU

L'ABBAYE DU RELEC

MOULINS DE KÉROUAT

COMMANA

D764

⑧

SAINT-RIVOAL

⑪

⑨

HUELGOAT

⑩

SAINT-HERBOT

D785

⑫ **PLEYBEN**

CIRCUIT DES ENCLOS PAROISSIAUX

PLOUGONVEN ➤➤➤ NOTRE-DAME-DE-TRONOËN

Entre Morlaix et Landivisiau, s'ouvrent de nouveaux horizons. Ceux de villages paisibles, dominés par la silhouette des enclos paroissiaux, des ensembles uniques au monde. Au cœur du parc naturel régional d'Armorique, on musarde entre fermes, maisons de schiste ou habillées de murs blancs, lovées dans une campagne vallonnée et boisée, sur les contreforts des monts d'Arrée. Ces paysages de roches et de landes enchanteurs restent le théâtre de légendes encore vivaces. Dans le prolongement des monts d'Arrée, les montagnes noires (appelées ainsi car recouvertes autrefois d'épaisses forêts) témoignent d'une Bretagne pleine de mystères…

LÉGENDES

ÉTAPES ●

À NE PAS LOUPER •

DE PLOUGONVEN À MORLAIX

Plougonven ❶, à une dizaine de kilomètres au sud-est de Morlaix, est un secret bien gardé. Bien moins visité que ses voisins, il est pourtant remarquable pour son église et son calvaire de pur style gothique flamboyant. Ce dernier est étonnamment massif et repose sur une base octogonale. Au premier niveau, on trouve les scènes classiques de la vie du Christ avant la crucifixion. Au second, la flagellation, la couronne d'épines, etc. À part le Christ et la Vierge, les personnages portent des costumes de bourgeois et de paysans du XVIᵉ s. L'un des gardes est même armé d'une arquebuse !

À voir aussi 📷 À une poignée de kilomètres de là, Guerlesquin, Petite Cité de caractère, mérite une visite.

POUR SE DÉGOURDIR LES JAMBES

LA VOIE VERTE MORLAIX-CARHAIX

L'ancienne voie ferrée Morlaix-Carhaix a été transformée en **voie verte**. Elle traverse les mystérieux paysages des monts d'Arrée... Accessible depuis le lieu-dit **Coatélan** (parking) ou, plus au sud, à **Keranguéven**. Au total, presque 50 km qui font le bonheur des cyclistes. Mais rien n'empêche de n'en parcourir qu'un tronçon !

FOCUS
QU'EST-CE QU'UN ENCLOS PAROISSIAL ?

L'enclos paroissial est un ensemble architectural qui se compose généralement d'une porte ou arche monumentale inspirée des porches d'accès aux manoirs et châteaux bretons, d'un mur d'enceinte qui délimite le territoire sacré, d'un calvaire, d'un ossuaire, d'une église (parfois entourée d'un cimetière) et de sa sacristie. Il est dédié à un saint local, célébré chaque année lors de son pardon. L'enclos paroissial est indissociable de la prospérité économique de la Bretagne aux XVIᵉ et XVIIᵉ s et du contexte intensément religieux de la période. Alors que les paysans font fortune grâce à la culture du lin, les paroisses se lancent dans l'édification d'enclos paroissiaux. Le phénomène de concurrence entre bourgs et villages intervient aussi. Cet état d'esprit encourage les paroisses dans l'escalade de la magnificence. Ce qui explique la disproportion entre la taille réduite de certains villages comparée à l'ampleur architecturale de leur enclos.

Amarrée aux flancs d'une rivière haletant au souffle de la marée, **Morlaix ❷**, si proche de la Manche et des monts d'Arrée, du bocage et des espaces légumiers, est une cité au caractère aussi bien trempé que ses hivers. Quittant la double voie, la route déboule dans l'étroite vallée du Dossen – la rivière de Morlaix –, pour aborder un long bassin à flot. Les mâts des bateaux y font résonner leurs cliquetis sous les brises marines. Aux XVIᵉ et XVIIᵉ s, le commerce prospère. En témoignent les somptueuses maisons à pans de bois, dites « à pondalez » (nommées d'après les passerelles « ponts d'allée » reliées à l'escalier central). On en découvre de précieux exemplaires à l'ombre d'un inattendu viaduc. Les pièces s'ordonnent autour d'un atrium, desservies par un escalier à vis, en général superbement sculpté. La maison dite de la duchesse Anne (où Anne ne vint jamais) est la plus belle de la ville et la seule à avoir conservé sa structure d'origine.

POUR SE DÉGOURDIR LES JAMBES

LE CIRCUIT DES VENELLES

Pour découvrir les ruelles les plus secrètes de **Morlaix** et leurs maisons anciennes. Plan disponible à l'office de tourisme.

Plougoven

DE SAINT-THÉGONNEC À LA MARTYRE

Saint-Thégonnec ③ abrite un imposant enclos paroissial, apogée de l'art breton du XVIIᵉ s. Fusion du style Renaissance et des premières influences du baroque italien. Le miracle, c'est sa renaissance ! Deux siècles de construction orgueilleuse partis en fumée dans le terrible incendie qui le ravagea en 1998, détruisant le retable Notre-Dame-de-Vray-Secours et endommageant l'orgue. Il a recouvré aujourd'hui toute sa splendeur. Chœur en bois sculpté polychrome, splendide chaire, grand *retable du Rosaire* où la Vierge remet un rosaire à sainte Catherine et à saint Dominique. Et, dans la nef, une remarquable Vierge trônant sur un arbre de Jessé. Cette église a été le théâtre d'un événement terrible : durant une épidémie de typhus de 1740 à 1743, on inhuma 750 cadavres sous ses dalles. Jetez un œil à l'ossuaire, certainement le plus monumental de Bretagne.

> **Bon à savoir** ☀
> Saint-Thégonnec se situe sur le GR® 380, entre Lampaul-Guimiliau et Morlaix, et offre trois circuits balisés.

L'enclos de **Guimiliau** ④ est l'un des plus spectaculaires. Depuis le parking du village, en empruntant la rue qui chemine vers

l'enclos, on découvre tous les éléments qui le composent. Quel travelling pour un cinéaste ! Le grand calvaire est l'un de nos préférés. Il présente plus de 200 personnages. Beaucoup de mouvement et un tel foisonnement qu'on s'y perd un peu. Plusieurs scènes admirables : la *Mise au tombeau* où une Vierge peu orthodoxe porte habit et coiffe d'une femme noble, tandis que les personnages entourant le Christ émacié arborent les armes et costumes de soldats espagnols. Scrutez la scène dite de *La Gueule de l'Enfer*. Toute la symbolique de l'enfer (le *Léviathan,* monstre avalant les hommes), plus une histoire locale : Katell (Catherine) Gollet aurait pris un amant qui s'avéra être le diable. Elle aurait repéré sa queue fourchue ! On la voit, le visage désespéré, corde au cou, menacée d'une grosse fourche. Les seins dénudés rappellent la nature de la faute…

> **Bon à savoir** ☀
> Guimiliau accueille le Centre d'interprétation des enclos paroissiaux. On plonge ici dans l'univers riche et insolite de l'âge d'or breton. Tout est expliqué : la prospérité des paysans, les symboles… Bien des secrets sont enfin révélés. À visiter AVANT de découvrir l'enclos !

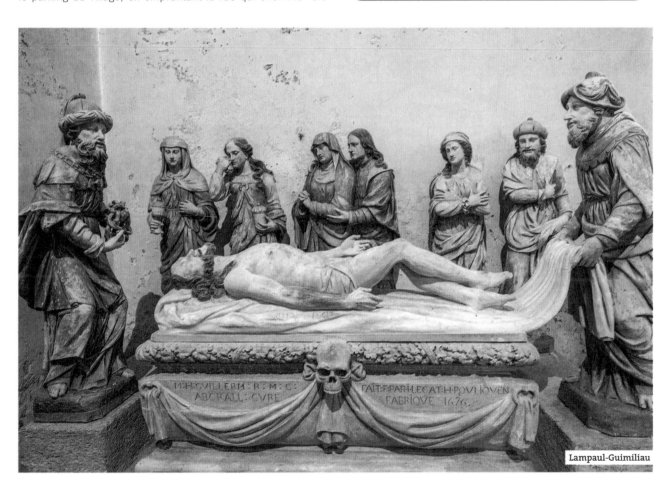

Lampaul-Guimiliau

À 3,5 km, l'enclos de **Lampaul-Guimiliau** ⑤ doit sa richesse à l'activité lucrative des tanneurs d'autrefois. L'église est l'une des plus anciennes (1553) et possède une ornementation très riche. Grande harmonie dans ses proportions. À l'intérieur, époustouflante *poutre de gloire* (et on pèse nos mots). Remarquables retables. Notamment celui de gauche, l'*autel de la Passion*, intéressant par la finesse de l'exécution. Un panneau peu ordinaire représente la naissance de la Vierge.

On chemine maintenant jusqu'à **La Roche-Maurice** ⑥. Dans un site magnifique, se dévoilent d'abord les ruines d'un château du XIIᵉ s. Puis l'enclos, sans arc de triomphe, ni calvaire. Dans l'ossuaire, l'Ankou menace de sa flèche : « Je vous tue tous. » Entrez donc dans l'église, vous placer sous la protection de Saint-Yves ! Elle est célèbre pour son jubé Renaissance en bois polychrome, l'un des derniers de Bretagne. Supprimés des églises au profit de la chaire à prêcher, le jubé séparait la nef et le chœur. Celui-ci exhibe une profusion de personnages aux traits « exotiques » rappelant les voyages lointains de la marine marchande bretonne.

À voir aussi Le Fonds Hélène et Édouard Leclerc aux Capucins, à Landerneau. Dans ce couvent du XVIIᵉ s, superbes salles d'exposition dédiées à l'art contemporain. Deux à trois expos par an, d'un excellent niveau.

Plus d'infos ᵂᵂ. fonds-culturel-leclerc.fr

Situé à une quinzaine de kilomètres de Lampaul-Guimiliau, **La Martyre** ⑦, charmant village fleuri, cache jalousement un enclos original. Son église dégage une impression de bric et de broc tant elle fut remaniée. Quant au porche du XVᵉ s, en forme de panier, il a acquis, grâce à la pierre de Kersanton, une douce patine et une myriade de nuances. Richement décoré, il présente sur son tympan une curieuse *Nativité* avec, chose rare, la *Vierge couchée dans un lit*. Sous le porche, l'*Ankou* (ou la mort), au-dessus du bénitier, porte la tête d'une victime.

LES MOULINS DE KÉROUAT

À une quinzaine de kilomètres à l'est de La Martyre, dans un très beau site naturel, on s'octroie une pause à l'écomusée des Monts d'Arrée. C'est en fait un hameau d'une quinzaine de bâtiments édifiés du XVIIᵉ au XXᵉ s. Cinq générations de meuniers, agriculteurs et éleveurs de chevaux y ont vécu. Deux moulins, une grange, deux fours à pain, le logis principal avec son ameublement traditionnel ont été restaurés.

Plus d'infos ᵂᵂ. ecomusee-monts-arree.fr

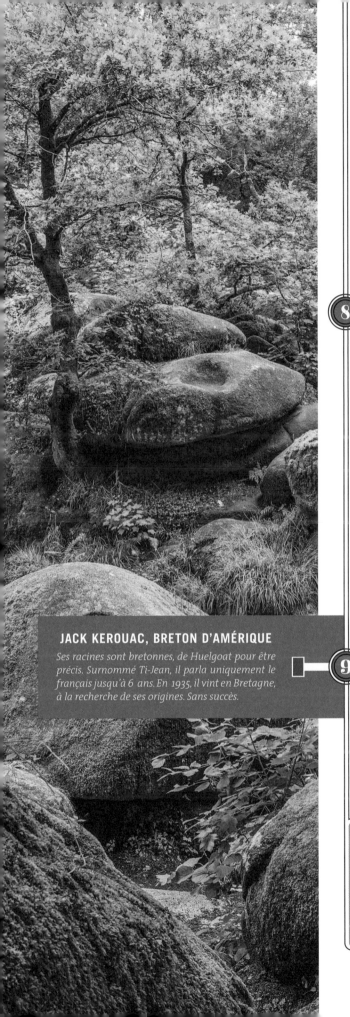

CAP VERS LE SUD SUR LA ROUTE DES MONTS D'ARRÉE

Commana ⑧ est lové au milieu de son bocage velouté, avec, en toile de fond, la masse brune des monts d'Arrée. L'enclos a conservé son cimetière. Porche Renaissance admirable par son harmonie. Au-dedans, les 12 apôtres accueillant les fidèles dans leurs niches n'ont (pour une fois !) pas été massacrés pendant la Révolution. Ils ne purent être commandés faute de moyens et arrivèrent bien après. L'église Saint-Derrien date du XVIe s, et on la visite pour son *retable de Sainte-Anne* au baroque exubérant d'une richesse inouïe. Il rachète un lourd péché : la révolte des… Bonnets rouges ! Juillet 1675, les paysans de Commana s'enflamment en voyant arriver un nouvel impôt, pillent le presbytère et séquestrent le curé qu'ils soupçonnent de connivence. Le jeu se calme. Le recteur pardonne, les paroissiens se repentent. Grâce à eux, on admire ici le plus beau retable de Bretagne.

À voir aussi 📷 **L'abbaye du Relec**, à 14 km à l'est de Commana. On ne visite de l'ancienne abbaye que les ruines de l'abbatiale et de la salle capitulaire, en partie restaurées. Par ses volumes et les traces de polychromie, on devine son importance. Le circuit du Relec (12 km ; 3h) est une paisible promenade. À partir de l'abbaye, suivre le balisage partiel d'une variante du GR® 380 : le sentier traverse de charmants petits villages, longe des calvaires, une voie romaine…

Huelgoat ⑨ occupe un site exceptionnel au cœur d'une profonde forêt : des chaos rocheux viennent s'échouer jusqu'au pied de ce gros bourg austère, posé au bord d'un petit lac. Pour expliquer ces curieux amoncellements de rochers, on raconte que les habitants de Plouyé et de Berrien se haïssaient tant qu'ils se jetaient des pierres. Elles devenaient de plus en plus grosses et retombaient au milieu… sur Huelgoat ! On savait s'amuser à l'époque.

JACK KEROUAC, BRETON D'AMÉRIQUE

Ses racines sont bretonnes, de Huelgoat pour être précis. Surnommé Ti-Jean, il parla uniquement le français jusqu'à 6 ans. En 1935, il vint en Bretagne, à la recherche de ses origines. Sans succès.

POUR SE DÉGOURDIR LES JAMBES

PETIT CIRCUIT POUR VISITEURS PRESSÉS

À deux pas du centre de Huelgoat, on découvrira d'abord le **Moulin du Chaos**, suivi de la **grotte du Diable**, puis d'un théâtre de verdure. De là, tournez à gauche vers la rivière à la rencontre de la roche Tremblante. Ce caillou, de 137 t, bouge si l'on appuie à un endroit précis (et sans potion magique !). **Le Ménage de la Vierge,** un éboulis de roches pittoresques, lui succède. Aussi un grand circuit (3h).

Chapelle Saint-Michel, Saint-Rivoal

⑩ ⑪ ⑫ ⑬

Reprendre la route vers **Saint-Herbot** ⑩. Édifiée du XIVᵉ au XVIᵉ s en style gothique flamboyant, dans un site sauvage à 6 km au sud-ouest de Huelgoat, cette « chapelle » est l'un des joyaux du Finistère.

Arriver en fin d'après-midi d'une belle journée dans le joli village de **Saint-Rivoal** ⑪ se révèle un grand moment de quiétude et un vrai voyage dans le temps. Les routes qui y mènent, à travers le paysage vallonné, sont pittoresques. Un peu plus loin, vers le lac du Drennec, voilà Saint-Cadou, tout paisible, presque désert. Arrivé au village, on visite l'écomusée des Monts d'Arrée (à ne pas confondre avec celui des Moulins de Kérouat), installé dans une vieille demeure paysanne du XVIIIᵉ s. Sol en terre battue, meubles anciens, four à pain, etc., permettent de reconstituer les conditions de vie d'une famille paysanne au XVIIIᵉ s.

Plus d'infos ᵂᵂ. ecomusee-monts-arree.fr

Pleyben ⑫ aurait pu se contenter d'une renommée gourmande grâce à son biscuit, la petite galette de Pleyben, créé par un boulanger dans les années 1920. Mais la ville est surtout connue pour son calvaire, un pur chef-d'œuvre. Son aspect d'arc de triomphe monumental et majestueux le rend unique. Il est si massif qu'on dut le déplacer lors de la construc-tion du clocher de l'église ! Il est tellement haut aussi qu'il est difficile de le détailler, mais remarquez les costumes des nombreux personnages. Un vrai catalogue de la mode d'autrefois. L'église Saint-Germain possède un magnifique clocher Renaissance à lanternons. On peut y monter en été (infos à l'office de tourisme).

On clôt ce circuit des enclos paroissiaux en ralliant la côte en pays bigou-den. La **Pointe de la Torche** est le rendez-vous des surfeurs du Finistère qui titillent ses vagues en toute saison. Les autres pourront profiter du show depuis la plage. Tempête de ciel bleu ou tempête tout court, le spectacle est toujours grandiose !

On se replie ensuite vers le sud du Finistère, traversant des paysages mélancoliques, pour gagner le **calvaire de Notre-Dame-de-Tronoën** ⑬, à **Saint-Jean-Trolimon**. C'est probablement le plus ancien de Bretagne, et l'un des plus fascinants. On le date du milieu du XVᵉ s. Isolé sur une butte, dans un paysage austère de dunes, de haies et de friches. Côté mer, les personnages du calvaire, rongés par les vents salins, n'offrent plus que des formes fantomatiques. Sur les faces moins exposées, on reconnaît certaines scènes bibliques.

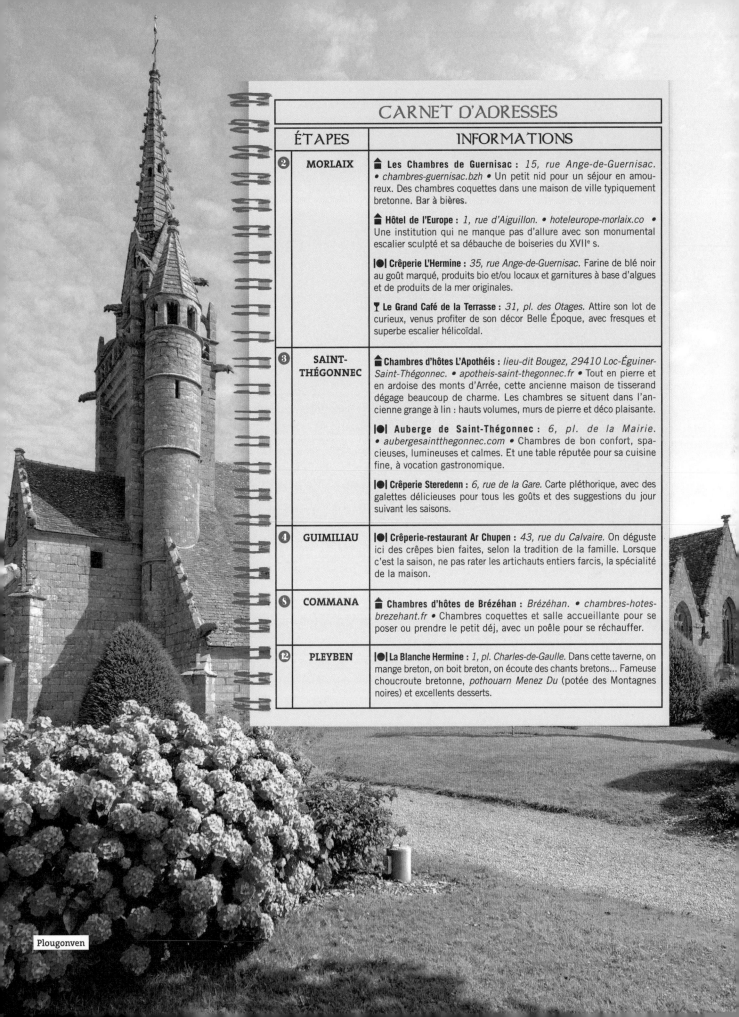

CARNET D'ADRESSES

ÉTAPES	INFORMATIONS
② **MORLAIX**	🏠 **Les Chambres de Guernisac :** *15, rue Ange-de-Guernisac.* • *chambres-guernisac.bzh* • Un petit nid pour un séjour en amoureux. Des chambres coquettes dans une maison de ville typiquement bretonne. Bar à bières. 🏠 **Hôtel de l'Europe :** *1, rue d'Aiguillon.* • *hoteleurope-morlaix.co* • Une institution qui ne manque pas d'allure avec son monumental escalier sculpté et sa débauche de boiseries du XVIIᵉ s. 🍽 **Crêperie L'Hermine :** *35, rue Ange-de-Guernisac.* Farine de blé noir au goût marqué, produits bio et/ou locaux et garnitures à base d'algues et de produits de la mer originales. 🍸 **Le Grand Café de la Terrasse :** *31, pl. des Otages.* Attire son lot de curieux, venus profiter de son décor Belle Époque, avec fresques et superbe escalier hélicoïdal.
③ **SAINT-THÉGONNEC**	🏠 **Chambres d'hôtes L'Apothéis :** *lieu-dit Bougez, 29410 Loc-Éguiner-Saint-Thégonnec.* • *apotheis-saint-thegonnec.fr* • Tout en pierre et en ardoise des monts d'Arrée, cette ancienne maison de tisserand dégage beaucoup de charme. Les chambres se situent dans l'ancienne grange à lin : hauts volumes, murs de pierre et déco plaisante. 🍽 **Auberge de Saint-Thégonnec :** *6, pl. de la Mairie.* • *aubergesaintthegonnec.com* • Chambres de bon confort, spacieuses, lumineuses et calmes. Et une table réputée pour sa cuisine fine, à vocation gastronomique. 🍽 **Crêperie Steredenn :** *6, rue de la Gare.* Carte pléthorique, avec des galettes délicieuses pour tous les goûts et des suggestions du jour suivant les saisons.
④ **GUIMILIAU**	🍽 **Crêperie-restaurant Ar Chupen :** *43, rue du Calvaire.* On déguste ici des crêpes bien faites, selon la tradition de la famille. Lorsque c'est la saison, ne pas rater les artichauts entiers farcis, la spécialité de la maison.
⑤ **COMMANA**	🏠 **Chambres d'hôtes de Brézéhan :** *Brézéhan.* • *chambres-hotes-brezehant.fr* • Chambres coquettes et salle accueillante pour se poser ou prendre le petit déj, avec un poêle pour se réchauffer.
⑫ **PLEYBEN**	🍽 **La Blanche Hermine :** *1, pl. Charles-de-Gaulle.* Dans cette taverne, on mange breton, on boit breton, on écoute des chants bretons... Fameuse choucroute bretonne, *pothouarn Menez Du* (potée des Montagnes noires) et excellents desserts.

Plougonven

FICHE PRATIQUE

SITUATION

Côte nord et ouest du Finistère.

MEILLEURE PÉRIODE

Les intersaisons réservent bien souvent de fabuleux contrastes de luminosité.

VOUS AIMEREZ

Cette terre encore très sauvage par endroits et l'impression d'avoir atteint le bout du bout. Ouessant… et l'Amérique sont juste en face !

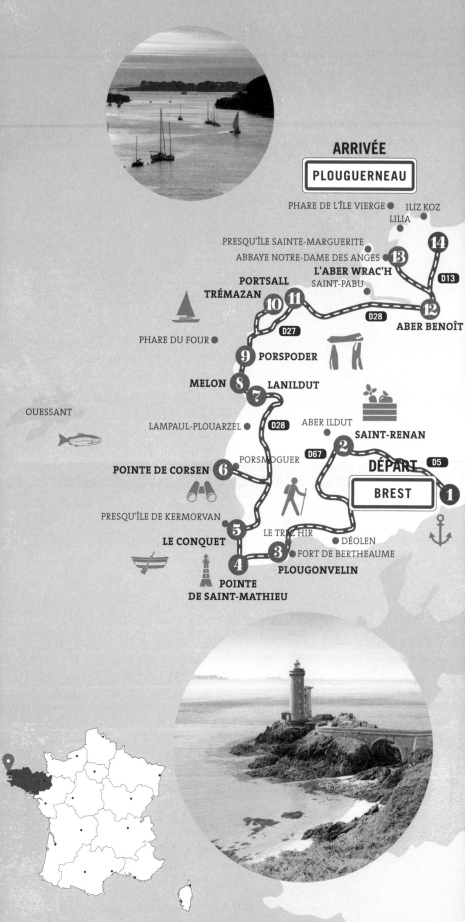

ARRIVÉE

PLOUGUERNEAU

PHARE DE L'ÎLE VIERGE ● ● ILIZ KOZ
LILIA
PRESQU'ÎLE SAINTE-MARGUERITE ● **14**
ABBAYE NOTRE-DAME DES ANGES ● **13**
L'ABER WRAC'H
SAINT-PABU **D13**
PORTSALL **11** **12**
TRÉMAZAN **10** **ABER BENOÎT**
D28
PHARE DU FOUR ● **D27**
9 **PORSPODER**
MELON **8**
7 **LANILDUT**
OUESSANT
LAMPAUL-PLOUARZEL ● **D28** ABER ILDUT ●
SAINT-RENAN
PORSMOGUER ● **D67**
POINTE DE CORSEN **6** **2** **DÉPART** **D5**
BREST **1**
PRESQU'ÎLE DE KERMORVAN
5 LE TRIZ HIR ●
LE CONQUET **3** ● DÉOLEN
4 ● FORT DE BERTHEAUME
POINTE **PLOUGONVELIN**
DE SAINT-MATHIEU

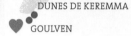

SITE DE MENEHAM

DUNES DE KEREMMA

GOULVEN

LE FINISTÈRE
ENTRE MER ET ABERS

BREST ➤➤➤ PLOUGUERNEAU

Le Finistère, ou Penn ar Bed *(ici, la signalisation routière est bilingue), ressemble à une mosaïque de petits pays. Au nord, le pays d'Iroise, la côte des Abers, le Haut-Léon et le secteur des enclos paroissiaux, ces « musées » de pierre à ciel ouvert, délimités au sud par les vénérables monts d'Arrée. Voici une Bretagne qui a su se défendre contre le bétonnage inconsidéré de ses côtes. Les amateurs d'espaces vierges y trouveront leur compte.*

LÉGENDES	
ÉTAPES	●
À NE PAS LOUPER	•
FLEUVES, RIVIÈRES	—

BREST, TOUS À L'OUEST !

Une **situation exceptionnelle** sur un promontoire au fond d'une rade longue de 150 km, au confluent de l'Élorn et de l'Aulne, et ouverte sur l'océan par un goulet large de près de 2 km. Nul besoin d'avoir dévoré moult traités de stratégie pour comprendre l'intérêt militaire du site. Au XVIIᵉ s, Louis XIII décida d'y installer des ateliers de construction navale. La Marine, hier royale, aujourd'hui nationale, fait toujours vivre la ville. Les Allemands en ayant fait une base pour leurs sous-marins lors de la dernière guerre, la ville a été presque entièrement rasée en 1944 par l'aviation alliée, puis reconstruite suivant le plan géométrique élaboré jadis par Vauban et revisité par l'architecte J.-B. Mathon. On découvre sans surprise une architecture d'après-guerre très « utilitaire ».

C'est dans le « bas de Siam », comme on dit ici, que les marins (mais pas que !) viennent faire la fête. Le musée des Beaux-Arts présente une exposition de tableaux des écoles française, italienne et flamande du XVIIᵉ au XXᵉ s. Également des œuvres intéressantes de l'école de Pont-Aven et de la période symboliste. Le musée national de la Marine, lui, plonge dans la vocation maritime et militaire de la ville.

Quartier populaire, épargné par les bombes, imprégné par la présence de la Marine, Recouvrance n'a jamais été franchement politiquement correct ! Filles à matelots, bars interlopes, matafs en bordée... Mais le récent téléphérique a réuni la cité scindée en deux depuis des siècles. Ce qui attire les foules ici, c'est l'Atelier des Capucins. Aujourd'hui, les 24 ha du site se sont mués en une sorte d'agora contemporaine où se côtoient activités culturelles, professionnelles et commerciales avec restos, concept stores, cinéma, etc.

La base navale de la Marine regroupe les grands bâtiments de guerre (porte-hélicoptères, frégates, patrouilleurs, remorqueurs...). Les sous-marins nucléaires logent en face, sur l'île Longue. Dans l'anse qui prolonge le port s'étire la vaste plage de sable du Moulin-Blanc. Et puis, tout près se dessine déjà « Le Crabe », le vaste bâtiment d'*Océanopolis,* lieu d'exposition sur les milieux naturels des océans.

EXPÉRIENCES

Les Jeudis du port

Ils recréent l'atmosphère des « bordées de marins » d'antan, quand s'élevaient à pleins poumons les chansons des gens de mer.

Bon à savoir ☀ **Tous les jeudis soir de mi-juillet à fin août.**

Les Fêtes maritimes internationales de Brest

Un événement exceptionnel qui réunit dans la rade de Brest plus de 2 000 bateaux venus de tous les océans et d'une trentaine de pays.

Bon à savoir ☀ **Mi-juillet pendant 6 jours, tous les 4 ans.**

DE SAINT-RENAN À LA POINTE DE CORSEN, LA ROUTE TOISE LE PAYS D'IROISE

À quelques encablures de Brest, une côte parsemée de petites plages nichées dans des criques, des abers, des ports de pêche et des îles sublimes... Un petit pays évidemment baigné par la mer d'Iroise, où se rejoignent océan Atlantique et Manche. Sur la route, on fait un crochet par **Saint-Renan ❷**, épicentre du pays d'Iroise. À moins de 15 km au nord-ouest de Brest, cette petite cité est jalonnée de rues pittoresques où l'on croise une église, une fontaine, des lavoirs. Quant à la place du Vieux-Marché, les belles demeures de granit et de pierre, certaines avec encorbellement, témoignent de la prospérité ancienne de la ville.

De Saint-Renan, retour vers la côte, direction les falaises de Deolen à Locmaria-Plouzané, puis **Plougonvelin ❸**, gros village de caractère surplombant la mer depuis ses falaises abruptes. Juste à côté, Trez Hir, que son microclimat et surtout sa belle plage ont transformé en une station balnéaire prisée des Brestois.

POUR SE DÉGOURDIR LES JAMBES

Jolie promenade jusqu'au **fort de Bertheaume** (culminant à 38 m). De là démarre un sentier qui suit le littoral et les falaises rocheuses jusqu'à la **pointe de Saint-Mathieu**, (9 km ; plus de 2h de marche). Magnifiques panoramas !

Jadis village assez important, la **pointe Saint-Mathieu ❹** n'est plus qu'un bout du monde, dominé par un phare de 55 km de portée. Il semble jaillir des vestiges d'une église abbatiale dont le chœur est quasi intact (photo ci-dessus). Adossée à l'église se dresse une ancienne tour à feu, alimentée autrefois par les moines, qui servait à guider les bateaux. Flâner les soirs de tempête dans ces ruines balayées par le jet lumineux du phare est une expérience surréaliste !

POUR SE DÉGOURDIR LES JAMBES

LE SENTIER DES DOUANIERS
Boucle de 9 km • 2h15 A/R

Balade issue du topoguide Bretagne, Finistère Nord, *Les Abers, le chemin des phares*, (éd. FFRP). Autrefois emprunté par les douaniers, le sentier garde encore des traces de la culture du goémon, engrais ancestral du pays (encore aujourd'hui).

Plus loin, voici **Le Conquet** ❺. Ce petit port de pêche a conservé beaucoup de charme et de naturel. Ses vieilles demeures de négociants, armateurs et notaires royaux rappellent le temps de la prospérité maritime de la ville. L'étonnant bâtiment moderne qui domine le port revit sous la bannière du magnifique Hôtel Sainte-Barbe, au-dessus des flots. De toutes les chambres, du bar et du restaurant, la vue sur un horizon fondu entre ciel et mer est magique. Une balade pittoresque : le tour de la presqu'île de Kermorvan par un joli sentier côtier. Au bout, la superbe et sauvage plage des Blancs-Sablons, de 2,5 km de sable fin, d'où l'on aperçoit Molène et Ouessant au large.

PAS DE CÔTÉ : ÎLE D'OUESSANT

« Qui voit Molène, voit sa peine. Qui voit **Ouessant**, voit son sang » Tempêtes monstrueuses, écueils et courants assassins, brouillard persistant, côtes déchiquetées... Aussi sauvage que rebelle, Ouessant est complètement rabotée par l'érosion. La plus grande île du Finistère mesure 8 km de long sur 4 km de large et il n'y reste que trois pêcheurs. Elle a su préserver sa flore et sa faune (toutes sortes d'espèces d'oiseaux, phoques gris, petits pingouins, macareux y trouvent refuge), son environnement et son caractère encore sauvage, d'autant qu'elle se découvre exclusivement à pied ou à vélo.

Comment y aller 🚢
Compagnies Penn Ar Bed (• pennarbed. fr •) et Finist'Mer (• finist-mer.fr •), depuis Le Conquet (45 mn à 1h15 de traversée) et Brest (env 2h30).

Le Conquet

On reprend la route, cap au nord, en conservant la mer sur la gauche. On rejoint Porsmoguer, puis l'anse de Porsmoguer, une belle plage abritée, puis la **pointe de Corsen** ❻, une falaise de 30 m de haut, point le plus à l'ouest de la France continentale, le « Finistère » par excellence. Un parcours d'interprétation mène à un vaste panorama sur la mer d'Iroise : les phares, les feux, l'archipel de Molène et l'île d'Ouessant. Les petites routes des alentours rappellent étrangement l'Irlande.

PAS DE CÔTÉ : LAMPAUL-PLOUARZEL

Les curieux n'hésiteront pas à faire une incursion de 10 km pour voir à **Lampaul-Plouarzel** le **menhir de Kerloas**, le plus haut de France encore debout (9,50 m). Il paraît que les jeunes mariés venaient autrefois s'y frotter : le jeune homme pour avoir un fils, la jeune fille pour... faire la loi à la maison !

LE PAYS DES ABERS

Authentique et quelque peu sauvage, le pays des Abers est à lui seul un concentré de Bretagne. Pour rejoindre **Lanildut** ❼, il faudra contourner l'aber Ildut. C'est le plus petit des trois abers qui entaillent la côte entre Le Conquet et Roscoff. Il peut se découvrir à pied (6 km environ) en suivant un petit sentier partant de Pont Reun jusqu'à Lanildut. Dans le coin, beaucoup de granit ; c'est d'ailleurs l'un des plus réputés de Bretagne.

FOCUS
DES FJORDS EN BRETAGNE ?

Les abers sont des *rias* (estuaires) qui entaillent le rivage, tels des fjords, jusqu'à plusieurs kilomètres à l'intérieur des terres, offrant des paysages surprenants entre terre et mer.

Sur cette côte, appelée aussi « côte des Légendes », d'énormes blocs de rochers aux formes étranges dégagent une atmosphère si particulière que l'on peut saisir les légendes soufflées par le vent. On l'appelle encore « côte des Naufrageurs » car certains paysans goémoniers allumaient autrefois des feux pour égarer les navires qu'ils pillaient après leur naufrage !

Ce pays-là se dévoile au fil de la mignonne route côtière (la D 27) voguant de port en port. Au moment du soleil couchant, c'est sublime, et avec rayon vert presque garanti ! C'est ainsi que l'on s'invite à **Melon** ❽, petit port naturel à croquer, puis **Porspoder** ❾, un lieu de villégiature plutôt touristique qui a su demeurer néanmoins familial (photo ci-dessus). Baie, chaos de rochers, sentiers côtiers et mégalithes composent l'ensemble jusqu'à la presqu'île Saint-Laurent. À 2 km au large, le phare du Four domine le chenal du Four et se dresse au point de rencontre entre l'Atlantique et la Manche.

Porspoder

La route d'Argenton à Trémazan révèle une côte moins urbanisée qu'ailleurs, encore sauvage et déchiquetée. C'est tout simplement la plus belle portion de littoral de la région ! Des pelouses d'herbe rase viennent lécher la mer, ourlée tantôt d'une simple frange rocheuse, tantôt de plages paradisiaques. La petite chapelle Saint-Samson offre un panorama (encore un !) superbe. À **Trémazan** ❿, pittoresque et imposant château féodal en ruine et couvert de lierre. Il possède toujours son gros donjon carré du XIIᵉ s. Ce sont les marées qui alimentaient les douves.

Le charmant port de pêche de **Portsall** ⓫ aurait préféré éviter de passer à la postérité le jour du naufrage du pétrolier *Amoco Cadiz*, le 16 mars 1978. Le navire, en pleine déconfiture, déversa des milliers de tartines mazoutées. Même si on n'en voit plus la trace, heureusement, l'ancre du pétrolier, est exposée sur le quai pour rester toujours dans nos mémoires.

ABER BENOÎT ET ABER WRAC'H

Suite du périple entre mer et terre. L'**aber Benoît** ⑫ sine sur 8 km entre prairies et forêts. Lorsque la mer se retire, elle laisse place au ballet des oiseaux friands de ses amples bancs de vase. Quelques parcs à huîtres et un petit port, Saint-Pabu. À l'embouchure de l'aber, s'étendent de belles plages : celle de l'anse de Béniguet, aux eaux de lagon, et la longue plage de Corn ar Gazel.

L'**aber Wrac'h** ⑬ s'impose comme le plus profond (32 km), le plus ample, le plus grandiose de tous les abers ! En contre-bas de l'hôtel de la Baie des Anges, se trouve l'abbaye Notre-Dame des Anges fondée par les moines cordeliers au début du XVIe s. Dans l'embouchure de l'aber se niche le port de l'aber Wrac'h. Tout près, la mignonne petite plage de la baie des Anges. L'embouchure est fermée, au sud-ouest, par la presqu'île de Sainte-Marguerite. Immense plage ventée de sable fin, bordée de dunes plantées d'oyats. À Landéda, panorama magnifique sur la côte et l'océan émaillé d'îlots.

PLOUGUERNEAU

C'est la porte d'entrée des magnifiques plages de Lilia et de Saint-Michel, dont le beau sable immaculé est parsemé de rochers polis. À 2 km du bourg, visite du site d'Iliz Koz (soit « vieille église »). Tombés dans l'oubli, ce n'est qu'en 1970 que les vestiges furent découverts. La nécropole médiévale abrite plus de 100 tombes de marchands, chevaliers, prêtres et marins.

À 4 km de **Plouguerneau** ⑭, jusqu'à Lilia et en direction de la plage de Saint-Cava, se dresse le phare de l'île Wrac'h. On y accède à pied, à marée basse. Cette petite île plantée à l'entrée de l'aber Wrac'h est un véritable havre de paix, avec un panorama exceptionnel. Face au joli port de Lilia, le phare de l'île Vierge est accessible depuis le port de l'aber Wrac'h à Landéla. Avec ses 82,50 m de haut, l'édifice bâti en granit de 1897 à 1902, est, dit-on, le plus haut phare en pierre du monde. L'intérieur est entièrement tapissé d'opaline. Compter 397 marches pour gagner le sommet, mais la vue mérite l'effort !

GOULVEN

Niché au fond d'une grande baie découvrant une immense grève étendue sur plusieurs kilomètres., c'est l'un des plus beaux endroits de la côte centrale du Léon. L'église de Goulven est aussi l'une des plus ravissantes du littoral.

POUR ALLER PLUS LOIN

De Plouguerneau à Kéremma, on accède, le long d'une côte de dunes sauvages, au **site de Meneham**, un village de chaumières traditionnelles réhabilitées. L'ancienne caserne accueille artistes et artisans, les maisons à avancées sont devenues gîtes. Aussi une auberge et un musée dédié à la mémoire du village. Et puis le joyau dans son écrin : une maisonnette de garde-côte en granit enserrée dans un amas rocheux. Encore un peu plus à l'est, **les dunes de Keremma** sont une étape pour les oiseaux migrateurs. Également une réserve florale majeure : les dunes abritent 600 espèces végétales, dont 14 variétés d'orchidées sauvages et l'aubépine maritime. Grande et belle plage le long des dunes avec sable blanc, eaux translucides... Sublime !

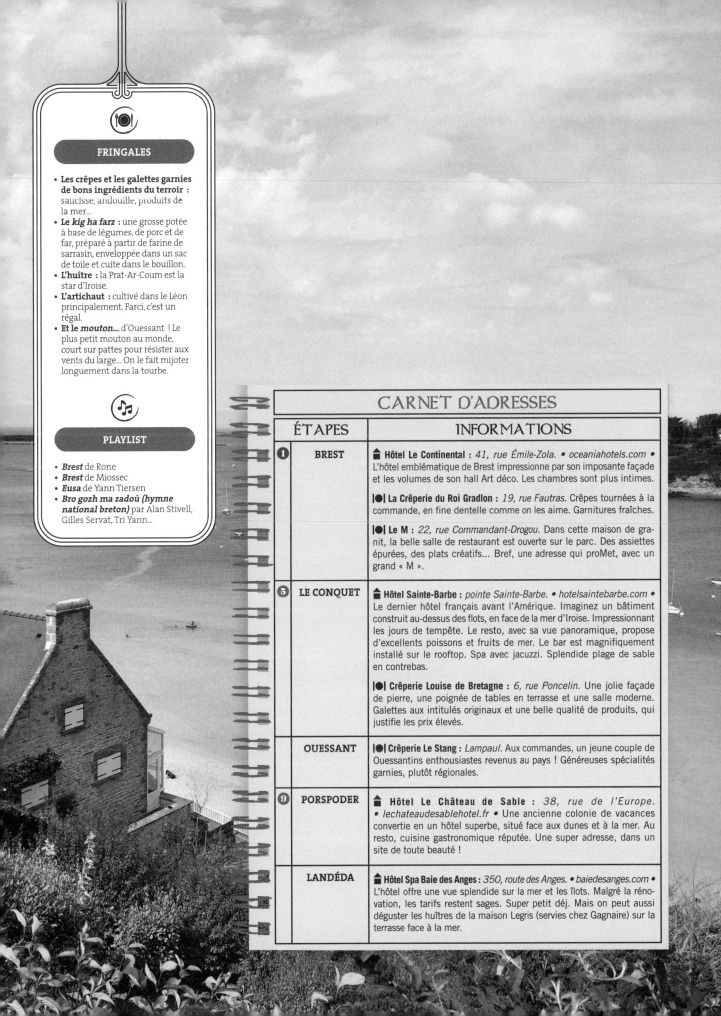

FRINGALES

- **Les crêpes et les galettes garnies de bons ingrédients du terroir :** saucisse, andouille, produits de la mer...
- **Le *kig ha farz* :** une grosse potée à base de légumes, de porc et de far, préparé à partir de farine de sarrasin, enveloppée dans un sac de toile et cuite dans le bouillon.
- **L'huître :** la Prat-Ar-Coum est la star d'Iroise.
- **L'artichaut :** cultivé dans le Léon principalement. Farci, c'est un régal.
- **Et le *mouton...* d'Ouessant !** Le plus petit mouton au monde, court sur pattes pour résister aux vents du large... On le fait mijoter longuement dans la tourbe.

PLAYLIST

- *Brest* de Rone
- *Brest* de Miossec
- *Eusa* de Yann Tiersen
- *Bro gozh ma zadoù (hymne national breton)* par Alan Stivell, Gilles Servat, Tri Yann...

CARNET D'ADRESSES

ÉTAPES	INFORMATIONS
1 BREST	🛏 **Hôtel Le Continental :** *41, rue Émile-Zola.* • *oceaniahotels.com* • L'hôtel emblématique de Brest impressionne par son imposante façade et les volumes de son hall Art déco. Les chambres sont plus intimes.
	🍴 **La Crêperie du Roi Gradlon :** *19, rue Fautras.* Crêpes tournées à la commande, en fine dentelle comme on les aime. Garnitures fraîches.
	🍴 **Le M :** *22, rue Commandant-Drogou.* Dans cette maison de granit, la belle salle de restaurant est ouverte sur le parc. Des assiettes épurées, des plats créatifs... Bref, une adresse qui proMet, avec un grand « M ».
5 LE CONQUET	🛏 **Hôtel Sainte-Barbe :** *pointe Sainte-Barbe.* • *hotelsaintebarbe.com* • Le dernier hôtel français avant l'Amérique. Imaginez un bâtiment construit au-dessus des flots, en face de la mer d'Iroise. Impressionnant les jours de tempête. Le resto, avec sa vue panoramique, propose d'excellents poissons et fruits de mer. Le bar est magnifiquement installé sur le rooftop. Spa avec jacuzzi. Splendide plage de sable en contrebas.
	🍴 **Crêperie Louise de Bretagne :** *6, rue Poncelin.* Une jolie façade de pierre, une poignée de tables en terrasse et une salle moderne. Galettes aux intitulés originaux et une belle qualité de produits, qui justifie les prix élevés.
OUESSANT	🍴 **Crêperie Le Stang :** *Lampaul.* Aux commandes, un jeune couple de Ouessantins enthousiastes revenus au pays ! Généreuses spécialités garnies, plutôt régionales.
9 PORSPODER	🛏 **Hôtel Le Château de Sable :** *38, rue de l'Europe.* • *lechateaudesablehotel.fr* • Une ancienne colonie de vacances convertie en un hôtel superbe, situé face aux dunes et à la mer. Au resto, cuisine gastronomique réputée. Une super adresse, dans un site de toute beauté !
LANDÉDA	🛏 **Hôtel Spa Baie des Anges :** *350, route des Anges.* • *baiedesanges.com* • L'hôtel offre une vue splendide sur la mer et les îlots. Malgré la rénovation, les tarifs restent sages. Super petit déj. Mais on peut aussi déguster les huîtres de la maison Legris (servies chez Gagnaire) sur la terrasse face à la mer.

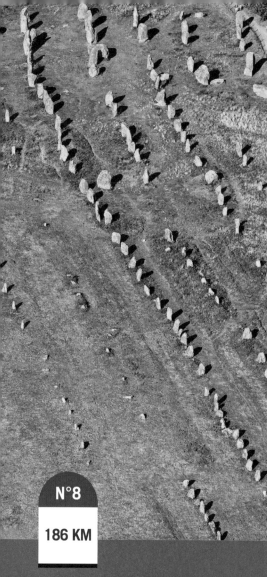

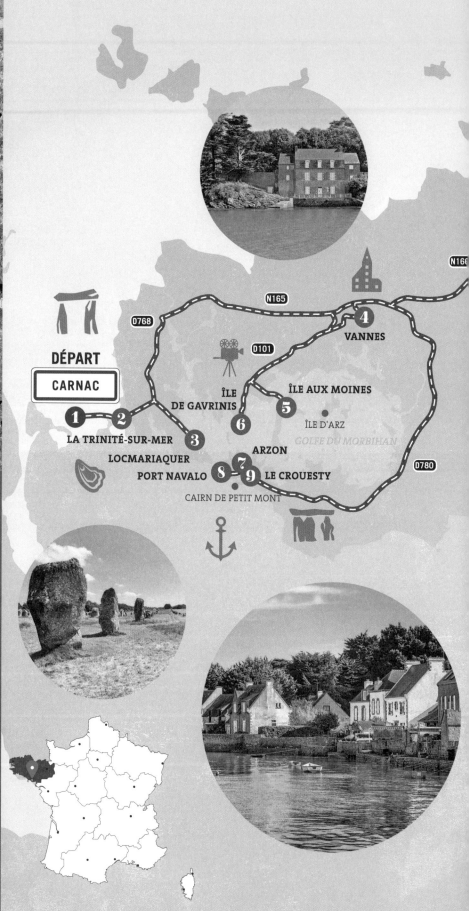

DÉPART

CARNAC

1 2 LA TRINITÉ-SUR-MER 3

LOCMARIAQUER

PORT NAVALO 8 7 ARZON

ÎLE
DE GAVRINIS 6 ÎLE AUX MOINES 5

ÎLE D'ARZ

GOLFE DU MORBIHAN

9 LE CROUESTY

CAIRN DE PETIT MONT

D768

N165

D101

VANNES 4

N166

D780

N°8

186 KM

FICHE PRATIQUE

SITUATION

Le golfe du Morbihan et le pays de Brocéliande.

MEILLEURE PÉRIODE

Il est vraiment appréciable de déambuler dans ces sites magiques presque seul hors saison.

PRÉPARER SON ROAD TRIP

• morbihan.com

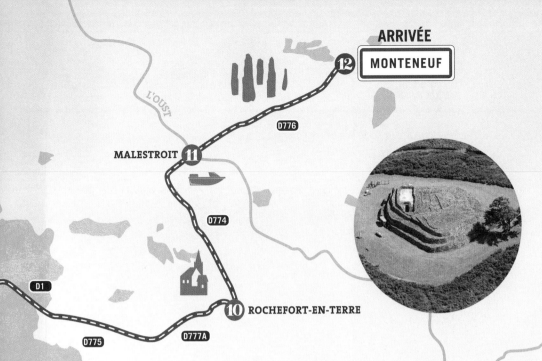

ARRIVÉE

MONTENEUF

L'OUST

D776

MALESTROIT **11**

D774

10 ROCHEFORT-EN-TERRE

D1

D775

D777A

N
O   E
S

LES MÉGALITHES DU MORBIHAN

CARNAC ➤ MONTENEUF

Si le Morbihan compte un très grand nombre de mégalithes, dolmens et autres menhirs dispersés sur son territoire, la plus grosse concentration se trouve essentiellement autour de la baie de Quiberon et à Carnac. Esthétiques, religieux, païens, mortuaires, sacrificiels ? Scientifiques, archéologues, chercheurs... cherchent encore. L'absence de certitudes a nourri l'imaginaire collectif de contes, légendes, mythes et superstitions.

Les korrigans, hommes petits, forts malgré leur taille, un peu sorciers, envahissent les sites à la nuit tombée. Les spontailles, revenants, font des apparitions aussi rapides qu'inattendues. Et chaque menhir possède ainsi sa propre histoire, voire son propre pouvoir. Comme celui du Ménec autour duquel les femmes tournaient ou se frottaient le ventre pour tomber enceinte.

LÉGENDES

ÉTAPES ●

À NE PAS LOUPER ·

FLEUVES, RIVIÈRES —

CARNAC, UN MÉGA-ENSEMBLE DE MÉGALITHES

Carnac ❶ est une station balnéaire attrayante organisée autour de deux ensembles. Carnac-Plage, ses villas cossues alignées le long d'avenues bordées de pins, ses plages de sable blond et ses dragueurs (pas forcément blonds) en décapotable. Et puis Carnac-Bourg, plus calme, discret, traditionnel et authentique. On passe jeter un œil à la ravissante église Saint-Cornely, chef-d'œuvre Renaissance dont le porche à colonnes de style toscan supporte un baldaquin ajouré en volutes de pierre.

Avec ses cinq plages de sable fin orientées plein sud et semées de pittoresques cabines de toile en été, son centre de thalassothérapie et le très couru marché Saint-Fiacre (les mercredi et dimanche), Carnac séduit en toute saison.

Mais Carnac est avant tout l'une des plus extraordinaires concentrations de mégalithes au monde, avec trois grands sites (et un plus petit) comptant environ 3 000 menhirs, vieux de 6 000 ans. On est saisi par leurs formes et leur disposition en alignements, qui prennent une dimension théâtrale aux lever et coucher de soleil. Et quand la brume s'en mêle, les lieux endossent leur part de légendes et de mystères !

Avant d'aller s'imprégner de cette atmosphère si particulière, on file au musée de la Préhistoire pour tout savoir – ou presque – sur les *menhirs* (pierres levées), *dolmens* (tables de pierres, vestiges de cairns dont ils formaient le cœur), *enceinte* (pierres dressées en cercle), *tumulus* (nom générique des buttes servant de sépultures). Lorsque ces derniers sont en pierre, comme à Carnac, on les appelle des *cairns*.

À ne pas manquer 🔍 *Skedanoz – Les Nuits scintillantes*, 2 semaines fin juillet-début août. Mise en lumière du site mégalithique.

> **Bon à savoir** ☀
> Le *Pass des Mégalithes* (gratuit) offre des réductions dans les autres sites mégalithiques (cairn du Petit-Mont à Port-du-Crouesty, cairn de Gavrinis, Table des Marchand de Locmariaquer et musée de Carnac).

DE LA TRINITÉ-SUR-MER À LOCMARIAQUER, LE MORBIHAN CÔTÉ CONTINENT

On accède à **La Trinité** ❷, La Mecque de la voile, par la mer, après un long slalom entre les parcs à huîtres du chenal. Ou bien par la terre, soit en longeant le bord de mer en venant de Carnac, soit en franchissant l'étonnant pont de Kerisper, depuis Auray. La Trinité fait partie de ces très rares endroits où se conjuguent trois des plus beaux archétypes du paysage breton : jolies plages, superbes paysages de rivière en remontant le Crac'h et arrière-pays verdoyant. Après avoir flâné le long des quais animés, on se dirige sur les hauteurs pour découvrir le vieux bourg et son lacis de ruelles paisibles, ses élégantes maisons traditionnelles et jardins de curé fleuris ordonnés autour de l'église.

Arrimé à une corpulente presqu'île fermant le golfe du Morbihan par l'ouest, **Locmariaquer** ❸ s'ancre aux avant-postes de l'océan. Le goût des huîtres locales s'en ressent et, passé la pointe de Kerpenhir, s'étalent de vastes et superbes étendues de sable fin. Locmariaquer est aussi apprécié des amateurs de sports nautiques pour ses multiples expositions au vent et des passionnés de préhistoire pour ses monuments méga-lithiques. Le site du Grand Menhir brisé et du cairn de la Table des Marchand regroupe trois monuments distincts, à découvrir après avoir visionné une vidéo d'introduction. On tombe d'abord sur le tumulus d'Er Grah, du Vᵉ millénaire av. J.-C., restauré après avoir servi de... parking ! À deux pas sommeillent les quatre morceaux du fameux Grand Menhir brisé, monolithe mesurant à l'origine 20,60 m de long pour 280 t estimées. Érigé il y a 6 500 ans environ (c'est le plus ancien monument du site), il se serait vraisemblablement brisé à la suite d'un séisme. En suivant le petit chemin, apparaît le célèbre dolmen de la Table des Marchand (sans « s »), une tombe à couloir ayant sans doute servi plusieurs fois, édifiée vers 3900 av. J.-C.

À voir aussi 📷 **Le dolmen du Mané-Lud** et le dolmen des **Pierres plates**.

POUR SE DÉGOURDIR LES JAMBES 🚶

LE CHEMIN DES DOUANIERS

Une très belle promenade à pied permet, en longeant la côte au départ de la *SNT*, de rejoindre la plage de Beaumer, vers Carnac, en passant par celle de Kervillen et la pointe de Kerbihan. Alternant paysages de landes, dunes, rochers, marais salants et forêt, ce chemin des douaniers réserve de magnifiques points de vue sur l'estuaire de Crac'h et la baie de Quiberon.

La Trinité

VANNES, LA BELLE MÉDJÉVALE TOURNÉE VERS L'OCÉAN

Ceux qui ont le temps ne feront pas l'économie d'une balade dans le centre historique de **Vannes** ❹. Corseté de murailles, il livre aux passants un lacis de rues préservées, sur lesquelles se penchent de nombreuses et vénérables demeures colorées à pans de bois issues des confins du Moyen Âge. Début place Gambetta, d'où l'on accède à la belle porte Saint-Vincent, gardienne baroque (XVIIe et XVIIIe s) de la cité, affublée du blason de Vannes. On chemine de ruelles en placettes jusqu'aux attrayants jardins des Remparts. On descend la rue des Remparts pour prendre, à droite, la rue du Bienheureux-René-Rogue. Elle débouche sur la petite place de Valencia. La maison à pans de bois du n° 3 est célèbre pour son enseigne en granit polychrome connue sous le nom de *Vannes et sa femme*, devenue emblème de la ville. Enfin, pour clore la promenade, le château Gaillard abrite un intéressant musée d'Histoire et d'Archéologie.

LES ÎLES DU GOLFE

Sur l'**île aux Moines** ❺, l'odeur du goémon se mêle à la senteur des pins, et, grâce au climat, camélias, mimosas, palmiers et orangers poussent à profusion. C'est la plus grande des îles du golfe du Morbihan et, à l'évidence, la plus gâtée par la nature, très boisée (bois d'Amour, bois des Regrets…). On peut en faire le tour (17 km) à pied ou à vélo.

> **Bon à savoir** ☀
> L'accès à l'île se fait par Port-Blanc (à Baden), à 14 km au sud-ouest de Vannes. La traversée (5 mn) est assurée par la compagnie *Izenah Croisières* (• izenah-croisieres.com •). Parking voitures à Port-Blanc.

CINÉMA

Conte d'hiver (1992), d'**Éric Rohmer.** Dans le prologue, les amours malencontreusement contrariées des deux héros ont pour écrin une petite plage de l'île aux Moines.

POUR SE DÉGOURDIR LES JAMBES 🚶

SUR L'ÎLE AUX MOINES

À l'office de tourisme, une carte de l'île signale les itinéraires balisés. Le **jaune** mène à la pointe du Trec'h, au nord (5 km A/R) ; le **rouge**, à la pointe de Brouel, à l'est (6 km A/R) ; et le **bleu**, à la pointe de Penhap, au sud (10 km A/R). Bien pratique, ces routes sont signalées par des flèches peintes sur le sol à chaque intersection. Le dernier itinéraire mène au cromlec'h de Kergonan, qui a conservé 24 pierres levées en arc de cercle. Puis on se dirige vers le petit dolmen de Kerno où ont été découvertes perles et pendeloques. Presque au sud de l'île, celui de Penhap (Er Boglieux) est encore coiffé d'une dalle énorme. Il est sans doute vieux de 5 000 à 6 000 ans et conserve quelques gravures. Le sentier côtier, lui, est réservé aux promeneurs. Parcourant l'essentiel du pourtour de l'île, il effectue une boucle de 17 km (env 4h30 de marche), à laquelle on peut ajouter 2 km A/R pour voir la pointe de Brouel. La plage du Drehen joue la nostalgie avec sa trentaine de cabines de bain bleu et jaune, dominées par de fières villas… Elle est idéale pour une baignade sécurisée, avec panorama sur le détroit séparant l'île de Port-Blanc.

6

L'île de Gavrinis ❻ sert d'écrin à la « chapelle Sixtine du Néolithique », un impressionnant cairn. Jadis juché sur une colline dominant les vallées fluviales, il s'est retrouvé sur un îlot grand comme un mouchoir de poche... Ses dimensions sont titanesques : haut de 8 m pour un diamètre de plus de 50 m, il est percé d'un couloir de 13 m qui conduit à la chambre funéraire du dolmen. Son âge ? 5 800 à 6 100 ans.

Il abritait la sépulture d'un personnage sans doute important. Vingt-quatre des 29 dalles de granit du couloir sont gravées. Spirales, demi-cercles concentriques, haches de pierre, serpents ou vagues couvrent pas moins de 71 m linéaires !

Comment y aller 🚤 De Larmor-Baden, bureau d'accueil Cairn de Gavrinis sur le port, cale de Pen-Lannic. Réservation indispensable (jusqu'à 4 jours à l'avance en juillet-août) pour la visite du site (20 personnes max par groupe).

À voir aussi 📷 L'enceinte mégalithique d'Er Lannic, célèbre pour les enceintes jumelles en forme de fer à cheval qui s'y dressent (environ 3500 av. J.-C.).

Île de Boëdic

EXPÉRIENCE

Balades dans le golfe

Avec la compagnie Navix. • navix.fr • Visites commentées du golfe à la journée ou à la ½ journée, avec ou sans escale sur l'île aux Moines et/ou l'île d'Arz. Également des liaisons pour Belle-Île ; des excursions à Houat et Hoëdic et sur la rivière d'Auray.

PAS DE CÔTÉ

Ceux qui ont le temps ne résisteront pas à une escapade sur l'**île d'Arz**. Son nom viendrait du mot celtique *Athos*, qui signifie « ours » ! Nettement moins touristique et médiatique que sa voisine l'île aux Moines, d'une beauté moins luxuriante, plus plate et moins arborée, elle séduit les puristes par cette sorte d'austérité paisible propre aux lieux cultes de la « bretonnitude » vraie. Mesurant dans ses plus grandes extensions 5 km sur 3, l'île d'Arz abrite tout juste 260 habitants pour 269 ha (plus de 1 ha par personne !). Et pour les amoureux de belles balades, le sentier côtier (circuit bleu, uniquement à pied), long de 14 km (compter 4h), effectue le tour complet de l'île, offrant de merveilleuses ouvertures sur le golfe et une succession de jolis moments. Cette île est un bonheur de petits chemins riants, de minuscules presqu'îles sauvages et de découvertes inattendues.

7

AU SUD DE LA « PETITE MER » (MOR-BIHAN), LES TRÉSORS MÉGALITHIQUES DE LA PRESQU'ÎLE DE RHUYS

À l'embouchure du golfe du Morbihan dans l'océan Atlantique, seuls 800 m séparent le littoral de la commune de Locmariaquer à l'ouest, de celui de la commune d'**Arzon** ❼ à l'est. Située à la pointe de la presqu'île de Rhuys, elle présente une géographie pour le moins accidentée et contrastée, alternant pointes et baies. De là, on file découvrir la vieille élégance de granit et de fleurs de **Port-Navalo** ❽. Au-delà, d'autres hameaux traditionnels s'égrènent au fil des côtes (*Le Motenno, Bernon, Kerners, Béninz...*). De nombreux mégalithes parsèment aussi la région. La pointe de la presqu'île offre de belles plages et des promenades agréables sur le sentier côtier et dans les landes, ainsi qu'un bon réseau de pistes cyclables.

Au sud d'Arzon, **Le Crouesty** ❾ et son port en eau profonde, sortis de terre dans les années 1970 et agrandis jusque dans les années 2000, sont le cœur battant de la presqu'île en été. Sur les quais, cafés, restaurants et boutiques grouillent d'animation, dissimulant en partie l'architecture peu séduisante des lieux. Moins d'attrait hors saison, même si le bourg accueille un centre de thalasso réputé. À 750 m du port, le cairn du Petit-Mont, haut de 41 m, englobe trois dolmens bâtis à trois périodes différentes, entre 4600 et 2500 av. J.-C. Surprise, les Allemands y ont aménagé un blockhaus durant la Seconde Guerre mondiale !

9

Rochefort-en-Terre

INCURSION DANS LES TERRES, DU CÔTÉ DE MONTENEUF, LE « PETIT CARNAC »

Petit crochet par **Rochefort-en-Terre** ❿. Construite sur un étonnant éperon de schiste dominant la vallée du Gueuzon, cette « Petite Cité de caractère » fait basculer quatre siècles en arrière tant son unité architecturale a été jalousement préservée. Les maisons anciennes déploient leurs belles façades de granit, ponctuées de tourelles d'angle, dont les pierres de taille semblent exulter de magnificence florale. Au centre du village, l'église Notre-Dame-de-la-Tronchaye mérite le coup d'œil. Au château, vue splendide et intéressant Naïa Museum, mettant en scène des artistes contemporains.

Arrêt à **Malestroit** ⓫ : une autre « Petite cité de caractère », baignée par le canal de Nantes à Brest, qui regorge de charme avec ses nobles demeures de style gothique ou Renaissance et sa place principale, du Bouffay, particulièrement photogénique.

Fin de la route aux menhirs de **Monteneuf** ⓬, à 25 km au nord de Rochefort, où plus de 440 menhirs de schiste pourpre datant du Néolithique, dits « des Pierres droites », sont répartis sur 11 ha. Peu fréquenté, on y circule librement à pied sur un sentier arboré. Le soir, quand la lande est déserte et fleurie de bruyères, c'est carrément magique...

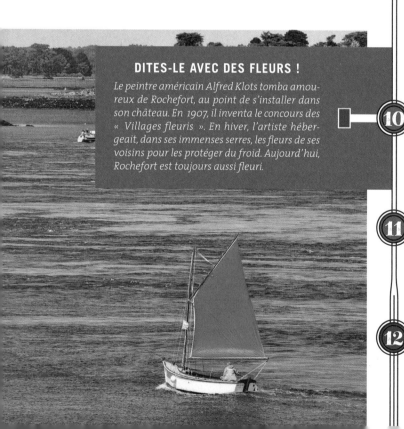

DITES-LE AVEC DES FLEURS !

Le peintre américain Alfred Klots tomba amoureux de Rochefort, au point de s'installer dans son château. En 1907, il inventa le concours des « Villages fleuris ». En hiver, l'artiste hébergeait, dans ses immenses serres, les fleurs de ses voisins pour les protéger du froid. Aujourd'hui, Rochefort est toujours aussi fleuri.

10

11

12

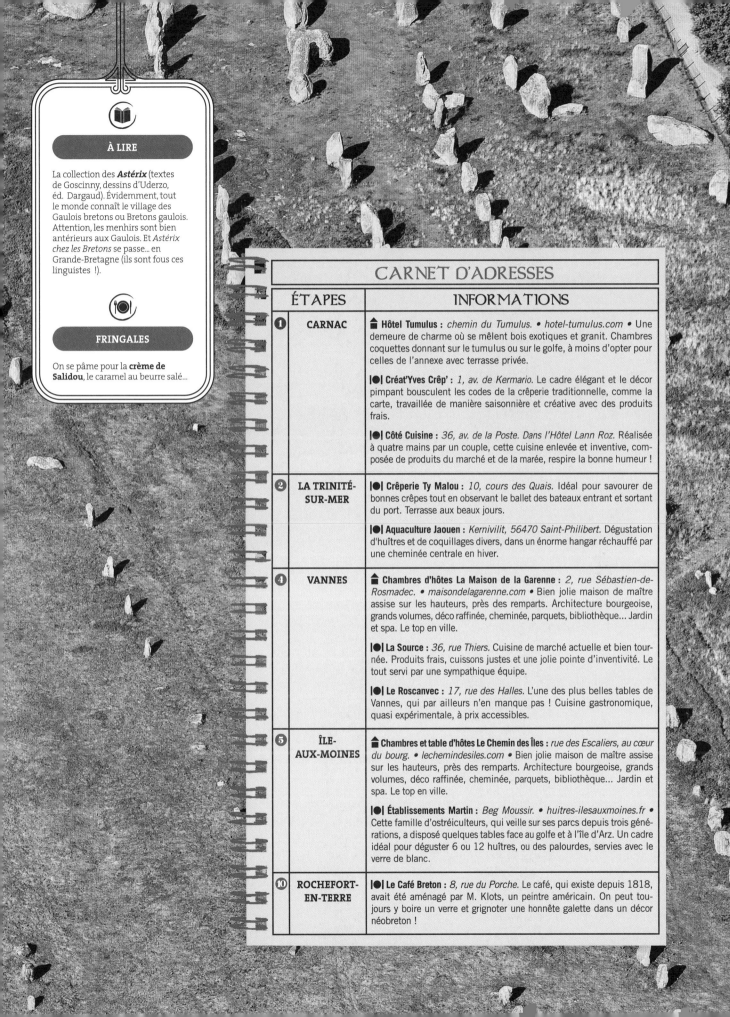

CARNET D'ADRESSES

ÉTAPES	INFORMATIONS
❶ CARNAC	🏠 **Hôtel Tumulus :** *chemin du Tumulus. • hotel-tumulus.com •* Une demeure de charme où se mêlent bois exotiques et granit. Chambres coquettes donnant sur le tumulus ou sur le golfe, à moins d'opter pour celles de l'annexe avec terrasse privée.
	🍽 **Créat'Yves Crêp' :** *1, av. de Kermario.* Le cadre élégant et le décor pimpant bousculent les codes de la crêperie traditionnelle, comme la carte, travaillée de manière saisonnière et créative avec des produits frais.
	🍽 **Côté Cuisine :** *36, av. de la Poste. Dans l'Hôtel Lann Roz.* Réalisée à quatre mains par un couple, cette cuisine enlevée et inventive, composée de produits du marché et de la marée, respire la bonne humeur !
❷ LA TRINITÉ-SUR-MER	🍽 **Crêperie Ty Malou :** *10, cours des Quais.* Idéal pour savourer de bonnes crêpes tout en observant le ballet des bateaux entrant et sortant du port. Terrasse aux beaux jours.
	🍽 **Aquaculture Jaouen :** *Kernivilit, 56470 Saint-Philibert.* Dégustation d'huîtres et de coquillages divers, dans un énorme hangar réchauffé par une cheminée centrale en hiver.
❹ VANNES	🏠 **Chambres d'hôtes La Maison de la Garenne :** *2, rue Sébastien-de-Rosmadec. • maisondelagarenne.com •* Bien jolie maison de maître assise sur les hauteurs, près des remparts. Architecture bourgeoise, grands volumes, déco raffinée, cheminée, parquets, bibliothèque... Jardin et spa. Le top en ville.
	🍽 **La Source :** *36, rue Thiers.* Cuisine de marché actuelle et bien tournée. Produits frais, cuissons justes et une jolie pointe d'inventivité. Le tout servi par une sympathique équipe.
	🍽 **Le Roscanvec :** *17, rue des Halles.* L'une des plus belles tables de Vannes, qui par ailleurs n'en manque pas ! Cuisine gastronomique, quasi expérimentale, à prix accessibles.
❺ ÎLE-AUX-MOINES	🏠 **Chambres et table d'hôtes Le Chemin des Îles :** *rue des Escaliers, au cœur du bourg. • lechemindesiles.com •* Bien jolie maison de maître assise sur les hauteurs, près des remparts. Architecture bourgeoise, grands volumes, déco raffinée, cheminée, parquets, bibliothèque... Jardin et spa. Le top en ville.
	🍽 **Établissements Martin :** *Beg Moussir. • huitres-ilesauxmoines.fr •* Cette famille d'ostréiculteurs, qui veille sur ses parcs depuis trois générations, a disposé quelques tables face au golfe et à l'île d'Arz. Un cadre idéal pour déguster 6 ou 12 huîtres, ou des palourdes, servies avec le verre de blanc.
❿ ROCHEFORT-EN-TERRE	🍽 **Le Café Breton :** *8, rue du Porche.* Le café, qui existe depuis 1818, avait été aménagé par M. Klots, un peintre américain. On peut toujours y boire un verre et grignoter une honnête galette dans un décor néobreton !

DÉPART

CHAMPTOCEAUX

CHÂTEAU DE SERRANT

MONTJEAN-SUR-LOIRE

ANGERS **9**

D723

BOUCHEMAINE

8

10

SAVENNIÈRES

3

D311

6

7

5 BÉHUARD

2

ÎLE DE CHALONNES

4

LA POSSONNIÈRE

1

D751

SAINT-FLORENT-LE-VIEIL

CHALONNES-
SUR-LOIRE

N°9

130 KM

FICHE PRATIQUE

SITUATION

Maine-et-Loire en région Pays de la Loire.

MEILLEURS SOUVENIRS

La découverte de la Loire en bateau
ou à vélo sur ses berges, la visite de
châteaux plus intimes et moins notoires
qu'en Touraine.

PRÉPARER SON ROAD TRIP   w ww.

- enpaysdelaloire.com
- culture.paysdelaloire.fr
- anjou-tourisme.com

SAINT-MATHURIN-SUR-LOIRE

11

LE THOUREIL

12 LES ROSIERS-SUR-LOIRE

D751   D952

13

CHÊNEHUTTE-
TRÈVES-CUNAULT   SAUMUR

14   D952

CANDES-
SAINT-MARTIN

TURQUANT **15**   **ARRIVÉE**

16

MONTSOREAU   **FONTEVRAUD-L'ABBAYE**

17

EN REMONTANT LE FIL DE LA LOIRE ANGEVINE

CHAMPTOCEAUX ➤➤➤➤ FONTEVRAUD

La « Douceur angevine »... Cette expression de Joachim du Bellay, enfant du pays, est entrée dans le langage courant pour dépeindre une région aux multiples visages. Plaines, bocages, coteaux de tuffeau, troglodytes, collines de vignobles, carrières d'ardoise parsèment un paysage bigarré, où s'invite aussi la Loire. Artère dolente, le fleuve profite de la moindre faiblesse de ses rives pour s'étaler paresseusement. Des bancs de sable offrent au visiteur un peu de répit avant que les crues ne viennent effacer le souvenir de ces plages éphémères. Loire sauvage, donc, en trompe l'œil, avec ses courants et ses tourbillons redoutables, que les peintres amateurs tentent de capturer au soleil couchant.

LÉGENDES

ÉTAPES ●

À NE PAS LOUPER ·

FLEUVES, RIVIÈRES —

NORD-OUEST

130 KM

N
O   E
S

En remontant le fil de la Loire angevine

75

DE CHAMPTOCEAUX AU CHÂTEAU DE SERRANT

Champtoceaux ❶ marquait autrefois la frontière entre l'Anjou et la Bretagne. Bâti sur un à-pic de 70 m au-dessus de la rive sud de la Loire, le village bénéficie d'une situation admirable. Du belvédère, panorama exceptionnel sublimé par la lumière du soleil couchant. Il reste encore des vestiges de son imposante forteresse.

> ### POUR SE DÉGOURDIR LES JAMBES 🚶
>
> - **À pied :** à partir de l'office de tourisme de Champtoceaux, rejoindre la promenade du Champalud pour le panorama, qui se prolonge jusqu'à la coulée de la Luce et les bords de Loire.
> - **À vélo :** boucle de 24 km entre Champtoceaux et Mauves-sur-Loire empruntant une partie du parcours de la Loire à Vélo entre zones de maraîchage et villages de bord de fleuve.

Se détachant de loin avec son église abbatiale délicatement déposée sur le sommet escarpé du mont Glonne, **Saint-Florent-le-Vieil** ❷ est une halte obligée en bord de Loire. De l'esplanade devant l'église, on s'arrête quelques instants devant le magnifique tableau composé par la Loire, l'île Batailleuse et les environs. Sur la rive gauche du fleuve, **Montjean-sur-Loire** ❸ fut autrefois un port marinier très important et une petite cité industrielle active. Il faut grimper jusqu'à l'église haut perchée pour profiter de la vue.

À voir aussi 📷 Le musée des Métiers à Mauges-sur-Loire. Un musée ethnographique fascinant, dont les 20 000 pièces de collection représentent 35 métiers différents.
Les jardins du château du Pin à Champtocé-sur-Loire. Un parfum d'Italie au cœur de la campagne angevine. Jane de La Celle entretient ce « Jardin remarquable » classé Monument historique.

Montjean-sur-Loire

Un peu plus loin, **Chalonnes ❹**, à la confluence du Layon, du Louet et de la Loire, a l'ambiance d'un ancien port et d'un village agricole actif (photo ci-contre). Avec son grand marché qui déplace les foules et ses bonnes petites tables, ce village constitue une étape agréable. En traversant le pont, on gagne l'île de Chalonnes, la plus grande du cours de la Loire (11 km). Là, les passants se promènent, surtout à vélo, à la recherche des plus jolies vues sur le Louet alangui. La corniche angevine, de Chalonnes à Rochefort-sur-Loire, sur la D 751, suit joliment le Louet, côté rive sud, et livre, là aussi, de fort beaux points de vue. Au niveau de Rochefort, la Loire s'élargit et déploie ses nombreux bras.

À voir aussi 📷 Le musée de la Vigne et du Vin d'Anjou à Val-du-Layon. Dans un ancien cellier, le musée présente l'évolution de la viticulture depuis le XIXᵉ s, et plus de 2500 outils et documents.

Sur la route menant vers Angers, une étape à l'**île de Béhuard ❺** s'impose. Presque secrète, l'île fut longtemps le but d'un fameux pèlerinage, à l'époque où la Loire impétueuse et dangereuse poussait les marins à avoir recours à Notre-Dame de Béhuard… Il faut grimper jusqu'à cette très curieuse et adorable église, incrustée sur un rocher, pour être sur la seule partie de l'île non inondable ! À **Savennières ❻** se trouve l'une des plus vieilles églises d'Anjou. On y déguste le savennières, l'un des grands crus angevins, un vin blanc sec et corsé. Quant au plus célèbre cru du village, le coulée-de-serrant, il est cultivé selon une méthode biodynamique (labours à cheval !). Sur la route de Saint-Georges-sur-Loire (D 311), le village de **La Possonnière ❼** offre un panorama paisible sur la Loire. Le chemin mène naturellement au magnifique **château de Serrant ❽**, de style Renaissance, entouré de douves et d'un grand parc de 300 ha.

Château de Serrant

D'ANGERS À FONTEVRAUD

« Douceur (angevine) » ne rime pas avec « torpeur », loin s'en faut. **Angers ⑨** est une ville jeune, vivante et cosmopolite. Classée « Ville d'art et d'histoire », elle a aussi un riche passé dont témoigne son impressionnant château bicolore aux 17 tours, construit au début du XIIIe s. Il abrite la fabuleuse tapisserie de l'*Apocalypse*, un chef-d'œuvre incomparable. Une belle cathédrale Saint-Maurice et un musée des Beaux-Arts aux riches collections sur l'histoire d'Angers et les différents courants artistiques européens du XIVe au XXe s sont aussi à découvrir, tout comme le musée Jean-Lurçat et de la Tapisserie contemporaine, lové dans l'ancien hôpital Saint-Jean.

À 9 km au sud d'Angers, on atteint **Bouchemaine ⑩**, un village de carte postale avec son abbaye qui se mire dans la Maine, un collectif d'artistes nichés dans les rues, de bonnes tables et des terrasses prises d'assaut, des notes de jazz au printemps, des demeures cossues résignées devant les crues…

Saint-Mathurin-sur-Loire ⑪ est un village d'une belle homogénéité, perché le long de la grande levée d'Anjou. Maisons de tuffeau blanc et toits en ardoises dominés par l'église de style néogrec. Il s'agit d'une zone ornithologique remarquable pour observer les sternes qui nichent sur les bancs de sable entre La Ménitré et La Daguenière.

Rive droite, **Les Rosiers-sur-Loire ⑫** est un paisible village de caractère. Retour rive gauche pour découvrir **Le Thoureil,** l'un des plus attachants villages de la région, blotti autour de son église au curieux clocher-peigne. La Loire prend ici un caractère particulièrement romantique avec ses îlots et rives boisées ainsi que son quai alangui.

Plus qu'une poignée de kilomètres pour arriver à Saumur. Mais avant, ne pas manquer le point d'orgue de la balade en bord de Loire : le village de **Chênehutte-Trèves-Cunault ⑬**, renommé pour sa magnifique église romane (la plus grande de France !). Autour de l'église, les maisons en tuffeau sont toutes plus ravissantes les unes que les autres.

Au loin, le château de **Saumur ⑭** coiffe les belles demeures aristocratiques des quais et constitue l'un des plus beaux tableaux angevins, encore plus émouvant au coucher de soleil. Au programme, dégustation de vins dans les caves de crémant, découverte des troglodytes et visite du célèbre centre équestre du Cadre noir de Saumur.

On croise en chemin **Turquant ⑮**, qui se distingue par ses cavités troglodytiques accueillant des artisans d'art. Au confluent de la Loire et de la Vienne, **Montsoreau ⑯** est le seul « Plus Beau Village de France » en Anjou. Alexandre Dumas fit connaître la petite cité dans *La Dame de Monsoreau* (pas de « t » chez l'auteur !). Son château, quasiment les pieds dans l'eau, a fort belle allure et confère au village tout son cachet. Construit en 1450, il annonce la transition de la forteresse médiévale vers le château d'agrément. Une visite coup de cœur à coupler avec celle de **Candes-Saint-Martin** juste à côté et sa superbe collégiale.

Ultime étape à ce périple au fil de la Loire angevine, **Fontevraud-L'abbaye ⑰** est probablement le plus grand ensemble monastique d'Europe, et l'un des plus fascinants.

LES FEMMES D'ABORD

Du XIIe s à 1792, Fontevraud resta fidèle à la règle très avant-gardiste instituée par son fondateur, Robert d'Arbrissel, prescrivant que l'abbaye soit toujours dirigée par une abbesse. Souvent recrutée dans l'aristocratie (16 sur 36 de sang royal). La 33e abbesse, Gabrielle de Rochechouart (de 1670 à 1704), était la sœur de la marquise de Montespan, favorite de Louis XIV. En 1738, quand Louis XV confia quatre de ses filles à Fontevraud, l'abbesse fut nommée duchesse pour qu'elle ait le droit de s'asseoir devant elles !

LIVRES DE ROUTE

- *Dictionnaire amoureux de la Loire,* de Danièle Sallenave (Plon, 2014).
- *Aventures en Loire,* de Bernard Ollivier (poche, éd. Phébus, 2012).
- *Au nom de la Loire,* de Catherine et Bernard Desjeux (éd. Grandvaux, 1998).

EXPÉRIENCE

- **Balades sur la Loire :** kayaks, gabares, toues (bateaux traditionnels à fond plat), sorties thématiques... il y en a pour tous les goûts.
- **La Loire à Vélo :** les sportifs ne louperont pas cet itinéraire exceptionnel pour découvrir la région.

FRINGALES

La Maison du Quernon : 22, rue des Lices, à Angers. Les célèbres « quernons d'ardoise » rappellent de façon gourmande l'une des plus importantes industries régionales. Ce sont de délicieux chocolats à la nougatine, de couleur bleu clair.

CARNET D'ADRESSES

ÉTAPES	INFORMATIONS
9 ANGERS	🏠 **Hôtel Saint-Julien :** *9, pl. du Ralliement.* • *hotelsaintjulien.com* • Bien situé, avec des chambres confortables. Certaines disposent d'une terrasse, d'autres donnent sur une courette. 🏠 **Hôtel du Mail :** *8, rue des Ursules.* • *hoteldumail.fr* • Une grille d'entrée couverte de glycines ouvre sur une cour intérieure où se tient ce charmant hôtel particulier du XVIIe s, qui fut autrefois un couvent. 🍽️ **Chez Rémi :** *5, rue des Deux-Haies.* Rémi a fait ses gammes chez Paul Bocuse. Ce sympathique chef élabore avec doigté une belle cuisine de marché, à base de produits issus du potager bio qu'il entretient amoureusement. 🍽️ **Les 3 Grands-Mères :** *25, rue Baurepaire.* L'originalité de cette petite adresse savoureuse ? On passe directement du producteur au consommateur via la cuisine ! Le propriétaire est un agriculteur de la région qui fournit les légumes et les œufs.
11 SAINT-MATHURIN	🏠 **Domaine de la Blairie :** *5, rue de la Mairie, 49160 Saint-Martin-de-la-Place.* • *hotel-blairie.com* • Le logis principal de ce charmant hôtel tout en tuffeau, aménagé dans le style contemporain, abrite des chambres fonctionnelles et de bon confort donnant sur un parc verdoyant. Cuisine soignée. 🍽️ **Rouge Bistro :** *2, quai de la Loire, 49350 Les Rosiers-sur-Loire.* Un genre d'élégant bistrot parisien greffé en Anjou, avec ses larges fenêtres donnant sur les coteaux de la Loire. Cuisine classique du terroir à prix doux.
14 SAUMUR	🏠 **Hôtel Le Volney :** *1, rue Volney.* • *levolney.com* • Charmant et modeste hôtel à taille humaine et au rapport qualité-prix imbattable. 🍽️ **Sur les Quais :** *quai Lucien-Gautier.* Clin d'œil aux bateaux-lavoirs qui jalonnaient les quais de Loire autrefois. Celui-ci héberge aujourd'hui un bar-restaurant avec la Loire et le château en fond de tableau.
16 MONTSOREAU	🏠🍽️ **Hôtel Le Bussy – Restaurant Le Montsorelli :** *4, rue Jehanne-d'Arc.* • *hotel-lebussy.fr* • Une vieille demeure en tuffeau, des chambres impeccables, bien équipées, donnant sur le château. Le resto profite également de cette jolie vue, la Loire en prime.

FICHE PRATIQUE

 SITUATION

Le long de la Loire, au sud-ouest d'Orléans.

 MEILLEURS SOUVENIRS

Marcher dans les pas du capitaine Haddock à Moulinsart (Cheverny), découvrir le château funambule de Chenonceau, cheminer au milieu des vignes et déguster un savoureux cheverny....

 PRÉPARER SON ROAD TRIP

- valdeloire-france.com
- château-amboise.com
- chateaudeblois.fr
- chambord.org
- domaine-chaumont.fr
- chenonceau.com
- château-cheverny.com
- vinci-closluce.com

CHAMBORD

BLOIS 4

5

D33   D112

A10

CHAUMONT-SUR-LOIRE

CHÂTEAU ROYAL D'AMBOISE

7   D77   6   CHEVERNY

ARRIVÉE

CHÂTEAU DU CLOS LUCÉ

9   AMBOISE

10   D27

D31   8

CHÂTEAU DE CHENONCEAU

ZOO DE BEAUVAL

D2060

ORLÉANS

LOIRE

ORATOIRE CAROLINGIEN
DE GERMIGNY-DES-PRÉS

3 ABBAYE DE FLEURY

D953

2

GIEN

D952

1

DÉPART

BRIARE

LA LOIRE DE CHÂTEAU EN CHÂTEAU

BRIARE ➤➤➤ AMBOISE

Les rois ne s'étaient pas trompés en choisissant la région des châteaux de la Loire,
que ce fleuve baigne en son cœur. Les derniers Valois y ont célébré avec faste les noces
de la Renaissance et du goût français. Chambord, ville suspendue à ses 365 clochetons,
cheminées et fenêtres ; Chenonceau, gracieux château-pont sur le Cher ;
Blois et son Moyen Âge revu par la Renaissance ; le palais d'Amboise et ses remparts chics.
Tous les 20 km, un nouveau miracle apparaît. Et sa grâce rejaillit sur toute la campagne.

LÉGENDES

ÉTAPES ●

À NE PAS LOUPER ·

FLEUVES, RIVIÈRES —

→ 250 KM

EN GUISE D'AMUSE-BOUCHE

Briare ❶ est une jolie bourgade assoupie le long de la Loire. Pourtant, c'est un air méridional qu'on respire ici : sur la place piétonne ombragée par les platanes, avec l'église Saint-Étienne aux mosaïques colorées, il ne manque que les joueurs de pétanque ! Le musée de la Mosaïque et des Émaux, installé dans une usine « de faïence fine » construite en 1838, retrace l'histoire des émaux de Briare. La ville s'enorgueillit aussi de posséder le pont-canal le plus long d'Europe, œuvre à laquelle ont collaboré les ateliers de Gustave Eiffel... Il enjambe la Loire et permet le passage d'un autre cours d'eau ! Pour plus d'infos, rendez-vous au musée des Deux Marines et du Pont-canal. Briare plaira aux romantiques, avec ses jardinières fleuries, ses berges où il fait bon flâner, ses canaux décorés de nénuphars et son port de plaisance.

Ensuite direction **Gien** ❷ dont le château abrite un surprenant musée de la Chasse, Histoire et Nature en Val de Loire. À la fin du XVᵉ s, Louis XI donna en dot ce coin du royaume à sa fille aînée Anne de Beaujeu. Celle-ci rasa et fit reconstruire (sauf une tour) le château, qui prit alors une allure Renaissance. La ville est également connue pour sa manufacture, qui produit des faïenceries réputées, et pour les vins des coteaux-du-giennois.

Quelques étapes intéressantes essaiment décidément la route jusqu'à la Vallée des Rois. Fondée en 630, l'**abbaye de Fleury** ❸ fut une école renommée et sa bibliothèque l'une des plus riches du monde monastique. À la Révolution, seule l'abbatiale fut conservée. Le chœur et le transept datent du XIᵉ s, le porche est surmonté d'une tour carrée dont le clocher rappelle celui du Mont-Saint-Michel. Les chapiteaux extérieurs, qui évoquent *L'Apocalypse*, sont de toute beauté. À l'intérieur, les styles roman et gothique cohabitent avec élégance. Dans le chœur, se trouvent d'étonnants pavements d'origine romaine. Sous le chœur, la crypte abrite les reliques de saint Benoît. Face à la basilique, prendre la rue qui longe l'*Hôtel du Labrador*. Sur la gauche, de l'autre côté du parking, s'amorce un chemin qui mène au hameau du Port. Cette balade le long de la Loire est jalonnée de maisons de mariniers restaurées. Des plaques rappellent qu'au XIXᵉ s les crues parvenaient à mi-hauteur des habitations !

L'ORATOIRE CAROLINGIEN, À GERMIGNY-DES-PRÉS

Il fut construit en forme de croix grecque, dont chaque branche se terminait par une abside en fer à cheval. Il n'en reste que trois aujourd'hui. L'ensemble était décoré de mosaïques sur le côté est. Il ne subsiste que celle du cul-de-four de l'abside orientale. Quelques statues (pietà aux joues saillantes du XVIᵉ s, *Sainte-Anne* du XVᵉ s...) ne font qu'ajouter à l'intérêt de cette église carolingienne, consacrée... en 806.

LA VALLÉE DES ROIS DE LA LOIRE : DE BLOIS À CHAUMONT

Remonter ce val majestueux, inscrit au Patrimoine mondial de l'Unesco, équivaut à parcourir un livre d'histoire à ciel ouvert : cheminer de vrai donjon en façade d'opérette, s'ébahir devant des palais connus dans le monde entier, se promener dans leurs jardins tracés au cordeau ou découvrir des sites méconnus... Ce voyage dans le temps, sur les traces des rois et de leur cour, des reines et de leurs rivales, des mignons, des poètes, des ladres, débute par la visite du château de **Blois** ❹, un résumé à lui seul de l'histoire de France. Bâtie en amphithéâtre sur les coteaux de la Loire, la ville fut le centre de la Renaissance française. Si elle souffrit de la guerre, sa reconstruction permit de dégager la vue de son château. Et on y trouve encore quelques rues tortueuses, escaladant les flancs escarpés de la rive.

À ne pas louper 🔍 Le spectacle son et lumière « Ainsi Blois vous est conté ». D'avril à septembre (sauf 21 juin et 13 juillet), tous les jours à la tombée de la nuit.

Édifié dès le Xᵉ s, le château illustre l'évolution de l'architecture française du XIIIᵉ au XVIIᵉ s. Dès le XIIIᵉ s, les comtes de Blois en font l'une des places fortes du royaume. La salle des États généraux et la tour du Foix, de style gothique, sont les seuls vestiges de cette époque. En 1498, le comte de Blois, Louis d'Orléans, devint roi de France sous le nom de Louis XII. Il fit de Blois une capitale et de sa forteresse un palais royal. Les témoins de cette période sont les ailes de brique et de pierre aux arcades de style gothique flamboyant. Son successeur, François Iᵉʳ, féru d'architecture italienne, construisit l'aile des visiteurs, avec ses loggias et l'escalier d'apparat à vis, décoré de sculptures. C'est ici qu'en 1588 le duc de Guise fut assassiné (23 coups de couteau quand même !). Au XVIIᵉ s, Gaston d'Orléans, frère de Louis XIII, transforma Blois en un château classique. Mais la couronne revint finalement au futur Louis XIV. Faute de financement, il laisse inachevée « l'aile Gaston-d'Orléans ». Les rois de France délaissèrent ensuite Blois pour leurs demeures parisiennes. Menacé de destruction sous Louis XVI, le château devint une caserne, jusqu'au XIXᵉ s où commença la restauration. Beaucoup de ce qu'on voit dans le château date donc du XIXᵉ s, notamment les étonnants décors peints.

À voir aussi 📷 La Maison de la magie Robert-Houdin, 1, place du Château. • maisondelamagie.fr • Et la Fondation du Doute : 14, rue de la Paix. • fondationdudoute.fr •

Immense réserve de 5 440 ha de chênaies, pinèdes, landes, marais et prairies, gardée par un mur de 32 km (dont la construction prit un siècle !), le Domaine national de **Chambord** ❺ est le plus grand parc forestier clos d'Europe. Il abrite une faune importante (sangliers, cervidés, chevreuils et nombreuses espèces d'oiseaux) et a toujours été un terrain de chasse privilégié... ou de privilégiés, puisqu'on chasse ici sur invitation du président de la République. Vu du ciel, c'est un château fort. À l'intérieur, c'est un palais à la campagne, organisé par niveaux, comme en Italie à l'époque. En septembre 1519, François Ier entreprit la construction, au milieu des marécages, de ce château pour affirmer le pouvoir royal. Ce lieu démesuré (quelque 440 pièces mais seulement 80 ouvertes à la visite) comporte 282 cheminées, 77 escaliers, 9 étages d'habitation et environ 800 représentations de l'emblème du souverain, la salamandre. François Ier ne le vit jamais achevé. Louis XIV finira le travail et y donnera des fêtes somptueuses. La façade, de style féodal avec ses quatre tours rondes qui se mirent dans les eaux du Cosson, est grandiose : c'est elle qui devait asseoir la puissance du souverain. Pourtant Chambord est un chef-d'œuvre du style Renaissance.

LA JOCONDE, GRANDE VOYAGEUSE

Pendant la Seconde Guerre mondiale, La Joconde faisait partie des œuvres qui quittèrent Paris pour fuir les bombardements. Elle fut mise à l'abri à Chambord. Mais, si Paris ne fut jamais bombardé, en juin 1944, deux avions américains s'écrasèrent à proximité du château !

Dans le bâtiment central, le grand escalier à double révolution est l'un des éléments les plus célèbres. Deux personnes peuvent monter chacune de leur côté, en s'observant par les lucarnes, sans jamais se rencontrer, même à l'arrivée.

CINÉMA *Peau d'âne,* de Jacques Demy, avec Catherine Deneuve, a été tourné en partie à Chambord, en 1970.

EXPÉRIENCE

Le brame du cerf

Une soirée ou une matinée d'affût perché dans un observatoire, rendez-vous des amoureux de la nature qui viennent écouter les cerfs chanter la sérénade. En petits groupes et avec un guide, c'est l'occasion d'aller à la rencontre des animaux de la forêt.

Renseignements au ☐ 02-54-50-40-00

À quelque 20 km au nord de Chambord, le domaine de **Cheverny** ⑥ appartient à la même famille depuis 600 ans. Son principal intérêt demeure dans sa somptueuse décoration intérieure. Les pièces, d'un extrême classicisme, sont riches en mobilier précieux et portraits royaux. On peut aussi y admirer des photos de famille du marquis Charles-Antoine de Vibraye, l'actuel propriétaire.

LE « PORT » D'ATTACHE DU CAPITAINE HADDOCK

Hergé, le père de Tintin, s'est inspiré du château de Cheverny pour dessiner Moulinsart, la demeure du capitaine Haddock. De nombreuses aventures de Tintin ont pour théâtre cette propriété si souvent mise à mal par les expériences du professeur Tournesol.

Prochain arrêt, le château de **Chaumont-sur-Loire** ⑦, au superbe intérieur de pierre et de pavés, très médiéval. Il appartenait à Catherine de Médicis. À la mort de son mari Henri II, elle obligea Diane de Poitiers, sa rivale, à l'accepter en échange de Chenonceau, plus charmant et plus… royal. De la terrasse, la vue sur la Loire est superbe. Dans les appartements historiques, meubles et œuvres d'art des XVe et XVIe s côtoient des créations contemporaines. La salle du Conseil abrite un splendide carrelage dit « majolique », du XVIIe s. Et puis il y a aussi les magnifiques écuries.

À ne pas louper 🔍 **Le Festival international des jardins.** D'avril à novembre. Un musée d'art contemporain végétal à ciel ouvert. Chaque année, une trentaine d'artistes et de paysagistes réalisent des jardins éphémères.

À voir aussi 📷 **Le ZooParc de Beauval** situé dans un vaste espace boisé et paysager, participe à de nombreuses actions pour la préservation et la reproduction d'espèces menacées.

LE CHÂTEAU DE CHENONCEAU

Ce château de la Loire posé sur… le Cher est un must. Le « château des Dames » a appartenu à… six femmes, dont Diane de Poitiers, maîtresse d'Henri II, qui le céda à Catherine de Médicis, à la mort du roi. Cette dernière fit par la suite construire la galerie-pont qui enjambe le Cher, à l'image de son Ponte Vecchio natal. **Chenonceau** 8 est le seul château-pont au monde, ce qui lui valut d'être sauvé deux fois de la destruction. Pendant la Révolution, les paysans ne voulurent pas détruire le pont qu'ils utilisaient pour franchir le Cher. Ensuite, pendant la Seconde Guerre mondiale, il ne fut pas bombardé car on s'accordait à dire que Chenonceau était l'un des châteaux les plus admirables de France. Pourtant, lors de l'Occupation, il fut souvent utilisé par la Résistance. Dans l'avant-cour s'élèvent la tour des Marques, un donjon cylindrique du XVe s, et le château de Bohier, vaste pavillon carré bâti à partir de 1515. La grande galerie a été ajoutée en 1560 dans un style presque classique. Longue de 60 m, large de 6 m, haute de 2 étages et éclairée par 18 fenêtres, elle repose sur un pont de 5 arches. Dans le château, on admire les éléments décoratifs Renaissance : plafonds à caissons, carrelages, cheminées monumentales, voûte en croisée d'ogives du vestibule… sans oublier la collection de toiles.

À ne pas louper 🔍 Promenade nocturne et musicale le 2e week-end de juillet et d'août. Les visiteurs peuvent découvrir les jardins illuminés en musique. À noter qu'un soir de juillet, cette promenade est assortie d'une dégustation sous les étoiles, qui permet de profiter du cadre de la galerie du rez-de-chaussée (ouverte exceptionnellement) et des jardins pour découvrir le vignoble touraine-chenonceaux.

AMBOISE

Perché au-dessus de la Loire, le **château royal d'Amboise** ❾ dresse fièrement sa silhouette. Louis XI habita Amboise. Charles VIII y naquit et y mourut après s'être cogné à un linteau de porte. Louis XII et François Iᵉʳ y séjournèrent. C'est à Amboise et non à Paris que tous ces rois ont voulu gouverner. La construction de cet édifice a débuté à la fin du XVᵉ s, à l'initiative de Charles VIII. 75 % du château édifié sous son règne subsistent aujourd'hui. La chapelle royale Saint-Hubert est un vrai bijou d'architecture gothique. Un travail de dentelle a été réalisé dans le tendre tuffeau. L'intérieur du château est magnifiquement meublé. La juxtaposition harmonieuse du style « français » (que l'on qualifiera plus tard de « gothique ») et du style « italien » (que l'on appellera « Renaissance ») y est flagrante.

Les jardins panoramiques dominent la Loire. Ils constituent un espace d'observation ornithologique privilégié. Sans oublier les magnifiques pelouses qui sont accessibles à tous aux beaux jours. Avant de repartir, il faut faire une petite halte dans les anciennes écuries où l'on a aménagé la boutique et à la tour Heurtault, la seconde tour cavalière du site, dotée d'une rampe en spirale afin que les chevaux puissent y monter. Elles évitaient aux cavaliers un détour de 4 km !

L'itinéraire se conclut en apothéose avec le **château du Clos Lucé, parc Leonardo-da-Vinci** ❿, que l'on peut rallier à pied depuis Amboise. François Iᵉʳ rencontra Léonard de Vinci en Italie après la victoire de Marignan et le décida à venir à Amboise. L'artiste vécut au château du Clos Lucé les trois dernières années de sa vie et s'y éteignit le 2 mai 1519. Il avait apporté avec lui la célèbre *Joconde*. Le Clos Lucé, un château à taille humaine, est une merveille de la Renaissance. Dès la cour intérieure, on se rend compte que tout est fait pour le plaisir des yeux. Le jeu de la brique et de la pierre blanche de ce palais à taille humaine niché dans un bel écrin de verdure est une réussite. Tout comme la galerie d'où l'on assistait aux fêtes est d'une rare élégance. Dans le parc, un parcours paysager très ludique permet de découvrir les reconstitutions de ses célèbres engins, que chacun peut manipuler à sa guise.

MAIS OÙ EST DONC LÉONARD ?

La chapelle Saint-Hubert du château renferme la dalle mortuaire de Léonard de Vinci. Mais qu'en est-il de sa dépouille ? Pendant la guerre, Mussolini voulut récupérer les cendres. Mais le comte de Paris, propriétaire du château, aurait caché le corps. En mourant, il a emporté son secret avec lui.

EXPÉRIENCE

Déguster les vins d'appellation touraine-amboise

Les cépages gamay, cabernet et côt pour les rouges et rosés (ainsi que grôla pour ces derniers), sans oublier chenin exclusivement pour les blancs, dominent. Quelques noms de domaines en passant : Bessons-François Péquin • domainedesbessons.com • et Dutretre • domainedutertre.fr •.

PETITS CRUS

La poire d'Olivet et les vins de la vallée de la Loire : Touraine, Pouilly, Menetou-Salon…

À LIRE

Mes châteaux de la Loire, de Gonzague Saint Bris ; (Flammarion, 2003). L'auteur nous fait voyager dans les coulisses des châteaux nichés au cœur de la vallée de la Loire.

***SWINGING* IN LA LOIRE**

Jazz en Touraine : environ 10 jours autour du 15 septembre à Montlouis-sur-Loire.
• Jazzentouraine.com • Festival de jazz classique ou métissé.

CARNET D'ADRESSES

ÉTAPES	INFORMATIONS
2 GIEN	|●| **Côté Jardin :** *14, route de Bourges.* Une cuisine de haute volée !
3 SAINT-BENOÎT-SUR-LOIRE	|●| **Le Grand Saint-Benoît :** *7, pl. Saint-André.* L'une des meilleures tables de la région.
4 BLOIS	⌂ **Le Château de la Rue :** *chez Véronique de Caix, à Fleury, 41500 Cour-sur-Loire.* • chateaudelarue.com • Chambres très cosy où les meubles de famille voisinent avec les objets chinés. ⌂ |●| **La Maison et le Bistrot d'à Côté :** *25, rue de Chambord, 41350 Montlivault.* • lamaisondacote.fr • Une cuisine épatante tant côté bistrot que gastro réalisée par Christophe Hay, chef créatif auréolé de 2 étoiles. Côté hôtel, des chambres raffinées et design. |●| **La Trouvaille :** *5-7, rue de la Chaîne.* Une cuisine de brasserie à prix doux, qui fait la part belle aux circuits courts.
5 CHAMBORD	⌂ **Chambres d'hôtes La Grange aux Herbes :** *chez M. et Mme Plé, 4, route du Pavillon, 41220 Thoury.* • lagrangeauxherbes.fr • Dans une jolie ferme solognote restaurée avec goût, des chambres coquettes et spacieuses. |●| **L'Agriculture :** *37, rue de la Mairie, 41250 Tour-en-Sologne.* Une cuisine traditionnelle proche de son terroir et une créativité bien d'aujourd'hui.
6 CHEVERNY	⌂ |●| **Auberge du Centre :** *34, Grande-Rue, 41120 Chitenay.* • auberge-du-centre.com • Une auberge aux chambres coquettes, dotée d'un agréable jardin avec piscine. Cuisine régionale saupoudrée d'une touche d'originalité.
7 CHAUMONT-SUR-LOIRE	⌂ **Chambres d'hôtes La Blinerie :** *41120 Sambin.* • la-blinerie.com • Une ferme joliment restaurée renfermant des chambres confortables, à la déco actuelle. Excellent petit déj en prime.
AMBOISE	⌂ |●| **Hôtel Le Clos d'Amboise :** *27, rue Rabelais.* • leclosamboise.com • Une élégante demeure du XVIIᵉ s, remaniée au XVIIIᵉ, avec des chambres lumineuses qui mêlent les styles classique et contemporain. Cuisine inventive au resto. |●| **Le Parvis :** *3, rue Mirabeau.* Plats soignés et grillades cuites au feu de bois. ⌂ |●| **Hôtel L'Aubinière :** *29, rue Jules-Gautier, 37530 Saint-Ouen-les-Vignes.* • aubiniere.com • Une adresse où le terroir tourangeau est à l'honneur. Quelques belles chambres, certaines avec terrasse.

N°11

290 KM

LOIRE

MENETOU-SALON

D940

DÉPART

BOURGES

MEILLANT

BRUÈRE-ALLICHAMPS

5

ABBAYE DE NOIRLAC

PARC NATUREL
RÉGIONAL
DE LA BRENNE

ARRIVÉE

NOHANT-VIC

PRIEURÉ D'ORSAN

CHÂTEAU
D'AINAY-LE-VIEIL

BOIS DE CHANTELOUBE

7

SAINT-CHARTIER

NEUVY-ST-
SÉPULCHRE

6

VARENNES

D940

FICHE PRATIQUE

SITUATION

Cher et Indre, Centre-Val de Loire.

MEILLEURS SOUVENIRS

Partir à la recherche des lieux qui ont
servi de toile de fond aux romans sandiens, découvrir la richesse aromatique
des vins de Sancerre (avec un bon petit
crottin de chavignol !), frissonner des
légendes et mythes de la région.

PRÉPARER SON ROAD TRIP

- berryprovince.com
- indre-a-velo.com

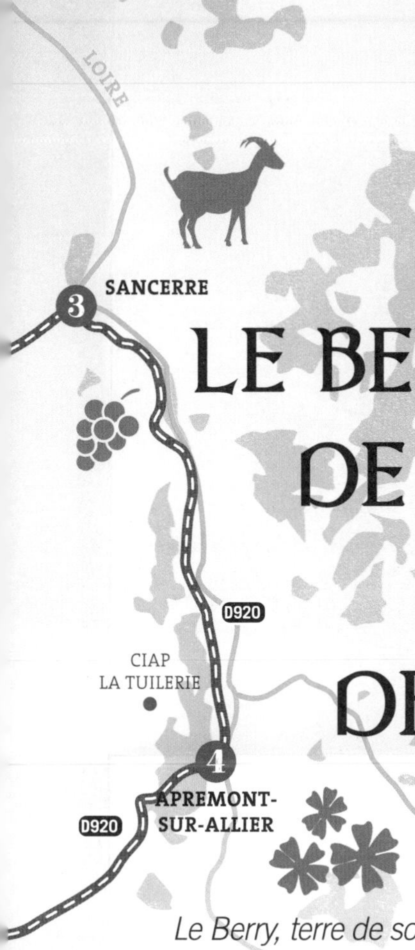

PARC NATUREL RÉGIONAL
DU MORVAN

SANCERRE

3

D920

CIAP
LA TUILERIE

4
APREMONT-
SUR-ALLIER

D920

LOIRE

LE BERRY, DANS LES PAS DE JACQUES CŒUR ET AU PAYS DE GEORGE SAND

BOURGES ➤ NOHANT

Le Berry, terre de sorcières ? Pour beaucoup, il a conservé cette part de mystère. Un héritage que l'on doit en grande partie à George Sand, l'autrice de la célèbre Mare au diable. *Aujourd'hui, c'est une destination plus séduisante qu'étrange : on tombe amoureux de ce pays, conquis par sa diversité, son accueillante nature, ses saveurs. Son histoire aussi, bien sûr, qui permet de retracer, celle, avec un grand H, de la France. C'est ici que l'on créa l'une des toutes premières routes touristiques, dans les années 1950, pour pousser les visiteurs à prolonger leur séjour sur une terre qui n'avait pas encore pris valeur de refuge… Sauf pour les oiseaux !*

LÉGENDES

ÉTAPES ●

À NE PAS LOUPER •

FLEUVES, RIVIÈRES —

Le Berry, dans les pas de Jacques Cœur et au pays de George Sand

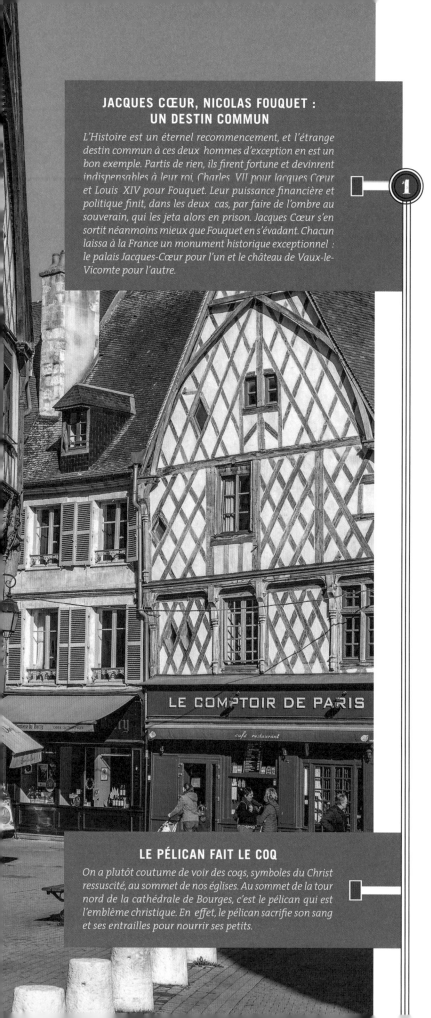

JACQUES CŒUR, NICOLAS FOUQUET : UN DESTIN COMMUN

L'Histoire est un éternel recommencement, et l'étrange destin commun à ces deux hommes d'exception en est un bon exemple. Partis de rien, ils firent fortune et devinrent indispensables à leur roi, Charles VII pour Jacques Cœur et Louis XIV pour Fouquet. Leur puissance financière et politique finit, dans les deux cas, par faire de l'ombre au souverain, qui les jeta alors en prison. Jacques Cœur s'en sortit néanmoins mieux que Fouquet en s'évadant. Chacun laissa à la France un monument historique exceptionnel : le palais Jacques-Cœur pour l'un et le château de Vaux-le-Vicomte pour l'autre.

LE PÉLICAN FAIT LE COQ

On a plutôt coutume de voir des coqs, symboles du Christ ressuscité, au sommet de nos églises. Au sommet de la tour nord de la cathédrale de Bourges, c'est le pélican qui est l'emblème christique. En effet, le pélican sacrifie son sang et ses entrailles pour nourrir ses petits.

DE BOURGES AU PAYS DE SAINT-AMAND, DANS LES PAS DE JACQUES CŒUR

Sur la route de Saint-Jacques-de-Compostelle, **Bourges** ❶ fut la ville du grand argentier de Charles VII, un certain Jacques Cœur. Ici, tout porte son nom, du lycée au resto ! Il marqua la cité de son empreinte, y laissant même l'un de ses plus beaux bâtiments : le palais Jacques-Cœur.

Labellisée « Ville d'art et d'histoire », elle a su conserver et entretenir un riche patrimoine architectural, constitué d'une centaine de bâtiments et monuments historiques classés. On découvre une majestueuse cathédrale (inscrite au Patrimoine mondial de l'Unesco, c'est l'une des plus belles œuvres du genre en France), de petites rues et maisons médiévales à pans de bois, mais aussi de magnifiques hôtels particuliers Renaissance hébergeant d'intéressants musées. Enfin, un immense marais (également classé) aux portes de la ville, véritable écrin de verdure ! En été, un circuit son et lumière nocturne met en valeur ce bel ensemble.

Pour autant, Bourges n'est pas une ville-musée. Signes de son engagement artistique novateur : un circuit centré sur l'art contemporain et le street art, et les célèbres têtes d'affiche du Printemps de Bourges. On conseille de laisser son carrosse à la périphérie du vieux centre, sur l'un des parkings gratuits. Dotée d'un bon réseau de navettes (aussi gratuites), la ville se découvre à pied.

Cathédrale de Bourges

EXPÉRIENCE

Assister au festival du Printemps de Bourges

Rendez-vous incontournable de la chanson française, du rock et des musiques du monde, qui révèle chaque année de nouveaux talents. Ce festival est un événement majeur à Bourges et il donne le *la* de toute la saison musicale et touristique. Près de 130 artistes sur scène, sans compter les 300 artistes qui se produisent sur les scènes gratuites ou dans les bars de la ville ! Il est conseillé de réserver son hébergement longtemps à l'avance.

Plus d'infos ^www. printemps-bourges.com

En quittant Bourges, voici le Sancerrois. Ce petit pays, que l'on englobe du regard depuis une crête de colline, est à l'origine de fameux produits de terroir : un vin, dont la renommée n'est plus à faire, et les crottins de Chavignol. On y entre par **Menetou-Salou ❷**. Le village, outre la production de son excellent vin, est réputé pour son château, ancienne propriété de Jacques Cœur, dont l'architecture néogothique s'inspire grandement du palais Jacques-Cœur de Bourges.

FOCUS
LA ROUTE JACQUES-CŒUR

Première « Route historique » créée en France, en 1954, la « RJC » traverse le département du Cher du nord au sud, sur 200 km, et se compose de 18 sites publics ou privés, dont 8 châteaux, 3 monuments publics et 7 villages marqués par l'Histoire, menant sur les traces du financier de Charles VII, le bien nommé Jacques Cœur. La route relie le château de Peufeilhoux dans l'Allier, à la limite du Cher, à celui de Gien (dans le Loiret, mais c'est le seul), via Saint-Amand-Montrond, l'abbaye de Noirlac, le château de Meillant, celui de Sagonne, Dun-sur-Auron et son musée, Bourges et le palais Jacques-Cœur, Mehun-sur-Yèvre, Menetou-Salon, le château de Pesselières à Jalognes, Sancerre, le château de La Verrerie, La Chapelle-d'Angillon, Aubigny-sur-Nère, et Argent-sur-Sauldre. Un patrimoine exceptionnel mis en valeur notamment par les visites, expositions et concerts qui animent ces lieux tout au long de l'année.

À **Sancerre ❸**, charmante ville parfaitement préservée que l'on aperçoit de loin, assise sur son piton rocheux à 312 m d'altitude, il règne une douce atmosphère. Il fait bon y flâner à la découverte des petites rues et placettes pittoresques aux noms médiévaux, des maisons anciennes et des beaux panoramas sur le vignoble. Ne pas manquer la visite de la Maison des sancerre, imposante bâtisse acquise et aménagée par 350 vignerons, avant de partir à la découverte du vignoble. On n'oubliera pas non plus de s'arrêter au village de Chavignol, pour son délicieux petit fromage de chèvre, le fameux crottin, mais aussi pour son vin car c'est également un important producteur de sancerre, comme le rappellent les panonceaux des vignerons. La colline des Monts-Damnés produit l'un des crus les plus réputés du Sancerrois.

Entre Loire et canal de Berry, on descend ensuite dans un pays de bois, de haies, de rivières ondoyantes (l'Allier se jette dans la Loire au bec d'Allier) et de canaux. La vallée de Germigny abrite de séduisants villages, à l'image d'**Apremont-sur-Allier ❹**, une bourgade étonnante, avec son château en surplomb, son parc floral, ses vieilles maisons et l'Allier qui coule à son pied. C'est non seulement l'un des « Plus Beaux Villages de France », mais aussi l'un des plus préservés, des plus vivants (en saison) et des plus originaux par sa conception. Au XIXe s, le mariage de la châtelaine Antoinette Rafelis de Saint-Sauveur avec Eugène Schneider, chef de la puissante dynastie industrielle du Creusot, bouleverse la vie de ce paisible village. Ce baron de l'industrie, amoureux du site, rachète la plupart des maisons (dont la famille est toujours propriétaire aujourd'hui) et lui redonne une unité remarquable. Les bâtisses reconstruites dans le style médiéval local arborent des couleurs ocre particulièrement chatoyantes. L'une d'elles est en fait une maison solognote démontée pierre par pierre et remontée ici, et une autre une vraie maison du XVe s (la maison des Mariniers). À vous de les trouver...

ON EST PLUS ÉCLAIRÉ

Le crottin, ce petit fromage de chèvre (AOC) – dont le nom, contrairement à ce qu'on pourrait croire, ne provient pas d'une ressemblance avec des excréments de bique ! – a la forme d'une lampe à huile en terre cuite, appelée « crot » et autrefois répandue dans la région.

FOCUS
LE CENTRE D'INTERPRÉTATION DE L'ARCHITECTURE ET DU PATRIMOINE (CIAP)

Magnifique évocation de l'histoire industrielle de ce territoire, à La Guerche-sur-l'Aubois. C'est encore par ici que sont produites les tuiles agréées par les Monuments historiques. Car au XIXᵉ siècle, sidérurgistes, métallurgistes, tuiliers peuplaient les lieux : on trouvait dans le Val d'Aubois, le long du canal du Berry, une usine au kilomètre ! On repère de loin la cheminée de cette tuilerie édifiée en 1852. Surtout, on pénètre au cœur même du sujet, l'exposition prenant place dans un gigantesque four Hoffmann. Une réussite muséographique !

Plus d'infos ᵂᵂ. ciap-latuilerie.fr

La route continue à travers le pays de Saint-Amand, une région aux vertes prairies parcourue par de petites routes bordées de « bouchures » (haies locales), un tableau bucolique à souhait. On passe par **Meillant** ❺ connu pour son superbe château. Plus loin, Bruère-Allichamps s'enorgueillit d'être le centre géographique de la France… Ce point est marqué, au centre du village, par une colonne vieille de sept siècles. Mais on vient surtout ici pour l'abbaye de Noirlac, l'un des ensembles cisterciens les mieux conservés et les plus complets de France. Construite en pierre blanche du pays, l'église est d'une grande simplicité. Tout décor sculpté est banni, les chapiteaux sont sobres. Si on n'y trouve pas de vitraux figuratifs et colorés, c'est que ceux-ci n'avaient pas de fonction d'enseignement (contrairement à ceux des églises paroissiales), et on privilégiait donc l'entrée de la lumière.

Autres lieux à ne pas manquer 🔍 Le château d'Ainay-le-Vieil, qui a tout des belles forteresses médiévales, et les jardins médiévaux du prieuré Notre-Dame-d'Orsan.

EXPÉRIENCE

« Crime au château »

Ici, l'histoire des monuments se mêle à une histoire fictive. Un crime est découvert au cours de la visite et les visiteurs sont chargés de dénicher le coupable. Et ce sont les véritables propriétaires et responsables de site qui jouent leur propre rôle. Humour et suspense sont les maîtres mots de ces soirées. Environ 30 dates réparties sur 6 ou 7 lieux. Réservation obligatoire (50 personnes par soirée maximum).

Plus d'infos ᵂᵂ. route-jacques-cœur.org

Château d'Ainay-le-Vieil

DE NEUVY-SAINT-SÉPULCHRE À NOHANT, EXCURSION CHRÉTIENNE ET ROMANTIQUE

« Les lointains ont cette belle couleur bleue qui devient violette et quasi noire dans les jours orageux. » C'est avec ces mots que George Sand immortalisa la vallée Noire, décor que l'on retrouve dans ses œuvres romantiques. Dans cette atmosphère étrange, sorcellerie et nature font bon ménage. Les petits chemins de traverse emmènent le voyageur à travers le Boischaut Sud jusqu'à La Châtre puis jusqu'au village de **Neuvy-St-Sépulchre** ❻, au centre duquel se dresse une superbe basilique. Jalon choisi par l'Unesco lors de l'inscription des chemins de Saint-Jacques-de-Compostelle au Patrimoine mondial de l'humanité, cette surprenante basilique fut édifiée au cours des XIe et XIIe s à l'initiative du seigneur de Déols, après un voyage en Terre sainte. Unique en France et rare en Europe (seulement deux ou trois exemplaires encore dcbout), ce monument reprend exactement la forme circulaire du Saint-Sépulcre de Jérusalem.

À ne pas manquer 🔍 **Dans le fond d'un vallon verdoyant et paisible, l'abbaye cistercienne de Varennes semble venue d'un autre temps et mérite un détour.**

À quelques kilomètres de là, **Nohant** ❼ est pleine de charme avec sa jolie place paisible, que George Sand reconnaîtrait sans peine. Oui, elle a peu changé, avec sa ravissante église au centre et ses maisons berrichonnes aux petits jardins fleuris autour. On profite de la sérénité de l'endroit, d'où les voitures sont bannies (les parkings se situent le long de la route départementale). On ne manquera pas la visite de la demeure de George Sand. Construit vers 1760, ce petit château devint en 1793 la propriété de Mme Dupin de Francueil, la grand-mère paternelle de George Sand. Rien ou presque n'a bougé ici depuis l'époque où elle recevait les plus grands noms des arts et des lettres de son temps.

FOCUS
GEORGE SAND : UNE FEMME EXCEPTIONNELLE

Rare femme écrivaine reconnue à l'époque romantique, George Sand possédait une personnalité hors du commun. Très attachée à la région de son enfance, installée à Nohant, une dizaine de ses romans ont pour cadre villages et châteaux du Berry et pour personnages les paysans de la vallée Noire : *Le Meunier d'Angibault, La Mare au diable, La Petite Fadette*... Au-delà des sphères intellectuelles parisiennes qu'elle fréquentait, George Sand communiqua à Nohant le souffle de toute la « génération romantique ». Elle fut certainement l'une des premières féministes de France.

POUR SE DÉGOURDIR LES JAMBES

SUR LES PAS DE GEORGE SAND
3 km • 1h

De Nohant, on part à la recherche des lieux qui ont servi de toile de fond aux romans sandiens. Cette randonnée est extraite des fiches « Sentier nature en Boischaut Sud » éditées par le Pays de George Sand et Indre Nature.

Départ du parking près de l'église Saint-Martin de Vic, fleuron de l'art roman. Circuit de 3 km (1h) balisé bleu ; niveau facile. C'est une immersion complète dans le Boischaut Sud. Vous découvrirez les bouchures (haies arborées) où foisonnent les oiseaux (loriot d'Europe, chardonneret élégant, mésange nonnette...). Les petits chemins creux parfois humides permettent de découvrir la rivière Indre chère à George Sand.

Nombreux circuits thématiques sur : pays-george-sand.com

À environ 1 km de Nohant, on emprunte la D 918 sur 3 km avant d'arriver à Saint-Chartier, pour voir le château (privé, on n'aperçoit que l'extérieur), longuement décrit dans *Les Maîtres sonneurs*. Remonter ensuite vers le nord, pour un arrêt dans le bois de Chanteloube, où se situe à 500 m de la route la célèbre mare au Diable du roman du même nom (esprits sensibles, s'abstenir !). Attention, l'accès est interdit (et dangereux !) les dimanches de chasse (de fin septembre à fin février).

Château du Bouchet, Brenne

POUR ALLER
PLUS LOIN

LE PARC NATUREL RÉGIONAL
DE LA BRENNE

C'est l'un des endroits les plus séduisants du département. Sa richesse réside dans la mosaïque de paysages où s'interpénètrent l'eau, les bois, les landes, les prairies et les buttons (petites collines de grès dur).

Surnommée « pays des Mille Étangs » (on recense en fait près de 3 000 plans d'eau dans tout le parc), la Brenne possède une faune et une flore fantastiques. Ici se rencontrent les plus grands spécialistes du monde naturaliste et les amoureux des espaces sauvages. Des millions d'oiseaux migrateurs traversent son ciel chaque année. Les randonneurs trouveront, grâce aux animations nature proposées par le parc, de formidables opportunités pour découvrir la faune, la flore, les paysages et l'histoire de la Brenne.

Sur plus de 80 km, l'ancienne petite voie ferrée, reliant autrefois Argenton-sur-Creuse à Tours, a perdu ses rails pour être intelligemment transformée en piste cyclable entre la gare d'Argenton-sur-Creuse et Preuilly-la-Ville, suivant le fil de la Creuse. Accès signalisé « Voie verte » depuis les principaux axes routiers.

Plus d'infos ww. arnaga.com

Sancerre

FRINGALES

- **Le crottin de Chavignol** : connu dans toute la France, il se marie à merveille avec les vins de Sancerre.
- **Le jambon de Sancerre** : cette charcuterie moelleuse et onctueuse est obtenue par fumaison à la sciure de chêne et aux sarments de vigne.

LIVRE DE ROUTE

La Mare au diable, de George Sand, (Le Livre de Poche, 1973). C'est autour de cette mare inquiétante, que les destins de Marie et Germain vont se jouer.

CARNET D'ADRESSES

ÉTAPES	INFORMATIONS
❶ BOURGES	🏠 **Le Christina** : *5, rue de la Halle.* • *le-christina.com* • Derrière une façade *fifties* banale, des chambres, colorées et confortables. Sans doute le meilleur rapport qualité-prix en ville. 🍽 **Le Guillotin** : *15, rue Jean-Girard.* Dans ce resto tapissé des affiches du Printemps et de celles des artistes venus se produire dans le petit café-théâtre du 1er étage *(La Soupe aux Choux),* on refait le monde en se régalant des grillades cuites à point dans la cheminée. 🍽 **La Gargouille** : *108, rue Bourbonnoux.* • *restaurant-lagargouille.fr* • À l'ombre de la cathédrale, délicieuse cuisine de bistrot saisonnière aux associations créatives. 🍽 **La Courcillière** : *rue de Babylone (mais accès par l'av. Marx-Dormoy).* Au cœur des « marais potagers », sur les bords de l'Yèvre, une table centenaire réputée, avec vue sur la cathédrale. Spécialités régionales. Une institution !
❸ SANCERRE	🍽 **Auberge Joseph Mellot** : *16, Nouvelle-Place.* Une auberge incrustée dans le panorama de la place du village, depuis 1882. On y savoure un goûter du vigneron ou des spécialités locales.
❹ APREMONT-SUR-ALLIER	🍽 **Les Petites Causeries – La Carpe Frite** : • *lacarpefrite.com* • Une tarterie idéalement placée sur la promenade au bord de l'Allier. Quelques tables quasi les pieds dans l'eau. 🍽 **Brasserie du Lavoir** : belle terrasse donnant sur le parc. Fait aussi salon de thé.
❻ ENVIRONS DE NEUVY-SAINT-SÉPULCHRE	🍽 **Le Campagnard** : *4, rue des Anciens-Combattants, 36230 Fougerolles.* Une cuisine classique, avec des notes inventives servie dans un cadre rustique. Le midi en semaine, excellent menu ouvrier vraiment pas cher.
❼ ENVIRONS DE NOHANT	🏠 **Chambres d'hôtes Le Jardin des Pieds** : *16, rte de la Mare-au-Diable, Le Magnet, 36230 Mers-sur-Indre.* À 13 km au nord-ouest de Nohant par la D 943 puis à gauche par la D 38 ; la maison est en lisière de forêt, après la mare au Diable. À 500 m de la mare au Diable, c'est en plein univers sandien que se situe cette ancienne auberge du XVIIe s recouverte de lierre. Trois chambres se partagent l'ancienne forge, indépendante de l'habitation principale. Décoration fraîche. Et petit déj bio.

NORD-EST

N°12

60 KM

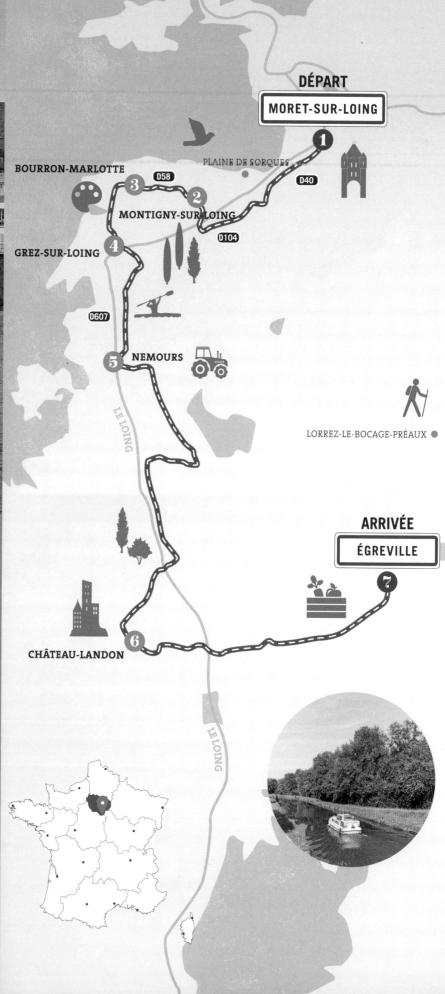

1

PLAINE DE SORQUES

D40

BOURRON-MARLOTTE

D58

3

2

MONTIGNY-SUR-LOING

D104

4

GREZ-SUR-LOING

D607

5   NEMOURS

LE LOING

LORREZ-LE-BOCAGE-PRÉAUX

ARRIVÉE

ÉGREVILLE

7

6

CHÂTEAU-LANDON

LE LOING

FICHE PRATIQUE

SITUATION

Seine-et-Marne, Île-de-France.

MEILLEURS SOUVENIRS

Suivre l'empreinte laissée par les impressionnistes venus portraiturer la vallée du Loing, visiter le jardin-musée Bourdelle à Égreville…

LA VALLÉE DU LOING

MORET-SUR-LOING ➤➤➤ ÉGREVILLE

À moins d'une heure de Paris par l'autoroute, la région, particulièrement pittoresque, est ponctuée de villages replets, endormis au bord du Loing, presque inchangés depuis que les impressionnistes les ont immortalisés.

LÉGENDES

ÉTAPES ●

À NE PAS LOUPER ·

FLEUVES, RIVIÈRES —

Moret-sur-Loing

DE MORET-SUR-LOING À GREZ-SUR-LOING

Moret-sur-Loing ❶ n'a que peu bougé depuis plus d'un siècle. Cette ancienne place forte a conservé deux puissantes portes et un charme acquis au fil de l'eau du Loing qui a séduit bien des peintres. Alfred Sisley, célèbre impressionniste anglais, passa un jour par là et n'en repartit plus, participant à la notoriété de la petite ville dans le monde entier. La plus belle vue sur Moret se découvre depuis la rive droite du Loing, au débouché de **la route de Saint-Mammès** : le pont de pierre, de petites îles greffées de vieux moulins, des lavoirs, un ensemble charmant d'anciennes demeures et d'éléments de fortifications, le tout dominé par la splendide église et se mirant dans les eaux de la rivière. Dans le bourg, la rue Grande est bordée de quelques belles maisons médiévales à colombages et Renaissance. Au n° 30, la cour de l'hôtel de ville donne, au fond à gauche, sur la très belle galerie Renaissance (1527) de la maison Chabouillé incrustée de médaillons de souverains français. Plus loin, la superbe façade gothique flamboyant de l'église Notre-Dame, à laquelle Sisley consacra pas moins de 14 toiles ! Entre autres visites, le petit musée du Sucre d'orge livre les secrets du plus ancien bonbon de France, inventé en 1638 par les bénédictines de Moret. En bravant le péché de gourmandise…

Autre village pittoresque à quelques encablures de Moret par la D 104, **Montigny-sur-Loing** ❷ s'amarre entre les berges du Loing et la lisière sud de la forêt de Fontainebleau. Là encore, depuis la rivière, on aperçoit l'église du XIIe s veillant sur un joli tableau de vénérables demeures les pieds dans l'eau, face à un enchevêtrement de berges verdoyantes, de petites cascades et d'îles reliées par de frêles passerelles. À la sortie du village, se dévoile l'aire naturelle sensible de la Plaine de Sorques. Quelque 129 ha de plaine alluviale entrecoupée de marais et de friches s'étendent ici. L'occasion de faire étape pour une boucle pédestre d'environ 45 mn-1h. On peut espérer observer des martins-pêcheurs et, en saison, quelques migrateurs.

Immortalisée par Renoir (Auguste) avec son tableau *Le Cabaret de la mère Antony* (1866), **Bourron-Marlotte** ❸, Bourron à l'ouest, Marlotte à l'est, fut le repaire d'une effervescente vie culturelle et mondaine. Corot vécut ici 39 ans car il appréciait la lumière au bord du Loing, le long de la forêt de Fontainebleau. De 1855 à 1945, tout peintre qui se respectait se devait de venir faire un tour dans ce « petit Barbizon » à la limite du Gâtinais. Manet y aurait peint des fragments du *Déjeuner sur l'herbe,* alors que Sisley et Pissarro auraient plutôt été attirés par le climat de fête permanente… On y butine aujourd'hui entre villas opulentes, allées secrètes et rues charmantes à parcourir sur la pointe des pieds.

Grez-sur-Loing

- **Circuit des maisons d'artistes :** l'Association des amis de **Bourron-Marlotte** a semé quelques plaques dans le village. En les suivant, on s'offre une petite balade à la découverte des résidences de célébrités locales.

- **La mare aux Fées :** depuis la sortie du village, accès en 15-20 mn par un chemin goudronné ou, plus agréablement, par un sentier balisé sinuant entre les rochers d'escalade, sur les crêtes du Rocher des Étroitures accompagné de beaux panoramas sur la forêt. Au bout, on découvre un simple étang coassant et, en mai-juin, plein d'iris jaunes. Le secteur regorge aussi de châtaigniers, propices à une récolte automnale. L'itinéraire complet, en boucle, permet de s'offrir une balade plus longue (3h).

④

Au sud de Bourron-Marlotte, **Grez-sur-Loing** ④ sommeille sur les berges tranquilles du Loing, entre prairies verdoyantes, ruines modestes d'un château royal et vieille église. Au XIXᵉ s, les artistes paysagistes de l'école de Fontainebleau attirèrent ici des disciples de tous les pays, notamment scandinaves — comme le raconte Philippe Delerm dans *Sundborn ou les Jours de lumière*. Les frères Goncourt y séjournèrent en 1863, précédant de peu l'Écossais Robert Louis Stevenson, auteur entre autres de *Dr Jekyll et Mr Hyde*. Aujourd'hui, l'hôtel Chevillon, où ils résidèrent tous, bat pavillon suédois et abrite un foyer d'artistes scandinaves, la Fondation Grez-sur-Loing.

EXPÉRIENCE

Descendre le Loing en canoë

Le temps d'un après-midi, louer un canoë et naviguer sur le Loing, rivière encore sauvage par endroits, au cœur d'une nature verdoyante et accessible uniquement par voie d'eau. On quitte **Grez**, ce vieux village aux venelles mangées par les herbes folles, pour parcourir la plus jolie partie de la rivière. Arrivé à **Moret**, il faut passer la porte de l'un des restaurants pour goûter quelques plats de terroir. Ensuite, tentez de saisir, à travers les ruelles, le petit quelque chose qui retint Sisley et séduisit bien d'autres peintres.

DE NEMOURS À ÉGREVILLE

Du côté de **Nemours** ⑤, la forêt de Fontainebleau s'efface déjà au profit des champs : le Gâtinais se fait ici de plus en plus agricole et industriel. Le château-musée tient encore la dragée haute à ce Loing remuant qui lui baigne les pieds. Au cœur de la cité médiévale disparue, c'est l'un des seuls châteaux de ville d'Île-de-France ayant survécu aux vicissitudes de l'histoire. Il accueille désormais des expositions temporaires remarquables. Ne pas manquer non plus le musée départemental de Préhistoire d'Île-de-France.

Le petit bourg endormi de **Château-Landon** ⑥ est appelé parfois le « Rocamadour du Gâtinais ». Fortifié par Philippe Auguste, il s'amarre sur un éperon rocheux souligné de bouts de remparts et de vieilles maisons, dominant la jolie vallée du Fusain, où l'on se balade de lavoir en lavoir, dans un cadre bucolique à souhait. Loin des regards, sous les maisons, bien des souterrains voûtés creusent leurs tentacules. Vue superbe depuis le belvédère de la place du Larry : de là, la corolle des vieilles maisons accrochées au rocher se livre amplement au regard. Entre elles subsistent plusieurs tours et bastions.

Cap au sud-est pour terminer la balade. **Égreville** ⑦ accueillait au Moyen Âge d'importants foires et marchés. Il en reste une imposante halle des XVe-XVIIe s en châtaignier qui repose sur 28 piliers, site du marché hebdomadaire du lundi. L'église voisine (XIIIe-XVe s) est, elle, remarquable pour son clocher-porche monumental, coiffé d'une sorte d'échauguette.

Mais si l'on vient ici, c'est avant tout pour visiter le jardin-musée Bourdelle. Marqué par l'influence de Rodin, dont il fut le praticien de 1893 à 1908, puis enseignant de Matisse, de Maillol et encore de Giacometti, Antoine Bourdelle (1861-1929) est un sculpteur majeur du XXe s. Ce beau jardin romantique à la française est destiné à accueillir ses œuvres qui, confrontées à la nature, dégagent une force exceptionnelle.

POUR SE DÉGOURDIR LES JAMBES

Intéressante randonnée en boucle de 14 km à parcourir en 3h30 au départ de **Lorrez-le-Bocage-Préaux,** en descendant le Lunain à la rencontre des moulins de la vallée. On traverse le bocage gâtinais dont les terres, moins riches que ses voisines de Brie et de Beauce, sont plus vallonnées, plus parcellisées et closes de haies naturelles.

POUR SE DÉGOURDIR LES JAMBES

À Château-Landon, par la rue de Saint-Séverin, les escaliers conduiront au pied de l'abbaye et à l'adorable **Sentier des amoureux** (GR® 13). Ce dernier longe une des branches du Fusain, sur les flancs duquel défilent 17 petits lavoirs restaurés, les saules pleureurs et les rosiers grimpants débordant des jardins clos. De là, la vue sur Château-Landon et ses tours est superbe. Dans le prolongement, on atteint le parc de la Tabarderie, puis la zone humide des Prés Patouillats.

Des **boucles pédestres** de 8, 13 et 14 km permettent de découvrir le secteur. La plus courte (circuit d'Émeraude) colle aux abords des cours d'eau. Une boucle vélo (10 km) permet en outre de rejoindre la véloroute Scandibérique.

Château-Landon

CARNET D'ADRESSES

ÉTAPES	INFORMATIONS
❶ MORET-SUR-LOING	|●| **La Poterne** : *1, rue du Pont-du-Loing.* Ce restaurant occupe une bâtisse de 1764 en surplomb du Loing, avec salle rustique et balcon offrant une bien belle vue. Quant aux galettes, elles méritent la mention bien ! |●| **Le Refuge** : *8, rue de l'Église.* On vient ici pour la cuisine traditionnelle, préparée à base de produits frais. Le foie gras mi-cuit au sel de Guérande, avec sa note de porto-cognac, est une (excellente) spécialité.
❷ MONTIGNY-SUR-LOING	🏕 **Le Parc du Gué** : rue Michel-Cahen. • *camping-parcdugue.com* • Un des campings les plus sereins d'Île-de-France. Le site est entouré de verdure, sauf côté étang, où l'on plante la tente avec vue sur les canards et les oies qui barbotent. 🏠 **Chambres d'hôtes Haras du Croc Marin** : *chemin des Trembleaux.* • *harasducrocmarin.com* • C'est avant tout un haras, mais c'est aussi un bon endroit où loger, composé de 4 chambres confortables, alignées à l'étage le long d'un couloir donnant directement… sur le manège ! |●| **Le Div'20** : *20, rue du Loing.* S'appuyant sur des fournisseurs locaux (légumes bio), le chef emprunte volontiers des saveurs à des contrées plus ou moins lointaines.
❸ BOURRON-MARLOTTE	|●| **Le Bistrot du Broc** : *5-7, rue Murger.* • *lebistrotdubroc.com* • Le cadre est à l'image de l'assiette : traditionnel, saupoudré d'une touche un peu théâtrale.
❹ GREZ-SUR-LOING	🏠 **Chambres d'hôtes La Cerisaie** : *10, rue de Larchant, 77760 Villiers-sous-Grez.* • *cerisaie.fr* • 4 chambres, confortables et soignées, au mobilier et papiers peints à l'ancienne. Elles sont pleines de fantaisie, tout comme les propriétaires.
❺ NEMOURS	|●| **Le Troc'Quai** : *35, quai Victor-Hugo.* Vieilles pubs aux murs et cuisine traditionnelle très viandarde dans l'assiette. Dur dur pour les végétariens…
❻ CHATEAU-LANDON	|●| **Le Cheval Blanc** : *1, pl. du Général-Leclerc.* La carte, qui évolue au gré des saisons, oscille entre terre et mer, avec une belle sélection de produits locaux.
❼ ÉGREVILLE	|●| **Le Bistrot** : *45, rue Saint-Martin.* Dans l'assiette, de bonnes spécialités du terroir, avec en vedette la tête de veau en pot-au-feu.

Canal du Loing

D18 CD

Chemin des Dames

20 ▶

N°13

198 KM

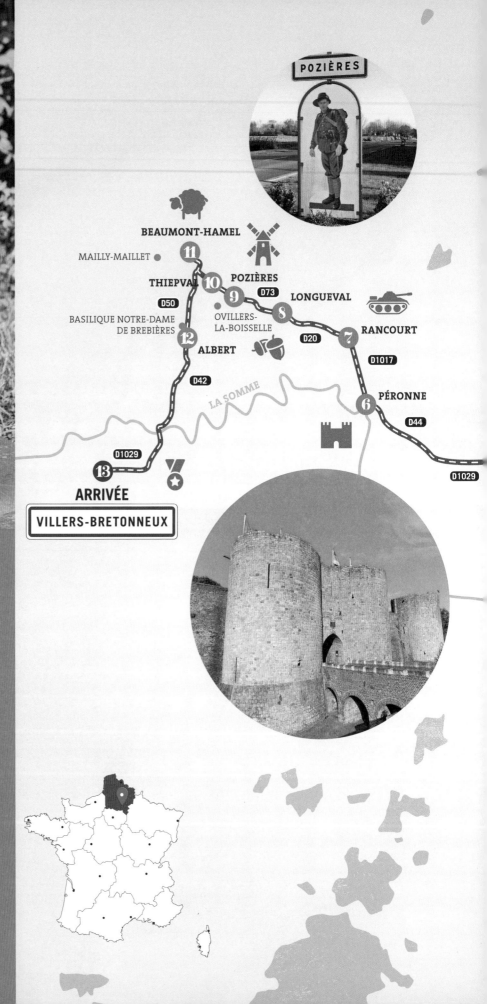

POZIÈRES

BEAUMONT-HAMEL

MAILLY-MAILLET

THIEPVAL   POZIÈRES

D50

BASILIQUE NOTRE-DAME DE BREBIÈRES

OVILLERS-LA-BOISSELLE

D73

LONGUEVAL

RANCOURT

ALBERT

D20

D1017

D42

LA SOMME

PÉRONNE

D44

D1029

ARRIVÉE

VILLERS-BRETONNEUX

D1029

11   10   9   8   7   6   12   13

FICHE PRATIQUE

SITUATION

Dans l'Aisne et la Somme.

PRÉPARER SON ROAD TRIP

- somme-tourisme.com
- hautesomme-tourisme.com
- tourisme-paysducoquelicot.com

ON EST ÉMU

Poignant pèlerinage jalonné de sites et musées qui reviennent de façon intelligente sur cette tragique page de l'Histoire. En hommage à tous ces inconnus qui sont morts pour notre liberté.

LE CHEMIN DES DAMES ET LE CIRCUIT DU SOUVENIR

CRAONNE ➤➤➤➤ VILLERS-BRETONNEUX

Les vallées de l'Ancre et de la Somme ainsi que le Chemin des Dames (Aisne) ont été marqués par la Grande Guerre (1914-1918). Peu de villages ont échappé aux destructions. Les combats, qui s'étalèrent sur toute l'année 1916 pour la bataille de la Somme et d'avril à octobre 1917 pour le Chemin des Dames, furent terribles. Plus d'1 million de blessés, morts et disparus, toutes nationalités confondues pour la première, 350 000 victimes pour la seconde ! Entre Péronne et le nord d'Albert, les petites routes vallonnées de la Somme permettent d'égrener le chapelet de cimetières, mémoriaux, sites de batailles, monuments et centres d'interprétation qui jalonnent le parcours.

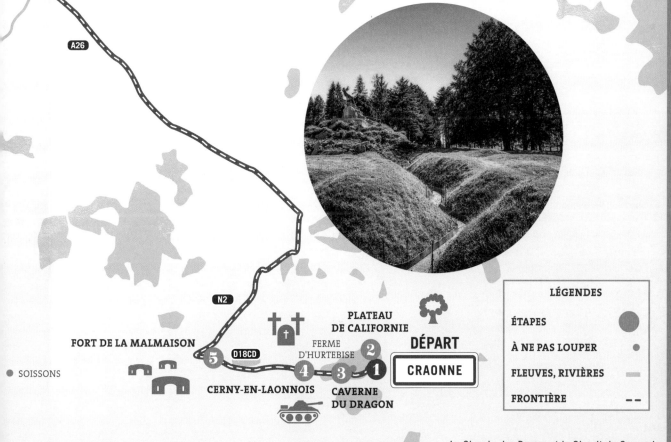

A26

N2

FORT DE LA MALMAISON

SOISSONS

5   D18CD

4   3

PLATEAU DE CALIFORNIE

FERME D'HURTEBISE

2

DÉPART

CRAONNE

1

CERNY-EN-LAONNOIS

CAVERNE DU DRAGON

LÉGENDES

ÉTAPES	●
À NE PAS LOUPER	·
FLEUVES, RIVIÈRES	—
FRONTIÈRE	--

198 KM

LE CHEMIN DES DAMES, LA FOLIE DES HOMMES (AISNE)

1

L'une des batailles les plus meurtrières de la Première Guerre mondiale. Début de l'itinéraire dans le vieux **Craonne** ❶, rasé pendant la guerre et reconstruit plus bas. Laisser la voiture au parking et prendre le petit chemin qui part à gauche, sur une centaine de mètres. Quelques tombes moussues noyées dans la futaie, vestiges de l'ancien cimetière. Puis revenir au parking, traverser la route, entrer dans le petit bois... On est au cœur de l'ancien village. Encore quelques tombes, et puis là, au milieu des trous de bombes verdoyants, les fondations de l'église. Dans cet univers serein et bucolique, on suit ensuite le tracé des anciennes rues (rue Saint-Rémy, rue de la Pissotte...).

On file ensuite au **plateau de Californie** ❷. C'est ici et dans le secteur de Craonne que l'hécatombe fut la plus sanglante et la terre la plus bouleversée. Si les arbres ont poussé, il subsiste, intacts, les milliers de trous d'obus et de bombes, les longues tranchées en zigzag, et, de-ci de-là, les vestiges de blockhaus allemands, tôles ondulées, barbelés.

3

La route se poursuit vers la **Caverne du Dragon — musée du Chemin des Dames** ❸ à Ouiches-la-Vallée-Foulon. La visite guidée permet de découvrir dans un entrelacs de salles souterraines les vestiges des installations et de mieux comprendre le quotidien dans cette caverne, investie par l'armée française dès 1914. Défenses, infirmerie, espaces de repos et même un cimetière... Mais ce parcours émouvant est aussi l'occasion d'aborder des thèmes plus délicats, comme celui de la propagande ou des mutineries.

À voir aussi ◉ **La ferme d'Hurtebise** où des centaines de zouaves et de Sénégalais perdirent la vie.

Après un arrêt à **Cerny-en-Laonnois** ❹, où eurent lieu les batailles les plus sanglantes entre les armées franco-britannique et allemande (le nombre de cimetières militaires en témoigne), on reprend le volant vers le **fort de la Malmaison** ❺ à 11 km à l'ouest. Les Allemands qui l'occupaient en furent délogés le 23 octobre 1917 par une offensive victorieuse de Pétain.

4

5

LA SOMME, LA BATAILLE OUBLIÉE

La bataille de la Somme reste l'offensive majeure et la plus meurtrière de 1914-1918. La plupart des victimes sont britanniques, sud-africaines, néo-zélandaises, canadiennes, terre-neuviennes ou australiennes... Depuis la fin de la guerre, ces nations entretiennent le souvenir, avec fierté mais sans pathos.

En 1915, les Allemands ont l'avantage sur le front de l'Europe de l'Ouest. Les états-majors français et britannique décident alors d'une grande bataille pour percer le front allemand.

Le 1er juillet 1916, après une semaine de bombardements ininterrompus, les soldats alliés, persuadés d'avoir détruit les lignes allemandes, se lancent à l'assaut. Ce sera la journée la plus sanglante de toute l'histoire de l'armée britannique : 20 000 soldats tués, 40 000 blessés ou disparus. Les Français perdent 20 000 hommes et les Allemands 8 000. La bataille se prolonge jusqu'au 19 novembre, dans la boue, pour une avancée allant au mieux à 12 km et au pire à 400 m ! L'horreur totale !

Finalement, la bataille de la Somme aura fait plus d'1 million de victimes.

DE PÉRONNE À VILLERS-BRETONNEUX VIA LE NORD D'ALBERT (LA SOMME)

Péronne ⑥ fut détruite à plus de 90 % durant la Première Guerre mondiale. L'artillerie aura beau frapper et frapper encore, les Alliés ne parviendront pas à reprendre pied en ville avant mars 1917. Péronne ne sera définitivement libérée qu'en septembre 1918, par les Australiens. Point d'orgue d'une halte ici, l'Historial de la Grande Guerre est incontournable (voir « coup de cœur »). À visiter avant de partir à la découverte des champs de bataille.

POUR SE DÉGOURDIR LES JAMBES

BALADE EN VILLE

Trois promenades permettent de découvrir les monuments historiques et la ceinture de remparts. Voir l'hôtel de ville Renaissance, l'église Saint-Jean-Baptiste de style gothique flamboyant, *LaBonne Mort*, peinture murale monumentale, ainsi que le fort Caraby.

L'HISTORIAL DE LA GRANDE GUERRE

Aménagé dans le château de Péronne, du XIIIᵉ s, l'Historial s'organise en de vastes espaces modernes. Il retrace de manière pédagogique la vie quotidienne pendant la Première Guerre mondiale, au front mais aussi à l'arrière, et compare les douloureuses expériences des principaux belligérants à travers une muséographie saisissante. Le tout avec pudeur et humanité. Des collections exceptionnelles ont été rassemblées (objets, uniformes, films d'archives...).

Plus d'infos ʷʷʷ. historial.org

FASHION VICTIM

Thomas Burberry inventa le trench-coat pour habiller les officiers anglais lors de la guerre. Les boucles sur les épaules servaient à attacher sacs et gants. Les anneaux à la ceinture permettaient de suspendre les grenades. D'ailleurs, le mot trench *signifie « tranchée » en anglais.*

À environ 9 km au nord de Péronne, sur la route de Bapaume, se dessine la silhouette de **Rancourt** ⑦, modeste village repris le 25 septembre 1916 par l'armée française. L'attaque visait à rompre les communications allemandes entre Bapaume et Péronne. Cette bourgade a la particularité de compter sur son territoire trois cimetières militaires : un français, un allemand et un britannique. La chapelle du Souvenir français et sa nécropole représentent quasiment le seul haut lieu de mémoire rappelant la participation de l'armée française à la bataille de la Somme. À l'intérieur, les murs sont couverts de noms de soldats. Le petit musée attenant présente photos, documents, pièces trouvées sur le champ de bataille ou offertes par les familles des soldats morts à Rancourt. Sur l'arrière s'étend la plus grande nécropole française de la Somme, où ont été enterrés les corps de 5 326 soldats identifiés.

COUP DE CŒUR

À 14 km d'Albert et à 6 km à l'est de Pozières, on parvient à **Longueval** ⑧. C'est ici que les soldats d'Afrique du Sud se lancèrent dans la bataille de la Somme. Entre le 14 et le 20 juillet 1916, la bataille fit rage. Et ce fut le cauchemar. Sur les 3 200 hommes, seuls 140 sortirent indemnes. Une pelouse bordée par une double rangée de chênes, dont les glands furent rapportés d'Afrique du Sud, sert d'écrin de verdure au mémorial sud-africain. Le musée, réplique du fort de la ville du Cap, retrace l'engagement des soldats sous forme de bas-reliefs, photos, armes et témoignages. Derrière le musée, on peut voir *The Last Tree,* le « Dernier Arbre », un charme rescapé de la bataille. Son tronc est couvert de cicatrices dues aux éclats d'obus.

Suite du circuit à **Pozières** ⑨, haut lieu de la bataille de juillet 1916 du fait de sa situation stratégique, sur une crête (à 8 km à l'est d'Albert, route de Bapaume). Pour les Alliés, il fallait faire sauter ce verrou pour atteindre la ferme du Mouquet puis la colline de Thiepval. Pris de haute lutte par les Australiens début août 1916, Pozières n'était plus qu'un tas de ruines à la fin des combats. Les Australiens perdirent 23 000 hommes en 6 semaines. Une catastrophe comme jamais l'Australie n'en connut dans son histoire ! Les Australiens, épuisés, furent relevés par les Canadiens en septembre 1916 à la ferme du Mouquet. Ne pas manquer le monument aux tanks et le moulin de Pozières à la sortie du village. Le 15 septembre 1916, les chars apparurent pour la première fois sur le champ de bataille. Quarante-neuf tanks britanniques se déployèrent sur la ligne de front. Un sobre obélisque en pierre porte sur son socle quatre modèles réduits de tanks. Juste en face, un minuscule monticule. Difficile d'imaginer qu'ici se dressait un moulin dont la défense coûta la vie à 6 700 Australiens, le 4 août 1916 !

« *The bloodiest day of the British Army* » (le jour le plus sanglant de l'armée britannique). Le nom de **Thiepval** ⑩ reste à jamais lié à cette expression. Le 1ᵉʳ juillet 1916, l'offensive de la Somme frut lancée. 100 000 soldats britanniques inexpérimentés partirent à l'assaut des lignes allemandes. Ils furent fauchés par les mitrailleuses. Les soldats irlandais furent pris sous le feu croisé de l'artillerie britannique et des mitrailleuses allemandes. En quelques heures, 5 500 d'entre eux perdirent la vie. Au soir du premier jour des combats, 20 000 soldats étaient morts, 38 000 blessés. Les pertes allemandes ne représentaient qu'un dixième de ce chiffre. Thiepval fut libéré, au prix de ce carnage, le 27 septembre 1916. En mars 1918, la ville fut reprise par les Allemands. Les Britanniques rempilèrent et finirent par récupérer le site en août 1918.

COUP DE CŒUR

LE CENTRE D'ACCUEIL ET D'INTERPRÉTATION DU MÉMORIAL FRANCO-BRITANNIQUE

Il est consacré à l'histoire de la bataille de la Somme. Des ordinateurs donnent accès au logiciel « The missing of the Somme », qui permet de rechercher la trace d'un soldat disparu. La scénographie est exemplaire avec évocation des disparus et de l'impossible deuil des familles, une réplique grandeur nature d'un avion et quantité de douilles, d'armes et d'objets personnels exhumés des champs de bataille. Le clou de la visite reste la fresque panoramique de Joe Sacco qui offre, avec ses 60 m de long, un récit en images et heure par heure de la journée du 1ᵉʳ juillet. À l'extérieur, l'imposant mémorial franco-britannique s'élève à plus de 45 m de haut. Sur ses 16 piliers sont gravés les noms des plus de 72 000 soldats britanniques et sud-africains morts sans sépulture.

Basilique Notre-Dame de Brebières

LOCHNAGAR CRATER

À Ovillers-la-Boisselle, à 3 km à l'est d'Albert, sur la route de Bapaume. L'explosion de cet engin de 27 t marqua le déclenchement de la bataille de la Somme 2 minutes plus tard. L'onde de choc fut si violente que dans un rayon de 250 m autour de la mine, des soldats britanniques eurent les jambes fracturées ! Du bord du cratère, on réalise sa taille impressionnante : environ 90 m de diamètre et 21 m de profondeur !

11

12

13

À une douzaine de kilomètres au nord d'Albert, en pleine campagne, le mémorial de **Beaumont-Hamel** (11) est consacré aux 12 000 hommes et femmes originaires de l'île de Terre-Neuve (soldats, officiers, ouvriers spécialisés, bûcherons, infirmières...) qui ont servi pendant la Première Guerre mondiale. C'est de ce site que partit l'assaut du 1er régiment royal de Terre-Neuve le 1er juillet. Trente minutes après le début de l'offensive, seuls 68 hommes sur 801 sortirent indemnes des tranchées. Un massacre ! Le parti a été pris de laisser en l'état les tranchées, les trous d'obus et de mines. Le paysage est cabossé et couvert d'herbe et de paisibles moutons entretiennent le tapis végétal.

À voir aussi **L'église Saint-Pierre (XVIe s) à Mailly-Maillet (5 km de Hamel) a conservé une étonnante façade, et c'est elle qu'on vient admirer. Au trumeau, un Christ de pitié de toute beauté, accompagné de différents saints.**

Albert (12) est réputé pour son excellent musée Somme 1916. La ville fut rasée à près de 90 %. Comme à Péronne, on peut saluer la cohérence de la reconstruction de l'entre-deux-guerres qui utilisa les matériaux traditionnels de la région, la brique et la pierre. Le musée est installé dans d'anciens souterrains du XIIIe s, agrandis et aménagés en abri antiaérien pendant la Seconde Guerre mondiale. Ils pouvaient abriter jusqu'à 1 500 personnes. Long de 250 m, le musée évoque la vie au front. Cartes postales d'Albert, objets retrouvés dans les tranchées, vitrines et reconstitutions, armes, périscopes...

À voir aussi **La basilique Notre-Dame-de-Brebières, bâtie à l'emplacement d'une ancienne église de 1704 dans un style néobyzantin. Elle fut reconstruite à l'identique après le premier conflit mondial. Tour carrée de près de 80 m évoquant un minaret et coiffée d'une Vierge dorée à l'or fin.**

Villers-Bretonneux (13), située à l'est d'Amiens, est l'une des étapes majeures du circuit du Souvenir. Le 21 mars 1918, l'armée allemande lança une grande offensive menaçant Amiens. Après plusieurs assauts, elle prit Villers-Bretonneux le 24 avril. Dès le lendemain, les Alliés lancèrent une contre-offensive et reprirent la ville. Entièrement détruite, elle fut reconstruite, dès les années 1920, en grande partie grâce à l'Australie qui comptait à l'époque à peine 4 millions d'habitants mais où plus de 320 000 volontaires s'engagèrent ! La bataille victorieuse de Villers-Bretonneux fit plus de 1 200 victimes chez les *Aussies* (Australiens). Ces soldats combattirent dans la Somme (à Pozières en 1916), à Bullecourt (Pas-de-Calais), à Fromelles (dans le Nord) et en Belgique (Ypres). Tout ici est le fruit d'une coopération entre la France et l'Australie, pour montrer qu'après le temps de la désolation vient celui de la solidarité. Photos, témoignages et autres objets personnels touchants dans ce poignant lieu de mémoire.

À ne pas manquer ***ANZAC Day*, le 25 avril au mémorial. La cérémonie se déroule depuis 1956. Cette bataille étant un événement fondateur pour le pays, elle est retransmise en direct sur les chaînes de télé australiennes (et draine une foule impressionnante).**

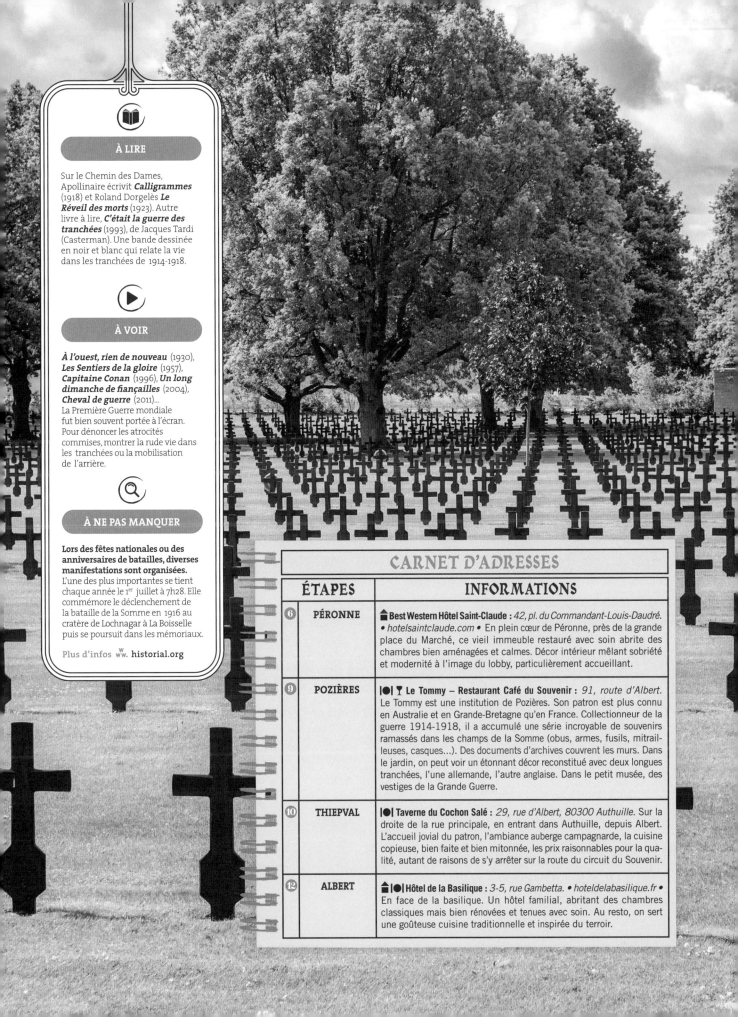

À LIRE

Sur le Chemin des Dames, Apollinaire écrivit **Calligrammes** (1918) et Roland Dorgelès **Le Réveil des morts** (1923). Autre livre à lire, **C'était la guerre des tranchées** (1993), de Jacques Tardi (Casterman). Une bande dessinée en noir et blanc qui relate la vie dans les tranchées de 1914-1918.

À VOIR

À l'ouest, rien de nouveau (1930), **Les Sentiers de la gloire** (1957), **Capitaine Conan** (1996), **Un long dimanche de fiançailles** (2004), **Cheval de guerre** (2011)...
La Première Guerre mondiale fut bien souvent portée à l'écran. Pour dénoncer les atrocités commises, montrer la rude vie dans les tranchées ou la mobilisation de l'arrière.

À NE PAS MANQUER

Lors des fêtes nationales ou des anniversaires de batailles, diverses manifestations sont organisées. L'une des plus importantes se tient chaque année le 1er juillet à 7h28. Elle commémore le déclenchement de la bataille de la Somme en 1916 au cratère de Lochnagar à La Boisselle puis se poursuit dans les mémoriaux.

Plus d'infos ww. historial.org

CARNET D'ADRESSES

ÉTAPES		INFORMATIONS
6	PÉRONNE	🏨 **Best Western Hôtel Saint-Claude** : *42, pl. du Commandant-Louis-Daudré.* • *hotelsaintclaude.com* • En plein cœur de Péronne, près de la grande place du Marché, ce vieil immeuble restauré avec soin abrite des chambres bien aménagées et calmes. Décor intérieur mêlant sobriété et modernité à l'image du lobby, particulièrement accueillant.
9	POZIÈRES	⏐◉⏐ ♟ **Le Tommy – Restaurant Café du Souvenir** : *91, route d'Albert.* Le Tommy est une institution de Pozières. Son patron est plus connu en Australie et en Grande-Bretagne qu'en France. Collectionneur de la guerre 1914-1918, il a accumulé une série incroyable de souvenirs ramassés dans les champs de la Somme (obus, armes, fusils, mitrailleuses, casques...). Des documents d'archives couvrent les murs. Dans le jardin, on peut voir un étonnant décor reconstitué avec deux longues tranchées, l'une allemande, l'autre anglaise. Dans le petit musée, des vestiges de la Grande Guerre.
10	THIEPVAL	⏐◉⏐ **Taverne du Cochon Salé** : *29, rue d'Albert, 80300 Authuille.* Sur la droite de la rue principale, en entrant dans Authuille, depuis Albert. L'accueil jovial du patron, l'ambiance auberge campagnarde, la cuisine copieuse, bien faite et bien mitonnée, les prix raisonnables pour la qualité, autant de raisons de s'y arrêter sur la route du circuit du Souvenir.
12	ALBERT	🏨⏐◉⏐ **Hôtel de la Basilique** : *3-5, rue Gambetta.* • *hoteldelabasilique.fr* • En face de la basilique. Un hôtel familial, abritant des chambres classiques mais bien rénovées et tenues avec soin. Au resto, on sert une goûteuse cuisine traditionnelle et inspirée du terroir.

WISSEMBOURG

CLEEBOURG

LE RHIN

DÉPART

MARLENHEIM ①

WANGEN

WESTHOFFEN

TRAENHEIM ②

DANGOLSHEIM

STRASBOURG

AVOLSHEIM ③

MOLSHEIM

BŒRSCH ④

OBERNAI

MONT SAINTE-ODILE ⑤ **HEILIGENSTEIN**

BARR

⑦ ⑥

ANDLAU **MITTELBERGHEIM**

D35 ⑧ **DAMBACH-LA-VILLE**

KINTZHEIM

CHÂTEAU DU HAUT-KŒNIGSBOURG ⑨ SÉLESTAT

MASSIF DU TAENNCHEL

⑩

⑪ **SAINT-HIPPOLYTE**

HUNAWIHR **RIBEAUVILLÉ**

RIQUEWIHR

KAYSERSBERG ⑫ KINTZHEIM

ALLEMAGNE

TURCKHEIM COLMAR

EGUISHEIM

HUSSEREN-LES-CHÂTEAUX

⑬ **ROUFFACH**

GUEBWILLER

WUENHEIM D83

ARRIVÉE

THANN ⑭

N°14

170 KM

FICHE PRATIQUE

SITUATION

Alsace (Bas-Rhin, Haut-Rhin).

MEILLEURE PÉRIODE

L'hiver, pour les vignes embrumées où se dessinent des forteresses ; le printemps pour la floraison et le beau temps ; l'été, souvent très chaud et plus fréquenté, mais rythmé par les *kilbes*, fêtes popu-laires et folkloriques ; et enfin, l'automne pour les vendanges, mais alors les che-mins des vignes sont parfois fermés.

MEILLEURS SOUVENIRS

La fameuse ligne bleue des Vosges, la chaîne des châteaux forts, les mai-sons à colombages et leurs balcons fleuris, l'accueil alsacien et, bien sûr, les caveaux de dégustation et la gas-tronomie régionale.

PRÉPARER SON ROAD TRIP

• route-des-vins-alsace.com
• vinsalsace.com
• cave-cleebourg.com

LA ROUTE DES VINS D'ALSACE

MARLENHEIM ➤ THANN

C'est un cadre digne des meilleures illustrations de Hansi qui s'étire autour de la célèbre route des Vins. Inaugurée en 1953 lors d'un rallye automobile, c'est l'une des plus anciennes routes touristiques de France. Le géranium, fleur emblématique du pays, colore les balcons des 70 plus beaux villages viticoles. Les forteresses enfouies dans la brume bleutée des Vosges veillent sur des vignobles bien ordonnés. Les cigognes, claquetant de leurs longs becs, nidifient sur les clochers et les tours de guet des dolders. Les calvaires en grès rouge marquent le carrefour des chemins… D'avril à octobre, les fêtes populaires et les dégustations se succèdent au son des bals populaires. Nul ne résistera à une polka endiablée après avoir dégusté un petit verre de Grand Cru. Mais attention sur la route !

LÉGENDES	
ÉTAPES	●
À NE PAS LOUPER	•
FLEUVES, RIVIÈRES	—
FRONTIÈRE	--

MISE EN BOUCHE AU PAYS DE WISSEMBOURG

Au nord du Bas-Rhin et du parcours classique de la route des Vins, le pays de Wissembourg produit des vins de qualité. Tous les grands crus sont représentés sur 89 hectares, auprès des quelque 200 vignerons regroupés en coopérative viticole à Cleebourg. Le pinot gris et le riesling y sont réputés. Et comme savoir-faire rime bien souvent avec savoir-vivre, les traditions régionales sont particulièrement préservées dans cette Outre-Forêt riche en châteaux médiévaux, vestiges de la ligne Maginot et ateliers de poterie à Betschdorf et Soufflenheim. L'abbatiale de Wissembourg, dont les moines furent à l'origine des vignobles, mérite aussi une visite.

DIRECTION LE VIGNOBLE DE STRASBOURG

À 20 km à l'ouest de Strasbourg, les cépages du grand cru Marlenberg marquent le départ de la route des Vins d'Alsace à **Marlenheim** ❶. Riesling et pinot noir sont à l'honneur lors de la fête paysanne du mariage de l'*Ami Fritz*, reconstituée d'après le roman d'Erckmann-Chatrian, tous les 15 août. Chars fleuris et grands nœuds alsaciens sont de rigueur avant de monter sur la colline du Scharrach, d'où l'on devine la silhouette de la cathédrale de Strasbourg.

STRASBOURG, CAPITALE DE L'EUROPE

Capitale européenne depuis 1949, **Strasbourg** ne compte plus ses atouts. Le centre-ville historique de la « Grande Île », classé à l'Unesco, est un bijou. On commence par la cathédrale et son horloge astronomique. Plus tard, un repas dans une *winstub* redonne des forces avant de faire une balade en bateau sur l'Ill, autour du quartier de la Petite-France, puis d'attaquer les splendides musées qui jalonnent la ville. Sans oublier de passer par la cave historique des Hospices de Strasbourg. Ne pas manquer enfin le quartier impérial allemand de la Neustadt, classé à l'Unesco depuis 2017.

Sur la route des Vins, les villages fortifiés de Wangen, Westhoffen, Traenheim et Dangolsheim abritent des maisons cossues. Les linteaux de leurs seuils et fenêtres sont souvent ornés de symboles vignerons sculptés dans le grès des Vosges : grappes de raisins, feuilles de vignes, tonneaux, vignerons ou monstres allégoriques dévorant les feuilles. Pressoirs et fontaines décorent la plupart des places où il fait bon s'arrêter pour déguster une *flammekueche* (tarte flambée) avec un verre de vin. On pousse la porte de la minuscule chapelle romane Saint-Ulrich à **Avolsheim** ❷ pour admirer ses fresques ocres et vertes restaurées. Un peu plus loin, à **Molsheim** ❸, on découvre un grand cru classé, le Bruderthal.

La cité miniature de **Bœrsch** ❹, typique des constructions du vignoble alsacien, semble figée derrière ses murailles et ses tours. Un rare puits Renaissance orne la place, où l'on sirote surtout du pinot noir. Sinon, le confidentiel Klevener de **Heiligenstein** ❺ égaiera la visite des superbes châteaux forts d'Ottrott. Ce cépage à base de traminer fut rapporté d'Italie par le maire, en 1742. Un hommage lui est rendu sur la façade de l'hôtel de ville. Au passage, rien n'empêche d'emprunter des chemins de traverse vers les belles villes voisines d'Obernai et de Barr. Elles reflètent la richesse de l'Alsace viticole, opulente et un peu suffisante autrefois envers ses voisins lorrains.

PAS DE CÔTÉ : LE MONT SAINTE-ODILE

À 763 m, la première « montagne » des Vosges est un promontoire coiffé de forêt et chapeauté au sommet d'abruptes falaises de grès rose. Le mont Sainte-Odile constitue d'ailleurs un des lieux clés des sentiers de Saint-Jacques-de-Compostelle. De là, on visite l'abbaye du Mont et on profite d'intéressantes balades à pied. Entre autres nombreux circuits, Ottrott, par le sentier des Pèlerins (1h30), Hagelschloss en direct (1h) ou le circuit nord par Hagelschloss (1h15).

COUP DE CŒUR

LE HAUT-KŒNIGSBOURG

Nous voilà au cœur des vignobles alsaciens, sous les toits vert-de-gris et les murailles rouges du redoutable Haut-Kœnigsbourg, campé sur un éperon panoramique à 757 m d'altitude. Offerte par la ville de Sélestat au Kaiser Guillaume II, restaurée à grands frais par ses soins, l'énorme forteresse redevint française... dix ans plus tard.

CINÉMA

La visite permet de jeter un œil aux armes, armoires, enseignes, tapisseries et même à la petite porte où passèrent Jean Gabin et Éric von Stroheim lors du tournage de *La Grande Illusion* en 1937

Au sud de Barr, sur une colline, **Mittelbergheim** 6 s'ouvre sur la cuvette ensoleillée du grand cru du Zotznberg. Vers le sud, l'austère **Andlau** 7 est nichée à la sortie d'une gorge granitique et torrentueuse (photo ci-contre). Outre ses grands crus Kastelberg et Moenchberg, la bourgade est marquée du miracle de l'ourse. C'est en effet une ourse qui indiqua, au IXe s, cet emplacement de sa patte à la belle Richarde, fuyant son mari l'empereur. Une abbaye y fut depuis construite. Canonisée, sainte Richarde et son ourse attirent les pèlerins. Ils feront la richesse d'Andlau comme en témoignent les merveilleuses frises et sculptures de la façade.

La route se poursuit vers le plus grand vignoble alsacien (470 ha) à **Dambach-la-Ville** 8, dont les remparts enserrent un superbe village fleuri. Un ours en bois orne la fontaine de la place où sont installées quelques winstubs, parfaites pour une halte. Non loin, la tour-clocher de la chapelle Saint-Sébastien séduit par son harmonie au milieu des vignobles.

Dépassant Sélestat, l'étape s'impose au château de **Kintzheim** 9, « la demeure du roi ». Tandis que les adultes font connaissance avec le grand cru classé Praelatenberg, provenant des prélats de l'abbaye d'Ebersmunster, les plus jeunes ont le choix entre la Volerie des Aigles, où des dizaines de rapaces différents tournoient au-dessus du château, le parc aux Cigognes et la montagne des Singes sur la route du Haut-Kœnigsbourg depuis Orschwiller. Au-dessus des vignobles, les forêts odorantes, peuplées d'immenses sapins, aux sous-bois rosis par les digitales en été, recouvrent les pentes vosgiennes jusqu'à la fameuse route des Crêtes.

FOCUS
LES 7 CÉPAGES ALSACIENS

Rien de plus facile à retenir, ici les vins portent le nom de leur cépage et s'adaptent à tous les moments gourmands :

- le **sylvaner sec**, léger et fruité, idéal pour les fruits de mer ;
- le **pinot blanc auxerrois**, fruité, s'accorde avec tous les mets ;
- le **riesling fin**, racé et délicat, recommandé pour les poissons et la choucroute ;
- le **pinot noir**, un rouge importé de Bourgogne, accompagne les viandes ;
- le **pinot gris**, capiteux, corsé, frais et riche, il se marie au foie gras, au gibier et aux rôtis ;
- le **muscat** sec et fruité au goût musqué, en apéritif ou avec des asperges ;
- le **gewürztraminer**, corsé et bien charpenté, somptueux avec la cuisine exotique, les fromages et les desserts, ou en apéritif.
- N'oublions pas l'**edelzwicker**, servi à petit prix en pichet dans toutes les tavernes. Mélange de plusieurs cépages, ce vin blanc, léger et légèrement pétillant, accompagne agréablement les plats du quotidien.
- Le **crémant d'Alsace** suit les mêmes méthodes d'élaboration qu'en Champagne.

Aux appellations **AOC Alsace, AOC Alsace Grand Cru** (51 terroirs) et **AOC Crémant d'Alsace**, s'ajoutent les mentions **Vendanges Tardives** et **Sélection de Grains Nobles**.

LE PAYS DE COLMAR

Les vins de Scherwiller et le rouge de **Saint-Hippolyte** ⑩ jouent de leurs charmes avant d'aborder « Les Perles du Vignoble », des villages viticoles de toute beauté reliés entre eux par l'ancien chemin des Vignes. Mais avant, Bergheim se dévoile, encore ceinturée de sa ligne de fortifications. Là, peu de traces du modernisme sur les façades des vieilles maisons à colombages, joliment entretenues et délicieusement fleuries.

POUR SE DÉGOURDIR LES JAMBES

- Le **massif du Taennchel**, culminant à 992 m d'altitude sur les hauteurs de Thannenkirch, réserve lui aussi de superbes randonnées avec 60 km de sentiers balisés.

- Une cinquantaine de sentiers viticoles à suivre à pied sont balisés sur la route des Vins d'Alsace. Chaque parcours est unique et développe des thèmes divers : viticulture, patrimoine, paysage, histoire locale... Un conseil, garder la dégustation pour la fin du parcours ! Notre préféré : le **sentier viticole des Grands Crus** qui relie Kaysersberg, Riquewihr, Hunawihr et Ribeauvillé.

Ribeauvillé ⑪, coiffée de trois châteaux, séduit par son vin blanc à déguster dans l'une des plus vieilles caves de France. À partir de là, la route se ponctue de magnifiques petits villages viticoles typiques. Le grand cru Rosacker fait la renommée d'Hunawihr où tournoient les cigognes. Les caves de Riquewihr et de **Kaysersberg** ⑫ ne font pas oublier leur prestigieux patrimoine médiéval. Le crémant d'Alsace se déguise en champagne dans les caves coopératives de Beblenheim et de Bestheim. Pour une pause instructive, le musée du Vignoble et des Vins d'Alsace au château de la Confrérie Saint-Étienne de Kientzheim étanchera votre soif de savoir.

COLMAR

S'il y a une ville à visiter proche de la route des Vins, c'est bien **Colmar**, ville d'art et d'histoire et capitale du vignoble d'Alsace. En arrivant par le nord, vous tomberez sûrement sur l'une des répliques de la Statue de la liberté. Celle-ci, d'une hauteur de 12 m (96 m pour celle de New York), rend hommage à Bartholdi, son créateur, natif de Colmar. Le centre-ville, à taille humaine, commercial et riant, s'arpente à pied, en passant devant la toiture vernissée de la Maison des Douanes, le saisissant retable d'Issenheim au musée des Unterliden et les visages sculptés de la Maison des Têtes.... Et pourquoi ne pas garnir son panier de charcuterie et de foie gras ? Il faut bien accompagner les bouteilles accumulées sur le chemin !

UN PHILOSOPHE QU'ON LISAIT DE CINQ À CEP...

Voltaire toucha des intérêts sur les vignobles de Riquewihr. En effet, pour payer ses dettes, le duc de Wurtemberg, gros propriétaire terrien, remboursa une partie de son emprunt auprès du célèbre philosophe à coups d'hectares de vignes. Mais l'homme de lettres mourut avant d'avoir récupéré sa mise !

Château du Haut-Ribeaupierre, Ribeauvillé

POUR FINIR EN BEAUTÉ, LES VIGNOBLES DU SUD-ALSACE

Plus au calme, les vignobles s'étalent autour de la noble Turckheim, d'Eguisheim – croulant sous les fleurs –, d'Husseren-les-Châteaux ou de **Rouffach** ⑬. Les collines alsaciennes se font plus sobres, plus sauvages, la route devient plus paisible sous les contreforts des Ballons des Vosges, protégés par un parc naturel régional. Entre les sources d'eau de Soultzmatt et **Thann** ⑭, réputée pour ses vendanges tardives, le vignoble se fait plus escarpé. Il est cultivé en terrasses à Guebwiller et au-dessus de la Tour des Sorcières à Thann, avec des pentes si raides que parfois les vendangeurs sont obligés de s'encorder. Le musée du Vigneron de Wuenheim et celui de la Porte Sud de la route des Vins d'Alsace à Thann terminent cette épopée viticole qui compte parmi les plus passionnantes de France. *Prost* / Santé / Bonne route : mais sans excès.

📅 CALENDRIER

Les événements autour des vins d'Alsace sont innombrables. Fêtes populaires, marches gourmandes, vendanges touristiques... on termine toujours par des dégustations en musique ! En voilà quelques-uns qui enjoliveront votre aventure viticole :

MAI :
• La Fête du Vin à **Andlau**
• La Foire aux Vins à **Guebwiller**

JUILLET :
• La Foire aux Vins en juillet à **Barr**
• La Fête du Gewurtztraminer à **Bergheim**
• La Nuit du vin du Franstein à **Dambach-la-Ville**
• La Fête des Vins à **Pfaffenheim**
• La Fête du Vin et de la Gastronomie à **Ribeauvillé**

AOÛT :
• La Fête du Crémant à **Cleebourg**
• Le Festival de la Foire aux Vins d'Alsace à **Colmar**
• La Nuit des Grands Crus en juillet et Fête des Vignerons à **Eguisheim**
• La Fête du Klevener à **Hellingenstein**
• Le Mariage de l'Ami Fritz à **Marlenheim**
• Les Vins et Saveurs des Terroirs à **Thann**
• La Promenade des vignerons d'Obernai à **Obernai**
• Brandt en fête à **Turckheim**

SEPTEMBRE :
• La Fête des Vendanges en septembre à **Barr**
• La Fête du Vin nouveau à **Saint-Hippolyte**
• La Fête des Ménétriers à **Ribeauvillé**

OCTOBRE :
• La Fête des Vendanges en octobre à **Marlenheim**

DÉCEMBRE :
• Sans oublier les marchés de Noël de **Strasbourg, Kaysersberg, Colmar, Riquewihr, Ribeauvillé, etc.**

Turckheim

LIVRES DE ROUTE

- *L'Ami Fritz*, Erckmann Chatrian (Le livre de poche, 1997).
- *Sherlock Holmes et le mystère du Haut-Koenigsbourg*, de Jacques Fortier (Le Verger, 2009).
- *Cette histoire qui a fait l'Alsace : le temps des Staufen*, de Marie-Thérèse Fischer et Francis Keller (Signe, 2011)
- *Conte-moi l'Alsace*, de Martial Debriffe et Pierre Adam (De Borée, 2013)

CARNET D'ADRESSES

ÉTAPES	INFORMATIONS
7 ANDLAU	**Zinck Hôtel** : *13, rue de la Marne.* • *zinckhotel.com* • Coup de cœur pour cet hôtel installé dans un ancien moulin à eau et flanqué d'une annexe très contemporaine. Chambres à thème, toutes confortables et parfois ô combien originales. Verger agréable et piscine. **Au Bœuf Rouge** : *6, rue du Dr-Stoltz.* Le resto respire l'authenticité et la bonne chère. Côté winstub, la belle terrasse permet de prendre ses aises. Savoureuse cuisine qui met la tradition à l'honneur.
ITTERSWILLER	**Hôtel-restaurant Arnold** : *98, route des Vins.* • *hotel-arnold.com* • Cette belle maison séduit les gourmands avec une solide cuisine traditionnelle, dont l'incontournable baeckeoffe. À côté, les chambres avec balcon sur le vignoble ont du charme à revendre.
SCHERWILLER	**Restaurant À la Couronne** : *2, rue de la Mairie.* Une table de caractère, au décor hors du temps. Menus du jour bien ficelés, des tartes flambées traditionnelles et des plats généreux de terroir. Simple, bon, régulier et servi avec le sourire.
10 SAINT-HIPPOLYTE	**Hôtel Val Vignes** : *23, chemin du Wall.* • *valvignes.com* • Ancré en haut du village, c'est un pittoresque pensionnat religieux du XIXe s, reconverti en hôtel. Chambres séduisantes et modernes. Vue sur le village ou la colline enrobée de vigne. Resto et spa sur place. Un bon rapport qualité-prix.
11 RIBEAUVILLÉ	**Au Cheval Noir** : *2, av. du Général-de-Gaulle.* Une bonne brasserie de village où l'on sert des tartes flambées réputées et des plats régionaux. Une bonne adresse pour tous les budgets.
RIQUEWIHR	**La Grappe d'Or** : *1, rue des Écuries-Seigneuriales.* Un cadre soigné tout comme la cuisine de chef qui puise son inspiration dans le terroir alsacien, avec quelques saveurs originales.
12 KAYSERSBERG	**L'Alchémille** : *53, route de Lapoutroie.* Suggestions du jour imaginatives, mitonnées par un jeune chef talentueux avec les bons ingrédients du cru. Une adresse qui vaut le détour, surtout pour la formule déjeuner abordable.
TURCKHEIM	**Hôtel des Deux Clefs** : *3, rue du Conseil.* • *hostellerie-deuxclefs.fr* • Une maison cossue du XVIe s à l'atmosphère romantique. Chambres tout confort au luxe sage, pour une déco qui rappelle les toiles de Rembrandt.

N°15

80 KM

FICHE PRATIQUE

SITUATION

Vosges, Haut-Rhin, au nord de Mulhouse.

MEILLEURE PÉRIODE

La route étant soumise aux caprices de la météo, elle est généralement ouverte d'avril à novembre.

MEILLEURS SOUVENIRS

Se repaître d'un roboratif repas marcaire (le menu paysan) dans une auberge rustique, monter au sommet du Grand Ballon, toiser le massif vosgien et les plaines alsaciennes, prolonger l'itinéraire jusqu'à l'industrielle Mulhouse, puis dans la vallée de la Doller…

PRÉPARER SON ROAD TRIP

• parc-ballons-vosges.fr

SAINTE-MARIE-AUX-MINES

DÉPART

D148 **1** COL DES BAGENELLES

2 COL DU BONHOMME
• TÊTE DES FAUX

3 COL DU CALVAIRE
• LAC BLANC
D61 • LAC NOIR
• HAUFENWANNKOPF
LAC DES TRUITES
LAC VERT

COL DE LA SCHLUCHT
JARDIN D'ALTITUDE **4**
DU HAUT-CHITELET • LES TROIS FOURS
5
D430 LE HOHNECK

6 ROTHENBACHKOPF

7 COL DU HERRENBERG

D430
LAC DE KRUTH- **8** COL DU HAHNENBRUNNEN
WILDENSTEIN

9
LE MARKSTEIN
D431 • MURBACH
10 LE GRAND BALLON
PARC DE WESSERLING
ÉCOMUSÉE TEXTILE • SOULTZ

11 COL DU SILBERLOCH

• SEWEN
THANN **12**
N66

13
ARRIVÉE
MULHOUSE

DE LA ROUTE DES CRÊTES AUX VALLÉES ALSACIENNES

COL DES BAGENELLES ➤ MULHOUSE

Un road trip qui suit la ligne des crêtes du massif vosgien, du nord au sud, du col des Bagenelles jusqu'à Cernay, près de Mulhouse, où l'on pourra lâcher le volant. Près de 80 km de paysages époustouflants, d'échappées lointaines sur les forêts de sapins, les dômes arrondis, les pâturages et les lacs secrets. L'hiver, cette belle route se transforme en piste pour les skieurs (de fond). En été, ce sont les randonneurs qui ont la part belle.

La route des Crêtes n'existerait pas sans la Première Guerre mondiale. Cette voie fut créée afin de faciliter les mouvements de troupes (et de munitions) de l'armée française. Aujourd'hui, les troupeaux ont remplacé les soldats dans les prés ! Tant mieux.

LÉGENDES	
ÉTAPES	●
À NE PAS LOUPER	•
FLEUVES, RIVIÈRES	▬
FRONTIÈRE	---

LA ROUTE DES CRÊTES

L'itinéraire débute au **col des Bagenelles** ❶, culminant à 903 m. L'idéal est d'y monter en venant de Sainte-Marie-aux-Mines, nichée au fond d'une vallée intéressante pour la beauté de sa nature et son histoire. Le défilé des cols continue avec le **col du Bonhomme** ❷, puis le **col du Calvaire** ❸. Nous voilà déjà à 1 145 m d'altitude. De là, un sentier de randonnée mène en 1h au sommet de la Tête des Faux pour prendre encore un peu de hauteur (1 220 m). Il s'agit du GR® 5, balisé en blanc et rouge.

À 1 km de là, en redescendant vers Orbey, on parvient au lac Blanc. Au fond d'une gorge rocheuse, ce petit miroir d'eau douce très profond (72 m) tire son nom des grains de quartz arrachés par le ruissellement des eaux d'érosion. De là et jusqu'au Grand Ballon, on évolue dans les hautes chaumes, des versants de montagne déboisés pour permettre aux troupeaux d'errer librement dans les pâturages d'altitude.

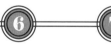

POUR SE DÉGOURDIR LES JAMBES

LE CIRCUIT DES LACS

Boucle réalisable en 5h (assez facile). Son intérêt réside dans la vue sur les lacs d'altitude. Monter d'abord par un sentier alpin jusqu'au **château Hans**, d'où l'on a une superbe vue sur le lac. Puis rejoindre la grande crête en suivant le GR® 5. En continuant sur les hautes chaumes, on atteint le parking du **lac Vert**. Descendre jusqu'au lac par un chemin forestier. Puis suivre le sentier balisé d'un disque jaune jusqu'au **lac des truites (ou du Forlet)**. Emprunter le sentier marqué d'un disque rouge jusqu'au **Haufenwannkopf**. Continuer tout droit, rejoindre le **lac Noir** par un autre sentier balisé d'un rectangle blanc barré de rouge. On termine par le sentier Cornelius (balisé par un rectangle jaune). En 1h, on rejoint le **lac Blanc**.

Sinon, il est possible de rejoindre le lac Noir en suivant la route qui descend vers Orbey. La route chemine entre forêts de sapins, versants herbeux, parois rocheuses et sommets arrondis jusqu'au **col de la Schlucht** ❹, le plus haut des Vosges (1 139 m). Une petite station de ski y fonctionne en hiver.

À voir aussi 📷 Le jardin d'altitude du Haut-Chitelet. À 1,5 km au sud du col de la Schlucht, il permet de découvrir la flore montagnarde, soit près de 2 500 plantes différentes prospérant sur les crêtes.

Une route vertigineuse conduit au **sommet du Hohneck** ❺, point culminant du département des Vosges (1 366 m). Les derniers mètres se font évidemment à pied. D'un côté, la vue porte du pays du Donon au ballon d'Alsace, de l'autre sur les plaines alsaciennes, l'Allemagne et la Forêt-Noire.

On poursuit, cap au sud toujours, jusqu'au **col du Rothenbachkopf** ❻, à 10 km, puis au **col du Herrenberg** ❼. Ici, la route des Crêtes traverse un paysage de hautes chaumes, cachant quelques fermes-auberges isolées. Au **col du Hahnenbrunnen** ❽, on profite d'une superbe vue sur le massif du Hohneck. Les sources de la Fecht ne sont pas très loin d'ici.

À quelques encablures, **Le Markstein** ❾ est une modeste mais non moins charmante station de ski.

PAS DE CÔTÉ

À 20 km à l'ouest par la D 27, ne pas manquer le **lac de Kruth-Wildenstein**. Ce lac artificiel est niché dans un superbe site, dominé par les ruines du château de Wildenstein, juché sur un éperon rocheux. Un sentier balisé avec un triangle rouge permet de monter au sommet. Un peu plus loin se trouve le **parc de Wesserling – Écomusée textile** à Husseren-Wesserling, à 10 km au sud du lac. C'est ici qu'a été installée la première filature mécanique d'Alsace en 1802, qui allait initier le devenir industriel de toute la vallée de la Thur. Le musée est aménagé dans l'ancienne manufacture d'impression, au cœur d'un étonnant complexe de bâtiments qui semble ne pas avoir bougé depuis le XIXᵉ s : un château, des entrepôts et des ateliers, mais aussi un magnifique parc paysager de 17 ha. Toute l'histoire du textile ou presque est évoquée, de façon sérieuse et ludique à la fois.

On reprend la route des Crêtes pour atteindre le **Grand Ballon** 🔟, point culminant du massif des Vosges (1 424 m). Il faut prendre le temps de monter au sommet (20 mn aller-retour). La vue est unique.

Au pied du Grand Ballon, **Soultz**, cité de caractère aux belles demeures, dépourvues de colombage, certes, est d'un charme évident avec ses lavoirs, portes cochères, tourelles, doubles remparts... Les cigognes y ont élu domicile. La ville séduit ses visiteurs avec une remarquable église en grès rose et un passionnant château-musée dédié à l'histoire locale. Et pour aller encore plus loin, ne pas manquer Murbach, à 8 km au nord-ouest de Soultz. L'église romane de l'abbaye de **Murbach** fut l'une des plus puissantes de la vallée du Rhin au Moyen Âge. Aller voir le chevet, la partie la plus remarquable de l'église, avec ses belles arcades et ses rangées de fenêtres à colonnettes. Pour avoir une jolie vue sur l'église à travers la forêt (compter 10 mn), monter à pied jusqu'à la chapelle Notre-Dame-de-Lorette.

Passé le Grand Ballon, la route des Crêtes amorce sa descente vers la plaine, décrivant de nombreux lacets avant d'atteindre le **col du Silberloch** ⑪. C'est ici que l'on trouve le champ de bataille de Hartmannswillerkopf (le Vieil-Armand), témoin des dégâts occasionnés par la Grande Guerre. Il faut traverser le cimetière pour rejoindre les tranchées, encore visibles, et le champ de bataille.

LA VALLÉE DE LA THUR ET MULHOUSE

On quitte la route des Crêtes pour rejoindre la vallée de la Thur. Même si le fond de la vallée voit se succéder bourgs et petites usines aux typiques toits en sheds (en dents de scie), les flancs boisés et les crêtes montagneuses des alentours constituent autant d'échappées belles, propices à de très belles randonnées. À **Thann** ⑫, la collégiale Saint-Thiébaut est un joyau d'architecture gothique avec son élégante flèche octogonale et ses toitures admirablement colorées avec des motifs à losange.

Déjà se dessine l'industrieuse **Mulhouse** ⑬, dont le centre ancien – miraculeusement préservé – rappelle la Suisse voisine. « Capitale européenne des musées techniques », elle abrite l'exceptionnelle Cité de l'automobile qui rassemble pas moins de 437 véhicules de 97 marques différentes, avec une très grosse préférence pour les Bugatti. Deux autres musées vraiment époustouflants : la Cité du train et le musée de l'Impression sur étoffes.

À ne pas manquer 🔍 Possibilité de conduire soi-même des voitures d'exception sur l'autodrome de la Cité de l'automobile.

POUR ALLER PLUS LOIN

SEWEN ET LA ROUTE DU BALLON D'ALSACE

Au fond de la vallée de la Doller, dans la partie la plus belle et la plus sauvage, Sewen livre des maisons anciennes typiques des Vosges du Sud. Autour, les flancs boisés des montagnes et le lac bordé d'étranges tourbières offrent de beaux panoramas aux randonneurs...

Lac de la Lande, vers le Hohneck

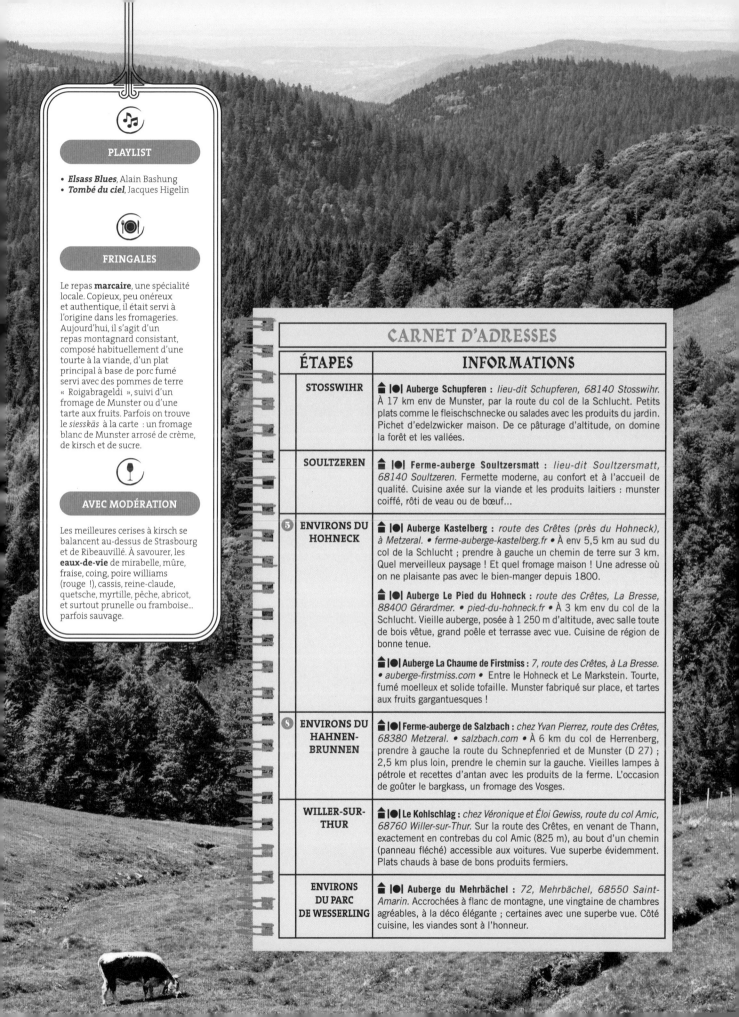

PLAYLIST

- *Elsass Blues*, Alain Bashung
- *Tombé du ciel*, Jacques Higelin

FRINGALES

Le repas **marcaire**, une spécialité locale. Copieux, peu onéreux et authentique, il était servi à l'origine dans les fromageries. Aujourd'hui, il s'agit d'un repas montagnard consistant, composé habituellement d'une tourte à la viande, d'un plat principal à base de porc fumé servi avec des pommes de terre « Roigabrageldi », suivi d'un fromage de Munster ou d'une tarte aux fruits. Parfois on trouve le *siesskäs* à la carte : un fromage blanc de Munster arrosé de crème, de kirsch et de sucre.

AVEC MODÉRATION

Les meilleures cerises à kirsch se balancent au-dessus de Strasbourg et de Ribeauvillé. À savourer, les **eaux-de-vie** de mirabelle, mûre, fraise, coing, poire williams (rouge !), cassis, reine-claude, quetsche, myrtille, pêche, abricot, et surtout prunelle ou framboise... parfois sauvage.

CARNET D'ADRESSES

ÉTAPES	INFORMATIONS
STOSSWIHR	**▲ |●| Auberge Schupferen :** *lieu-dit Schupferen, 68140 Stosswihr.* À 17 km env de Munster, par la route du col de la Schlucht. Petits plats comme le fleischschnecke ou salades avec les produits du jardin. Pichet d'edelzwicker maison. De ce pâturage d'altitude, on domine la forêt et les vallées.
SOULTZEREN	**▲ |●| Ferme-auberge Soultzersmatt :** *lieu-dit Soultzersmatt, 68140 Soultzeren.* Fermette moderne, au confort et à l'accueil de qualité. Cuisine axée sur la viande et les produits laitiers : munster coiffé, rôti de veau ou de bœuf...
⑤ ENVIRONS DU HOHNECK	**▲ |●| Auberge Kastelberg :** *route des Crêtes (près du Hohneck), à Metzeral.* • *ferme-auberge-kastelberg.fr* • À env 5,5 km au sud du col de la Schlucht ; prendre à gauche un chemin de terre sur 3 km. Quel merveilleux paysage ! Et quel fromage maison ! Une adresse où on ne plaisante pas avec le bien-manger depuis 1800.
	▲ |●| Auberge Le Pied du Hohneck : *route des Crêtes, La Bresse, 88400 Gérardmer.* • *pied-du-hohneck.fr* • À 3 km env du col de la Schlucht. Vieille auberge, posée à 1 250 m d'altitude, avec salle toute de bois vêtue, grand poêle et terrasse avec vue. Cuisine de région de bonne tenue.
	▲ |●| Auberge La Chaume de Firstmiss : *7, route des Crêtes, à La Bresse.* • *auberge-firstmiss.com* • Entre le Hohneck et Le Markstein. Tourte, fumé moelleux et solide tofaille. Munster fabriqué sur place, et tartes aux fruits gargantuesques !
⑤ ENVIRONS DU HAHNEN-BRUNNEN	**▲ |●| Ferme-auberge de Salzbach :** *chez Yvan Pierrez, route des Crêtes, 68380 Metzeral.* • *salzbach.com* • À 6 km du col de Herrenberg, prendre à gauche la route du Schnepfenried et de Munster (D 27) ; 2,5 km plus loin, prendre le chemin sur la gauche. Vieilles lampes à pétrole et recettes d'antan avec les produits de la ferme. L'occasion de goûter le bargkass, un fromage des Vosges.
WILLER-SUR-THUR	**▲ |●| Le Kohlschlag :** *chez Véronique et Éloi Gewiss, route du col Amic, 68760 Willer-sur-Thur.* Sur la route des Crêtes, en venant de Thann, exactement en contrebas du col Amic (825 m), au bout d'un chemin (panneau fléché) accessible aux voitures. Vue superbe évidemment. Plats chauds à base de bons produits fermiers.
ENVIRONS DU PARC DE WESSERLING	**▲ |●| Auberge du Mehrbächel :** *72, Mehrbächel, 68550 Saint-Amarin.* Accrochées à flanc de montagne, une vingtaine de chambres agréables, à la déco élégante ; certaines avec une superbe vue. Côté cuisine, les viandes sont à l'honneur.

N°16

65 KM

FICHE PRATIQUE

SITUATION

La Côte-d'Or du nord au sud.

MEILLEURE PÉRIODE

Ceux qui veulent s'essayer à la viticulture visiteront les domaines pendant les vendanges, en septembre-octobre. Et puis, l'automne réserve son lot de somptueux camaïeux rougeoyants au crépuscule.

MEILLEURS SOUVENIRS

Un itinéraire entre vins de table et vins de messe : châteaux, hôtel-Dieu de Beaune, la somptueuse Dijon…

PRÉPARER SON ROAD TRIP

- bouger-nature-en-bourgogne.com
- cotedor-tourisme.com
- route-des-grands-crus-de-bourgogne.com

DÉPART
DIJON

1

MARSANNAY-LA-CÔTE 2 D122

3 **FIXIN**

GEVREY-CHAMBERTIN 4

CHATEAUNEUF D122

CHÂTEAU DU CLOS
DE VOUGEOT

5 **VOSNE-ROMANÉE**

ABBAYE NOTRE-DAME
DE CÎTEAUX

NUITS-SAINT-GEORGES 6

LE CASSISSIUM

D974

7 **PERNAND-VERGELESSES**

D18

8 **BEAUNE**

VOLNAY 9

MONTHÉLIE **POMMARD**

10 **MEURSAULT**

PULIGNY-MONTRACHET

ARRIVÉE
SANTENAY 11

SAÔNE

LA ROUTE DES GRANDS CRUS

DIJON ➤➤➤ BEAUNE-SANTENAY

Descendez les « Champs-Élysées de la vigne » de Dijon à Beaune, en suivant la célébrissime Route des grands crus. Ici, la Côte-d'Or fait son cinéma sur écran géant. Prenez ensuite les chemins de traverse qui, du canal de Bourgogne à la vallée de la Saône en passant par les sources de la Seine, vous donneront envie de mordre la Côte-d'Or à pleines dents.

LÉGENDES

ÉTAPES ●

À NE PAS LOUPER ·

FLEUVES, RIVIÈRES ▬

DIJON, UNE VILLE QUI NE MANQUE PAS DE SAVEUR

Dijon ❶ peut s'enorgueillir d'un centre-ville riche en monuments, musées et sites historiques exceptionnels. Ne surtout pas manquer le palais des Ducs et des États de Bourgogne, somptueux édifice englobant l'ancien palais des Ducs, disparu sous une unité de façade voulue par Louis XIV. Il accueille une partie du musée des Beaux-Arts métamorphosé, l'un des plus anciens de France, récemment rénové. Et totalement gratuit ! Il faut se pencher sur le cortège des pleurants, au pied des tombeaux des Ducs de Bourgogne. Du quartier du musée, jolie balade dans le temps, des maisons à colombages aux couleurs retrouvées jusqu'aux jardins et cours cachés des hôtels particuliers. Le secteur est aussi riche en boutiques d'antiquaires, de design, en terrasses animées et belles tables régionales… Enserrée dans un espace restreint, l'église Notre-Dame, élevée au XIIIᵉ s, donne une belle impression d'ampleur et de légèreté. D'autres musées intéressants sont à découvrir à l'ouest et au sud du centre préservé. Voir le Musée archéologique, installé dans l'abbaye bénédictine Saint-Bénigne. D'ici, on filera jeter un œil à la cathédrale du même nom, exemple représentatif de gothique bourguignon. Au musée de la Vie bourguignonne, une étonnante collection d'objets nous plonge au cœur de la vie quotidienne du XIXᵉ s. Puis citons pêle-mêle le musée d'Art sacré, le musée Magnin, le jardin des Sciences… On peut même pousser jusqu'aux abords du canal de Bourgogne, où la Cité internationale de la gastronomie et du vin sera installée dans l'ancien hôtel-Dieu (ouverture prévue fin 2021).

À ne pas manquer 🔍 **La Boutique Maille.** Une superbe vitrine à l'enseigne d'une marque qui affiche plus de 300 ans d'existence.

POUR SE DÉGOURDIR LES JAMBES

Le **Parcours de la chouette** invite à suivre de petites flèches triangulaires portant le symbole fétiche des Dijonnais. Compter 1 à 2h (ou plus si l'on s'arrête pour visiter certains édifices). Il existe aussi une version « junior ».

DE DIJON À BEAUNE, LE VIN A LA COTE !

Cette Côte-là a suscité bien des convoitises… de la part des chanoines. Du côté de Beaune, l'influence d'Autun et de Cluny domine. Du côté de Dijon, les évêques de Langres ont la main sur les clos les plus fameux, comme celui de Bèze. Les moines de Cîteaux arrivent trop tard mais créent tout de même le clos de Vougeot ! Pourtant, le vin de Bourgogne n'est pas l'apanage des abbayes, ni celui des grandes familles, comme en témoigne le nombre de bons petits producteurs. La route traverse quelques villages aux noms évocateurs. À **Marsannay-la-Côte** ❷, trois sentiers de découverte permettent de flâner aux portes de la Côte de Nuits. On arrive ensuite à **Fixin** ❸, dont les rouges plantureux se découvrent au Manoir de la Perrière. Déjà, le secret et prestigieux village de **Gevrey-Chambertin** ❹ se profile. C'est la commune de Bourgogne qui compte le plus d'appellations classées en Grands Crus. À quelques kilomètres au sud, à **Vosne-Romanée** ❺, le domaine de la Romanée-Conti. C'est le vignoble le plus cher du monde…

COUP DE CŒUR

LE CHÂTEAU DU CLOS DE VOUGEOT

Le château se dresse majestueusement au milieu des vignes. De l'époque des moines de Cîteaux, demeure le cellier, cette grande salle qui servait autrefois de cave. La cuverie vaut à elle seule la visite, avec ses quatre gigantesques pressoirs qui permettent d'imaginer les vendanges d'autrefois.

À égale distance de Beaune et de Dijon (20 km), **Nuits-Saint-Georges** ⑥ constitue une étape incontournable pour les amateurs de vin rouge. Rues anciennes, vénérables demeures, maisons à portail ou promenade dans un jardin anglais font de Nuits-Saint-Georges une agréable petite ville.

À ne pas louper 🔍 Le Cassissium. Attenant au site de production des liqueurs Védrenne, c'est un vaste espace d'expo, moderne et ludique, consacré au cassis. La visite se termine par le chai de vieillissement des eaux-de-vie de Bourgogne et la dégustation...

À ne pas louper dans les environs 🔍 L'abbaye de Cîteaux. Fondée à la fin du XIᵉ s, elle est le berceau de l'ordre cistercien. On y vit selon la stricte règle de saint Benoît, dans l'esprit de pauvreté, de travail et de prière. Aujourd'hui, une trentaine de frères y résident. Il n'y a plus grand-chose à voir du Cîteaux du XIIᵉ s : seuls deux des bâtiments qui ont échappé à la Révolution sont visibles. À l'étage, la bibliothèque (XIIIᵉ et XVIᵉ s) offre une exposition des premières enluminures créées à Cîteaux, au XIIᵉ s.

PAS DE CÔTÉ : CHÂTEAUNEUF

Comment résister à la vue de ce splendide château en nid d'aigle ? Ajoutez à cela un paisible canal, d'adorables maisons médiévales, des halles pour s'imprégner du riche terroir local et une coquette église du XVᵉ s... Voilà la carte de visite de tout l'Auxois. Le village est superbement illuminé le soir. Mais la curiosité principale de **Châteauneuf** reste son château médiéval, avec ses cinq tours, construit au XIIᵉ s.

CINÉMA

Châteauneuf servit de lieu de tournage au *Jeanne la Pucelle* (1994), de Jacques Rivette.

POUR SE DÉGOURDIR LES JAMBES

Avant de lâcher le volant à Beaune, un arrêt s'impose à **Pernand-Vergelesses** ⑦. Accroché au flanc d'une colline, c'est l'un des plus beaux villages de la Côte, avec ses coquettes maisons aux toits de tuiles vernissées. Le magnifique panorama sur le vignoble ajoute à son charme.

À voir aussi 📷 Le château de Savigny-lès-Beaune, construit en 1340, qui abrite le musée du Matériel viticole.

LE CIRCUIT DES REMPARTS À BEAUNE

On commence par la tour de l'Hôtel-Dieu. On remarque au passage les toits, les petits jardins. La tour des Dames, aux pierres taillées en bossage (en saillie), abrite deux étages de caves. Du bastion des Lions à celui de Notre-Dame, on peut couper par la place Marey et les rues du vieux Beaune. Située entre le château et le bastion Sainte-Anne, la tour Renard, avec sa couverture en lave, date probablement du XIVᵉ s.

Beaune ⑧, véritable coup de cœur, est une cité secrète, où de hauts murs et des grilles ouvragées bordent des rues silencieuses. La ville est cerclée par des remparts et des bastions, comme un tonneau. Au hasard des rues, on découvre les maisons cossues construites par les drapiers. Il suffit de pousser quelques portes pour découvrir de magnifiques cours dissimulées aux regards. Longtemps repliée sur ses secrets d'alcôve ou de fabrication, Beaune s'est ouverte à une vitesse fabuleuse sur le monde extérieur, devenant réellement la capitale d'une Bourgogne viticole. Les Hospices (ou musée de l'Hô-tel-Dieu) sont une visite incontournable. Il faut pénétrer dans la cour d'honneur pour profiter la magie offerte par ces toits de tuiles émaillées multicolores, dessinant d'extraordinaires figures géométriques.

À ne pas louper 🔍 La mise en scène nocturne qui illumine sept monuments, de 22h à 0h30 en été, ainsi qu'à la tombée de la nuit autour des fêtes de fin d'année et lors des festivals.

À voir aussi 📷 La moutarderie Fallot. Depuis 1840, elle élabore une moutarde à base de produits hypersélectionnés, qui change de couleur selon l'humeur (25 en tout). Espace muséographique et boutique.

9

DE BEAUNE À SANTENAY

À 10 mn de voiture, au sud de Beaune, **Pommard 9** est un village de caractère, connu dans le monde entier pour ses vins rouges puissants et charpentés, qui furent les préférés d'Henri IV et de Louis XV. Le célèbre château, posé au milieu des vignes, en impose. Si depuis la cour d'honneur pavée la perspective est majestueuse, le point d'orgue de la visite est évidemment au sous-sol. Dans les caves somptueuses s'alignent quelque 300 000 bouteilles.

À voir aussi 📷 **Volnay et Monthélie, adorables villages appuyés à flanc de coteau.**

Changement de couleur à **Meursault 10**, où l'on produit de grands vins blancs, issus du chardonnay, aux saveurs de noisette et d'amande grillée ! Village prospère, agréable et tranquille, c'est un excellent point de chute pour qui veut sillonner le vignoble. À commencer par le château de Meursault et ses 3 500 m² de caves cisterciennes à double voûte (XIVᵉ et XVIᵉ s) où reposent des milliers de bouteilles.

À voir aussi 📷 **Puligny-Montrachet, réputé dans le monde entier pour son célèbre vin blanc sec.**

CINÉMA La mairie de Meursault servit de siège à la kommandantur dans *La Grande Vadrouille* **(1966)**, de Gérard Oury, avec Bourvil et Louis de Funès.

POUR SE DÉGOURDIR LES JAMBES

LE SENTIER MEURSAULT-BLAGNY

Le site de Saint-Christophe domine le village et le vignoble (panorama époustouflant sur les vignes). C'est le point de départ d'une randonnée balisée de 9 km.

Fin du festin à **Santenay 11** qui produit évidemment de remarquables vins et se situe à la croisée de pistes cyclables et voies pédestres, dont l'*EuroVelo* route. Comme toujours, on peut visiter le château et y déguster les vins du cru.

Meursault

LIVRE DE ROUTE

Un grand bourgogne oublié, par Boris Guilloteau (Bamboo, vol. 1 en 2014 et vol. 2 en 2017), un auteur qui a certainement trempé sa plume dans un verre de vin du Mâconnais.

À VOIR

Ce qui nous lie (2017), de Cédric Klapisch, avec Pio Marmaï, Ana Girardot et François Civil. Suite à la mort soudaine de leur père, deux frères et une sœur reprennent l'exploitation du vignoble familial, non sans difficultés.

FRINGALES

Escargots, œufs en meurette, coq au vin, jambon persillé avec de la vraie moutarde artisanale, tourte morvandelle, fromage d'Époisses, liqueur de cassis...

CARNET D'ADRESSES

ÉTAPES	INFORMATIONS
➊ **DIJON**	🏨 **Hôtel du Palais :** *23, rue du Palais.* • *hoteldupalais-dijon.fr* • Dans une belle bâtisse du centre historique, petit hôtel familial. Certes pas d'ascenseur, mais un escalier en pierre qui dessert des chambres charmantes. 🍽 **Le Central :** *3, pl. Grangier.* Une institution dijonnaise. Grandes baies vitrées, lustres design, banquettes et atmosphère zen. Les fruits de mer comme la cave à viande sont là pour ouvrir l'appétit.
➍ **GEVREY-CHAMBERTIN**	🍽 **Chez Guy & Family :** *3, pl. de la Mairie.* • *chez-guy.fr* • Chez Guy, on aime la vie, les bons produits, la cuisine de saison, les cuissons justes et les goûts francs. Belle carte pour partir à la découverte des vins du cru.
➎ **VOSNE-ROMANÉE**	🏨 🍽 **Hôtel Le Richebourg - Restaurant Le Vintage :** *ruelle du Pont.* • *hotel-lerichebourg.com* • Une maison accueillante servant une cuisine bistronomique. C'est également un hôtel cosy avec un grand spa d'où l'on bénéficie d'une vue sur les vignes, le jardin du grand-père ou le village.
➏ **NUITS-SAINT-GEORGES**	🏨 🍽 **Hôtel La Gentilhommière – Restaurant Le Chef Coq :** *13, vallée de la Serrée.* • *lagentilhommiere.fr* • Une belle et immense maison, en pleine nature, où l'on prend le temps de vivre et de déguster une cuisine dans l'air du temps. Chambres ou suites thématiques et ethniques. 🍷 **O'Bar@20 :** *9, pl. de la République.* • *obara20.fr* • Des vins au verre que l'on peut choisir et déguster les yeux fermés, accompagnés de charcuterie et autres produits régionaux haut de gamme.
➑ **BEAUNE**	🏨 🍽 **Hôtel de France-Restaurant Le Tast'Vin :** *35, av. du 8-Septembre.* • *hoteldefrance-beaune.com* • Chambres impeccables et calmes, ne manquant ni de charme ni de confort. Au resto, des formules sympathiques (comme le service). 🍽 **L'Ô à la Bouche :** *11, rue Basse, 21200 Levernois.* • *lo-a-la-bouche.fr* • Cuisine appliquée et soigneuse, service prévenant. La formule déj est une aubaine.
➓ **MEURSAULT**	🍽 **Le Soufflot :** *8, N 74.* • *restaurant-meursault.fr* • Cuisine pleine de générosité et riche de découvertes. La carte des vins est remarquable.
PULIGNY-MONTRACHET	🍽 **La Cabane :** *9, rue Charles-Paquelin, parc Michelle-Bachelet, 21190 Chassagne-Montrachet.* • *restaurant-edem.com* • Du frais, du bon, du simple, que l'on avale sur le pouce ou en prenant un verre de vin.

SUD-OUEST

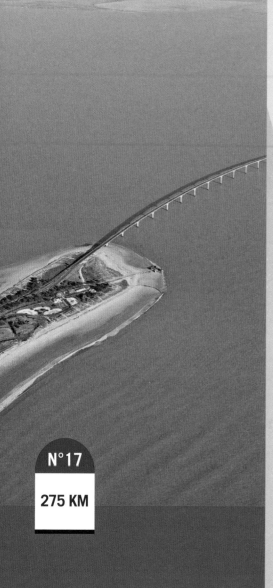

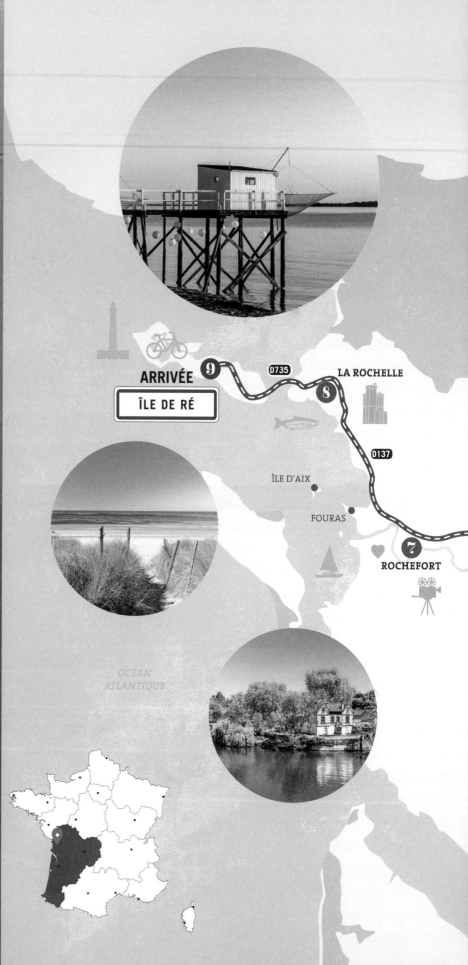

ARRIVÉE

ÎLE DE RÉ

D735   LA ROCHELLE

9

8

D137

ÎLE D'AIX

FOURAS

7

ROCHEFORT

OCÉAN ATLANTIQUE

N°17

275 KM

FICHE PRATIQUE

SITUATION

Au nord de la région Nouvelle-Aquitaine.

MEILLEURS SOUVENIRS

Sillonner la douce campagne charentaise, s'imprégner de l'étrange atmosphère des marais, prendre le soleil sur les plages des îles, découvrir les richesses d'un patrimoine hors normes, se régaler de fruits de mer et s'offrir une dégustation de cognac ou de pineau !

PRÉPARER SON ROAD TRIP   www.

• infiniment-charentes.com
• route-historique-saintonge.fr

LES CHARENTES

ANGOULÊME ➤➤➤ ÎLE DE RÉ

D'Angoulême à l'île de Ré, les Charentes offrent une diversité de paysages étonnante. Collines dorées ou rangs de vignes bien peignés, marais bucoliques ou plages bordées de pins maritimes, les paysages charentais s'avèrent aussi contrastés qu'harmonieux. Côté patrimoine, l'abondance et l'éclectisme sont aussi de mise : vestiges romains, églises romanes, châteaux médiévaux et forteresses signées Vauban attirent les amoureux d'art et d'histoire. Quant à la gastronomie, elle séduit en premier lieu les amateurs de fruits de mer et de poisson, mais ne laissera jamais les autres sur le bord de la route. Bref, une riche virée en perspective !

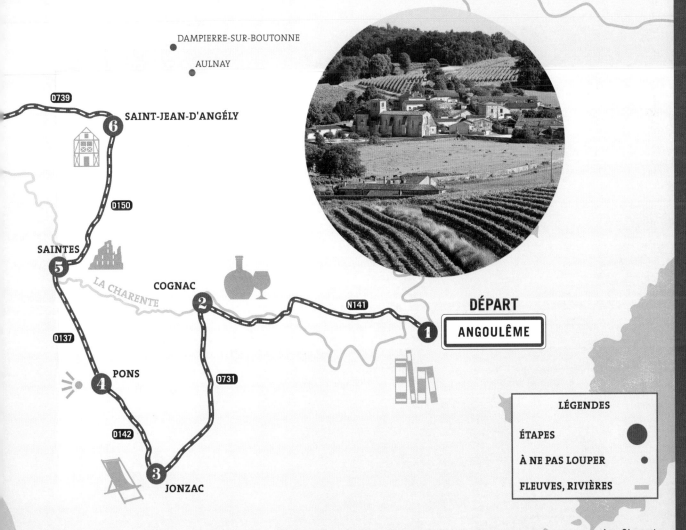

DAMPIERRE-SUR-BOUTONNE

AULNAY

D739

SAINT-JEAN-D'ANGÉLY
6

D150

SAINTES
5

LA CHARENTE

COGNAC
2

N141

DÉPART

1 ANGOULÊME

D137

PONS
4

D731

D142

3
JONZAC

LÉGENDES

ÉTAPES ⬤

À NE PAS LOUPER •

FLEUVES, RIVIÈRES ▬

ANGOULÊME

Sa lumière, ses maisons de pierre aux toits de tuiles et ses terrasses de café lui donnent un air méridional. **Angoulême ❶**, labellisée « Ville d'art et d'histoire », constitue le point de départ idéal de cet itinéraire charentais. Sa partie haute, pelotonnée sur un plateau perché au-dessus de la Charente, regorge de ruelles de charme et abrite un superbe marché très animé. Il faut aussi découvrir la cathédrale Saint-Pierre, construite au début du XIIᵉ s, qui impressionne avec sa gigantesque coupole et son joli clocher à six étages. Sa sublime façade accueille 75 personnages sculptés pleins de relief, comme ce cavalier brandissant une épée ou ces damnés aux corps décharnés.

Mais Angoulême est surtout célèbre pour son statut de capitale française de la bande dessinée. Outre son festival, qui a lieu chaque année en janvier, il faut découvrir son parcours B.D., ensemble de murs peints de fresques inspirées par de célèbres dessinateurs comme Margerin, Morris, François Schuiten ou Marc-Antoine Mathieu. Le musée de la Bande dessinée, installé dans d'anciens chais, est l'occasion de s'immerger dans ce neuvième art à travers planches originales, revues anciennes et croquis rares, ainsi que de nombreux films.

1

ET LE 1ᴱᴿ HOMME S'ENVOLA

En 1801, Guillaume Resnier de Goué s'élança par trois fois des remparts d'Angoulême à bord d'une machine en forme de papillon qu'il actionnait avec bras et jambes. Sa troisième tentative fut la bonne : en volant 300 m, il put franchir la Charente et se cassa seulement une jambe.

EXPÉRIENCE

Assister au Festival international de la Bande dessinée

Rendez-vous un peu underground d'une « sous-culture » à sa création en 1973, le festival international de la Bande dessinée est devenu une institution. Pendant 4 jours, des foules de bédéphiles envahissent la ville. Sous les fameuses « bulles » (chapiteaux), les files de fans s'allongent devant les stands où les dessinateurs sacrifient aux sacro-saintes séances de dédicaces (assorties, pour les plus courageux, d'un petit croquis). Des expos sont présentées un peu partout en ville. Malgré le succès, l'ambiance reste bon enfant.

Quand ? 📅 Dernier week-end de janvier, jeudi-dimanche.

Plus d'infos ᵂᵂ. bdangouleme.com

LA SAINTONGE, DE COGNAC À PONS

En quittant Angoulême en direction de l'ouest, le relief ondule légèrement et les paysages alternent entre plaines cultivées, vallons verdoyants et coteaux viticoles : voici le territoire du fameux cognac ! La route se poursuit vers l'ouest, et mène vers le séduisant pays de Saintonge, berceau de l'art roman. Cette région est riche de dizaines d'églises et abbayes romanes qui rivalisent de beauté.

Célèbre dans le monde entier pour son goûteux breuvage, **Cognac** ❷ est une cité séduisante et prospère qui affiche fièrement sa richesse, tant économique que patrimoniale. C'est le moment de lâcher le volant pour aller flâner dans ses rues anciennes, jalonnées de maisons du XVᵉ s et d'hôtels particuliers pleins de charme, noircis par un champignon microscopique se nourrissant de la « part des anges » (vapeurs d'alcool).

❷

HIPS !

Savez-vous que l'évaporation du cognac représente chaque année l'équivalent de 180 millions de bouteilles ? C'est ce qu'on appelle joliment « la part des anges ». De quoi être quasi soûl rien qu'en respirant l'air du coin ! C'est d'ailleurs le cas des araignées vivant dans les chais, dont les toiles ne sont, paraît-il, jamais parfaitement géométriques...

FOCUS
LE COGNAC

Les Chinois ne jurent plus que par lui et les stars du hip-hop américain s'affichent une bouteille à la main. L'histoire du cognac est pourtant très ancienne. Dans les Charentes, le vignoble existe depuis l'époque romaine. Au XVᵉ s, on prend l'habitude de distiller les vins charentais pour qu'ils supportent le voyage. Parce qu'on les exporte, déjà ! Au hasard de quelques méventes, on s'aperçoit que ce « vin brûlé » gagne largement en goût au contact des barriques. À partir du XVIIᵉ s, les vins de la région sont donc transformés en eaux-de-vie, puis bonifiés en fûts de chêne. La distillation s'effectue toujours en deux temps : le « brouillis » puis « la bonne chauffe ».

Plus d'infos ᵂ ww. cognac.fr

Une dizaine de maisons de négoce de cognac, parmi les plus grandes, proposent des visites. Ne pas manquer celle organisée par Baron Otard, prestigieuse marque créée en 1795 par un baron écossais. À l'époque, l'entreprise s'installa carrément dans le château royal de Cognac, grâce à l'agitation de la Révolution française. Ironie de l'histoire, ce château n'était autre que la maison natale… de François Iᵉʳ ! La visite permet de profiter de cette très belle demeure des XII-XVIᵉ s tout en perçant le mystère des méthodes de fabrication et de vieillissement du cognac, avant la très attendue dégustation.

Au sud de Cognac, la petite ville de **Jonzac** ❸, campée sur deux collines, fait figure de station thermale dynamique. Depuis quelques années, elle s'est dotée d'un réjouissant complexe aquatique, à la fois ludique et bienfaisant : les Antilles de Jonzac. Parc de loisirs 100 % écologique (l'eau est chauffée grâce à un forage géothermique plongeant à 1 840 m de profondeur), il offre un extraordinaire parcours de bassins et jeux d'eau, ainsi qu'un espace « bien-être ». La température ambiante permet de faire pousser… des plantes tropicales ! De quoi se requinquer entre deux étapes.

Dominant le cours de la Seugne, la cité ancienne de **Pons** ❹ – on prononce « pon » – mène une vie paisible autour de son donjon du XIIᵉ s, qui aurait presque des airs de château Disney. Après avoir monté ses 136 marches, on découvre un chouette panorama sur la ville.

Inscrit au Patrimoine mondial de l'Unesco, l'hôpital des pèlerins est né de l'obligation d'accueillir les fidèles en route pour Compostelle. D'ailleurs, il a été construit hors les murs afin d'offrir un abri de nuit quand les portes de la ville étaient fermées. S'asseoir sur les bancs de pierre installés pour les pèlerins et détailler les graffitis (notamment des fers à cheval) gravés sur la splendide voûte. Avant de repartir, faire quelques pas dans le jardin médiéval de 3 000 m² où l'on dénombre plus de 100 plantes médicinales.

RIMES EN -AC

Dans les Charentes, la plupart des noms de villages finissent en « -ac » : Jonzac, Segonzac, Montignac et autre Fleurac. En cherchant bien, on trouve même un village du nom de… Chirac ! Paradoxalement, pas de « Mitterrandac » (mais finalement Jarnac lui allait assez bien). Une explication simple à cette floraison : le suffixe « -ac » se traduit grosso modo par « chez », un peu comme le « -ker » des Bretons.

Hôpital des Pèlerins, Pons

DE SAINTES À SAINT-JEAN-D'ANGÉLY

Comme Cognac, **Saintes** ❺ possède un patrimoine exceptionnel. Commencer par grimper les marches de la ruelle de l'Hospice, entre petites maisons blanches et jardins suspendus. Les toits de tuiles roses servent de toile de fond à l'insolite clocher de la cathédrale. À ses pieds, la Charente nonchalante, dont Henri IV disait qu'il était le plus beau fleuve du Royaume, flirte avec de nombreux hôtels particuliers. Même si les siècles l'ont endommagé, l'amphithéâtre gallo-romain, adossé à un vallon naturel, a encore de beaux restes. La végétation qui, par endroits, a remplacé gradins et escaliers lui confère une allure toute romantique. Il pouvait recevoir jusqu'à 15 000 spectateurs ! Quant à l'arc de Germanicus, édifié au Ier s de notre ère, il fut sauvé de la destruction par Prosper Mérimée. Autre époque, autres mœurs à l'église Saint-Eutrope, chef-d'œuvre de l'architecture romane. Si l'édifice recèle encore quelques trésors, comme de magnifiques chapiteaux historiés, le prodigieux contraste offert par sa crypte laisse le visiteur sans voix. Pour finir, l'abbaye aux Dames, l'un des édifices majeurs de l'art roman saintongeais, promène les curieux d'un cloître au clocher de l'église abbatiale. Un festival de musique réputé s'y déroule tous les étés.

La ville de **Saint-Jean-d'Angély** ❻ est lovée dans un méandre de la Boutonne, où elle déploie ses majestueuses richesses architecturales. Son centre est un entrelacs de rues labyrinthiques dans lesquelles on découvre de beaux porches, d'élégantes façades et de ravissantes maisons à colombages. Si l'abbaye royale présente une architecture classique, son agencement intérieur est resté le même qu'au Moyen Âge : dortoir, infirmerie et logis des pèlerins ont subsisté. La tour de l'Horloge, une construction gothique du XVe s, enjambe une rue à l'emplacement d'une ancienne porte. Avant de repartir, faire un tour au musée des Cordeliers, qui évoque l'époque héroïque des fameuses expéditions Citroën en Afrique dans les années 1920. De sacrés road trips !

PAS DE CÔTÉ

À quelques kilomètres de Saint-Jean-d'Angély, l'**église Saint-Pierre d'Aulnay** est l'un des joyaux de l'art roman. Il faut imaginer l'édifice tel qu'il se présentait à l'origine, c'est-à-dire peint de la tête aux pieds ! Le portail sud est un vrai petit bijou avec ses multitudes de figures sculptées. On y croise prophètes et apôtres, vieillards de l'Apocalypse et un bestiaire d'une inventivité surprenante.

Et en empruntant la D 121 sur env 7 km, on parvient au **château de Dampierre-sur-Boutonne,** un joyau du XVIe s admiré pour sa galerie Renaissance et sa voûte sculptée de motifs alchimiques. Ses jardins sont aussi l'occasion d'une belle découverte.

DE ROCHEFORT À LA ROCHELLE

En filant vers l'ouest en direction de Rochefort, on entre dans une Charente bien différente de celle de l'intérieur. Ici, le relief est inexistant et l'eau omniprésente. On rencontre d'abord de vastes zones de marais à l'atmosphère envoûtante, particulièrement riches en vie sauvage. Puis, on glisse gentiment vers le littoral, qui se déploie avec douceur entre îles et estuaires. Partout, la lumière est unique.

Rochefort **7** ne se trouve qu'à quelques kilomètres des côtes atlantiques, dans une boucle de la Charente. Port actif, elle semble cependant hantée par le souvenir des voiliers qui virent le jour dans son arsenal. Fière de son passé, Rochefort a su conserver la cohérence de son élégante architecture, merveilleusement intacte.

La visite commence inévitablement à la Corderie royale, magnifique bâtiment du XVIIe s et symbole de la ville. Célèbre pour sa longueur (374 m !), c'est ici que l'on fabriquait les cordages destinés à la marine royale. À l'extérieur, la double forme de radoub, qui accueillit la reconstruction de *L'Hermione,* a été rénovée. Incontournable lui aussi, le musée national de la Marine est installé dans l'hôtel de Cheusses. Édifié entre 1600 et 1690, c'est le plus vieil édifice civil de la ville. À voir, des maquettes des XVIIe-XIXe s, et toutes sortes de souvenirs maritimes qui feront rêver les amoureux du grand large...

Dans l'attente de la réouverture de l'incroyable maison de Pierre Loti, une partie de la collection de l'écrivain rochefortais est exposée au musée Hèbre. Une visite virtuelle de la maison en 3D y est proposée.

CINÉMA

C'est en 1966 que Jacques Demy tourna à Rochefort, en décors réels, un hommage inoubliable à la comédie musicale américaine. Il faut dire que tout était réuni pour faire de ce film chanté, *Les Demoiselles de Rochefort*, une pure merveille : la présence pleine de grâce et de fantaisie de Françoise Dorléac et de Catherine Deneuve, sœurs dans la vie, et une musique géniale de Michel Legrand. Pour le film, on avait repeint de couleurs vives les volets de la place Colbert.

COUP DE CŒUR

L'HERMIONE, LA FRÉGATE DE LA LIBERTÉ

Le gigantesque chantier de reconstruction à l'identique de la frégate utilisée par Lafayette pour aller prêter main forte aux Indépendantistes américains a débuté en 1997. Après avoir accueilli plus de 3,7 millions de visiteurs à Rochefort durant sa construction, le bateau a finalement rejoint la côte est des États-Unis en 2015, lors d'une traversée de l'Atlantique triomphale. Un espace de 1 500 m² retrace l'aventure de la reconstitution et la navigation de la frégate (à grand renfort de vidéos, de panneaux, de photos...). Mais cette visite prend tout son sens quand *L'Hermione* fait à nouveau escale à Rochefort. On peut alors monter à son bord et accéder aux deux ponts principaux.

PAS DE CÔTÉ

Sur la côte entre La Rochelle et Rochefort, quelques jolies stations balnéaires comme **Fouras** profitent du microclimat local. Après avoir jeté un œil à son puissant sémaphore et découvert les jolies villas de son front de mer, il est temps d'embarquer pour **l'île d'Aix** (photo ci-contre). C'est une pépite d'à peine un demi-kilomètre sur trois, interdite aux voitures. Un parcours très agréable permet de faire le tour de l'île à pied entre hameaux de charme, cabanes ostréicoles, plages, criques et sous-bois. Avant de quitter l'île, jeter un œil au petit musée Napoléon, installé dans une maison bourgeoise où l'empereur séjourna.

Bon à savoir ☀ Prévoir un bon budget pour le parking (à Fouras), la traversée et la location éventuelle de vélos...

Tournée vers l'Océan et ses ressources, **La Rochelle** ⑧ a toujours su tirer parti de sa situation géographique. Rebelle et insoumise, la ville a connu une histoire mouvementée, illustrée par son riche patrimoine et ses musées. Aujourd'hui, son aquarium est l'un des plus courus d'Europe et ses Francofolies un incontournable pour tout amateur de musique et de festivités. La tour de la Lanterne, dite « des Quatre Sergents », servit longtemps de prison. Sa visite permet de découvrir les nombreux graffitis (610 répertoriés) laissés par les corsaires et autres prisonniers : dessins de navires et scènes de guerre, écritures calligraphiées, petits poèmes ou messages de détresse. Poignant ! Quant à la tour Saint-Nicolas, c'est un véritable palais médiéval, inscrit dans une forteresse construite à la fin du XIVᵉ s. Haute de près de 42 m, elle offre une très belle vue sur la ville. Passer ensuite sous la Grosse Horloge, ancienne porte de la ville qui marque la limite entre port et cité. Plus loin, ne pas manquer d'admirer l'hôtel de ville, l'un des joyaux du patrimoine architectural de La Rochelle. Les fanas de musées feront également un arrêt au « MAH », qui regroupe les musées du Nouveau Monde et des Beaux-Arts, évoquant tous deux le riche passé culturel de la ville.

Avant de quitter La Rochelle, une virée dans son superbe Aquarium s'impose. Les 82 bassins, alimentés par 3 millions de litres d'eau de mer, accueillent plus de 12 000 animaux. On s'immerge avec bonheur dans ces reconstitutions fidèles de milieux sous-marins. En sortant, on se dégourdit les jambes sur le Port des Minimes, le plus grand mouillage de plaisance d'Europe.

À ne pas manquer 🔍 Impossible d'évoquer La Rochelle sans ses Francofolies, qui ont fêté leurs 35 ans en 2019... Le festival est devenu, avec le Printemps de Bourges, LA référence, LE pouls de la chanson francophone. Pendant 5 jours, une centaine d'artistes pour une centaine de concerts sur une dizaine de scènes. Tout cela peut attirer plus de 100 000 festivaliers ! Pour les fauchés, il y a les concerts gratuits du festival off et le simple plaisir de se balader dans La Rochelle effervescente et festive.
Enfin, il est inconcevable de quitter La Rochelle sans avoir rempli son panier de produits frais régionaux vendus au marché, autour de la Halle. Bonne ambiance !

ÎLE DE RÉ

Entre pertuis breton et pertuis d'Antioche, voici la perle des îles de la façade atlantique. Sa forme est tout effilée : 30 km de long pour 5 km de large tout au plus, un terrain de jeu idéal pour les cyclistes. Baignée par les eaux chaudes du Gulf Stream et ensoleillée 2 600 h par an, l'île rayonne en toute saison.

Il faut musarder dans La Flotte, ancien bourg de pêcheurs aux ruelles paisibles, envahies de roses trémières. Son joli petit port bordé de terrasses invite à faire une pause ! Ensuite, direction Saint-Martin-de-Ré, la petite capitale de l'île. Très marqués par les aménagements du Grand Siècle, son port et ses vieilles rues n'ont rien perdu de leur charme. Les fortifications urbaines de la ville, signées Vauban, sont classées au Patrimoine mondial de l'Unesco. Après un détour par l'écomusée du Marais salant, on découvre enfin Ars-en-Ré et son clocher bicolore, dont l'histoire est très liée au commerce du sel. Son port a vraiment un cachet unique !

À l'extrême nord de l'île, tout road trip se termine forcément par un arrêt au fameux phare des Baleines. Octogonal et haut de 57 m, c'est l'un des plus massifs de la façade atlantique. On grimpe ses 257 marches par un superbe escalier en pierre pour finir le voyage sur un panorama exceptionnel embrassant toute l'île et sa région.

POUR SE DÉGOURDIR LES JAMBES

Du moulin à marée à la pointe du Grouin, sur la **presqu'île de Loix.** Une balade sublime entre mer et marais, formant une boucle d'une dizaine de kilomètres. Le moulin, dernier survivant des huit ou neuf ayant existé sur l'île de Ré, offre une vue imprenable sur la fosse de Loix. Le coin est aussi une zone d'hivernage pour de nombreux oiseaux migrateurs.

Fort de la Prée, La Flotte

FRINGALES

On citera d'abord les incontournables **fruits de mer**, des **huîtres** aux **moules de bouchot** en passant par les langoustines ! Les **poissons** ne sont pas en reste : **céteaux** ou **soles d'Oléron**, **casserons** (seiches) de Ré, **anguilles du marais poitevin**…

Reste à goûter les **cagouilles** (escargots), les **grillons** (rillons) et les **volailles de Barbezieux**.

Pour accompagner ce beau monde, des **pommes de terre de l'île de Ré** et même du **melon charentais**.

Et les produits laitiers ? On craque pour le **beurre AOC Charentes-Poitou**, bien sûr, mais aussi pour la **jonchée** ou la **caillebotte**.

Côté alcools, le roi s'appelle **cognac** ! Quant au **pineau des Charentes**, il s'apprécie en apéritif ou en dessert.

CARNET D'ADRESSES

ÉTAPES	INFORMATIONS
❶ ANGOULÊME	**|◉| Carré des Halles - Bachelier :** *pl. des Halles.* On se pose sur un tabouret au comptoir pour une assiette à base de bons produits en provenance de la ferme familiale (rillettes de canard, foie gras…), d'huîtres ou d'un plat du jour bien consistant. Ambiance assurée et service enjoué.
❷ COGNAC	**🏠 Quai des Pontis :** *16, rue des Pontis.* • *quaidespontis.com* • Du côté du quartier Saint-Jacques, un incroyable domaine au cœur d'un parc noyé dans la verdure. Plusieurs types d'hébergements : chambres façon lodges ou plus classiques, cabanes sur pilotis surplombant la Charente, roulottes… Déco de bon goût, confort optimal et même une piscine !
	🍷 La Cognathèque : *10, pl. Jean-Monnet.* • *cognatheque.com* • Immanquable ! Cette boutique propose près de 1 000 références de cognacs et pineaux. Pour vous y retrouver dans les appellations, sachez différencier les trois principales. Le VS (Very Special) indique que l'eau-de-vie la plus jeune entrant dans l'assemblage a au moins 2 ans ; le VSOP (Very Superior Old Pale) qu'elle a au moins 4 ans ; le XO (pour Extra Old) au moins 6 ans (mais bien souvent plus pour les meilleurs).
❼ ROCHEFORT	**🏠 Hôtel Roca Fortis :** *14, rue de la République.* • *hotel-rochefort.fr* • En plein centre, un ancien hôtel particulier dans une rue peu fréquentée. Les chambres qui donnent sur le patio ou sur le jardin invitent au farniente. Salle de petit déj très mignonne.
	|◉| Terre Océan : *82, rue Jean-Jaurès.* Rien que du frais dans ce resto marin ! Produits régionaux au service d'une cuisine simple, à accompagner d'un vin du mois à petit prix. Service sympa.
❽ LA ROCHELLE	**🏠 Entre Hôtes :** *chez M. et Mme Durand-Robaux, 8, rue Réaumur.* • *entre-hotes.com* • Cinq chambres d'hôtes très calmes, installées dans une élégante demeure particulière du XVIIIe s. Décor contemporain et confort total, à l'image des superbes salles de bains. Le petit déj se prend au jardin. Un coup de cœur.
	|◉| L'Entracte – La Brasserie de Grégory : *35, rue Saint-Jean-du-Pérot.* Annexe bistrotière du resto gastronomique *Les Flots*, ce petit resto transcende les produits de la terre et de la mer à des prix abordables. Cuisine grande ouverte sur la salle, dans un esprit très Sud-Ouest… Terrasse très agréable et excellent rapport qualité-prix.
❾ ÎLE DE RÉ	**|◉| La Cible :** *av. de la Plage, à Saint-Martin-de-Ré.* Merveilleusement situé, au bord d'une plage tranquille. Le succès confirme la réussite de ce joli cabanon magnifiquement aménagé. Par beau temps, on déjeune dehors. En hiver, on choisit une table près de la cheminée.

N°18

160 KM

1

D62

2 SAINT-AMAND-DE-COLY

MONTIGNAC 3

GROTTES
DE LASCAUX

D65

4 SAINT-LÉON-SUR-VÉZÈRE

5 LA ROQUE SAINT-CHRISTOPHE

LA MADELEINE 6

CHÂTEAU
DE COMMARQUE

EYRIGNAC
ET SES JARDINS

7 LES EYZIES   8

9 LES CABANES DU BREUIL

10 SARLAT-LA-CANÉDA

LA DORDOGNE

BEYNAC-ET-CAZENAC

11   LES JARDINS DE MARQUEYSSAC

JARDIN DU CHÂTEAU DES MILANDES   12 LA ROQUE-GAGEAC

CASTELNAUD-LA-CHAPELLE

13

BELVÈS   DOMME

D53   D50

14

D53

MONPAZIER

15

D660

CHÂTEAU DE BIRON

16

ARRIVÉE
VILLEFRANCHE-
DU-PÉRIGORD

FICHE PRATIQUE

SITUATION

Dordogne, Nouvelle-Aquitaine.

MEILLEURE PÉRIODE

C'est hors saison qu'il faut (re)découvrir le Périgord, pour éviter les foules estivales. Plus tranquille, la région s'offre alors dans toute son authenticité. En route !

MEILLEURS SOUVENIRS

Remonter le temps dans la « vallée de l'Homme », arpenter les plus beaux villages de France, succomber à la gastronomie périgourdine…

PRÉPARER SON ROAD TRIP

• dordogne-perigord-tourisme.fr

LES TRÉSORS DU PÉRIGORD

TERRASSON-LAVILLEDIEU
⟶ VILLEFRANCHE-DU-PÉRIGORD

Le Périgord ! Voilà un coin de France qu'il faut prendre le temps de savourer.
Début des réjouissances dans la vallée de la Vézère. C'est dans cette fameuse « vallée
de l'Homme », au cœur des superbes paysages du Périgord noir, que se trouve la grotte
mondialement connue de Lascaux. La région compte pas moins de 15 sites inscrits
au Patrimoine mondial de l'Unesco, autant de témoignages de l'importante activité humaine
des premiers âges. Tout près, à portée de volant, la vallée de la Dordogne déploie ses fastes
de méandre en méandre : châteaux, jardins suspendus, forêts et villages médiévaux.
Fin de la route à la frontière du Bordelais, où les bastides ont vu s'affronter
Anglais et Français.

LÉGENDES

ÉTAPES ●

À NE PAS LOUPER ·

FLEUVES, RIVIÈRES —

LA VALLÉE DE LA VÉZÈRE, LE NEZ EN L'AIR

Le premier contact avec la Vézère, pour qui arrive de l'autoroute A89, se fera à **Terrasson-Lavilledieu ❶**, à 25 km à l'ouest de Brive. Ici, l'histoire de l'humanité nous est contée en 13 tableaux le temps d'une visite guidée des Jardins de l'Imaginaire.

S'il y a trop de monde sur la route, pourquoi ne pas rejoindre Montignac par les chemins de traverse, en passant par le minuscule village de **Saint-Amand-de-Coly ❷**. Classé parmi les « Plus Beaux Villages de France », il mérite absolument ce titre et le détour, notamment pour son étonnante église, fortifiée pendant la guerre de Cent Ans.

On parvient ensuite à **Montignac ❸**. Cette petite capitale campagnarde a été rendue célèbre suite à la découverte de la grotte de Lascaux. Elle a vu le nombre de ses visiteurs tripler, voire quadrupler en 2017, après l'ouverture du centre international d'Art pariétal. Ce grand vaisseau de verre et de béton a révélé pour la première fois dans son intégralité la grotte reconstituée.

Une vingtaine de kilomètres plus loin, le village de caractère **Saint-Léon-sur-Vézère ❹** offre une belle homogénéité architecturale. En sinuant dans les quelques ruelles bordées de coquettes maisons de pierre blonde, les pas se dirigent naturellement vers la remarquable église romane qui expose son chevet rebondi sur une placette bucolique. Une belle étape sur la route, avec des adresses sympathiques pour grignoter un bout. Quelques artisans d'art se sont installés dans le village, dans de de jolies boutiques.

Conseil ! Se garer dès que possible en arrivant et arpenter le village à pied.

On arrive ensuite à **La Roque Saint-Christophe ❺**, l'un des trésors de la région. C'est le plus grand ensemble troglodytique d'Europe. Ici vécurent des hommes depuis Neandertal et jusqu'en 1588, date à laquelle le village fut démantelé. Une occupation s'étalant tout de même sur près de 55 000 ans ! Toutes les formes d'habitat s'y sont succédé. Neandertal, donc, mais aussi Cro-Magnon puis, bien plus tard, à partir du VIIIe s et jusqu'au XVIe s, toutes les sociétés du Moyen Âge ainsi que de la Renaissance. C'est d'ailleurs à cette époque que l'on commença à édifier des façades pour fermer les abris, parfois en encorbellement (gain d'espace), et que la vie s'organisa en communauté villageoise. En contrebas, jolie vue sur La Roque depuis la route, étroite à souhait, qui musarde entre rivière et falaise.

Poursuivre en passant par **La Madeleine ❻** ou **Les Eyzies ❼** : autant d'étapes ponctuées de randonnées dans une nature préservée et de savoureuses haltes gastronomiques.

COUP DE CŒUR

LASCAUX

Le 12 septembre 1940, quatre adolescents à la recherche d'un chien descendent dans une crevasse et tombent sur une grande salle couverte de peintures d'animaux. C'est la révélation d'une merveille archéologique et artistique : Lascaux, la « chapelle Sixtine de la préhistoire ».

À cause de la guerre, les travaux d'aménagement de la grotte ne purent être achevés qu'en 1948. Lascaux connut alors un énorme succès. Trop, puisque l'on s'aperçut, après une quinzaine d'années d'exploitation, que la visite de centaines de milliers de personnes avait perturbé l'équilibre atmosphérique et le degré d'humidité de la grotte, détériorant les parois et le support rocheux. Le site fut alors fermé en 1963, et il l'est toujours aujourd'hui. Pour le meilleur puisque la grotte se porte de mieux en mieux ! Mais revenons à nos... bisons. Pour ne pas priver le public d'un tel chef-d'œuvre, on entreprit la construction d'une réplique la plus exacte possible de Lascaux, **Lascaux II**. Celle-ci ouvrit en 1983 et reçut 10 millions de visiteurs. Plus de 30 ans après, c'est un projet d'une tout autre ampleur qui a mobilisé les énergies créatrices : **Lascaux IV**, un Centre international de l'art pariétal, unique en son genre ! On est ravi de découvrir l'intégralité de la grotte, reproduite à échelle réelle et dans ses moindres détails. Mais, ce qui frappe particulièrement, c'est l'utilisation des nouvelles technologies de l'image et du virtuel, qui permettent d'approcher au plus près le mystère d'une grotte autrefois fréquentée par une poignée d'artistes dont nous savons peu de choses.

Saint-Léon-sur-Vézère

SUR LA ROUTE DE SARLAT

On quitte la Vézère en direction de Sarlat. À deux pas des Eyzies, l'allure romantique du **château de Commarque** ❽ dut faire rêver les ados autrefois et lui vaut aujourd'hui de se retrouver dans nombre de romans et séries policières. Il est à lui seul un résumé de l'homme et de son habitat depuis la Préhistoire jusqu'au Moyen Âge. C'est aussi l'histoire du sauvetage d'un monument historique privé, incarnée de père en fils et de mère en fille par la famille de Commarque. Au gré de la visite, on passe des habitats troglodytiques au double donjon des XIIe et XIVe s, entouré de son enceinte et d'un village fortifié, on admire de belles frises de mâchicoulis, les restes d'un pont-levis, des salles effondrées aux cheminées accrochées dans le vide, des escaliers à vis…

Depuis Commarque, suivre les pancartes pour rejoindre les **Cabanes du Breuil** ❾. Un ensemble assez exceptionnel de cabanes de bergers en pierre sèche (bories) qui existe depuis 1449 (au moins !). Les cahutes (une dizaine en tout), aux toits de lauzes circulaires, ont été réalisées sans charpente, et leur origine demeure un mystère.

EXPÉRIENCES

DESCENTES DE RIVIÈRES

Deux grandes rivières se partagent le flot des kayakistes et canoéistes en Périgord : la **Dordogne** et la **Vézère**, auxquelles il faut tout de même ajouter l'**Isle**, la **Dronne** et l'**Auvézère**, charmantes également et moins fréquentées. Elles sont toutes différentes et possèdent chacune leurs attraits. Quel que soit le parcours, on voit défiler les nombreux châteaux nichés au cœur des plus beaux villages de France : Beynac, La Roque-Gageac… Les moins pressés organiseront de longues descentes d'une journée entière, en prenant le temps de pique-niquer et de se baigner. Les berges sont mouchetées par le matériel des loueurs. Une expérience sympa, à vivre en famille ou entre amis.

Sur la Dordogne et l'Isle, on peut également effectuer une promenade en gabare, réplique des anciens bateaux de commerce qui descendaient jusqu'à Bordeaux au XIXe s, chargés de vivres et de marchandises.

PAS DE CÔTÉ : LES JARDINS DU MANOIR D'EYRIGNAC, UN JOYAU DANS LA VALLÉE

Entre Lascaux et Sarlat, les **jardins du Manoir d'Eyrignac** comptent parmi les plus beaux de France. Créés au XVIIIe s dans un style à la française, ils ont été reconstitués de nos jours par Gilles, puis Patrick Sermadiras. Minutieusement structurés, domestiqués, ils sont un parfait exemple de l'art topiaire. Ces sculptures végétales composées d'ifs, de buis et de charmes, taillés à la main par des jardiniers virtuoses, arborent des formes parfaites. Parfois tout en courbes et en douceur, parfois rectilignes et pleines de rigueur. Et ce camaïeu de vert appelle forcément à la flânerie. Eyrignac s'étend sur 10 ha et on se laisse porter, selon l'humeur, d'une allée de charmes à une pagode chinoise du XVIIIe s, du jardin à la française, qui s'aligne dans la perspective du manoir (privé) jusqu'à la poétique et délicate roseraie blanche.

10

Sarlat ! **10** Prononcez ce mot et votre interlocuteur vous regardera d'un œil gourmand. La renommée de cette ville est, il est vrai, inversement proportionnelle à sa petite taille. Rares sont les lieux qui bénéficient d'autant d'atouts : architecture remarquable, patrimoine historique exceptionnel et gastronomie digne d'un pays de Cocagne. Bref, Sarlat réunit tous les ingrédients d'un certain art de vivre à la française. Or, il faut bien le dire, la médaille dorée de Sarlat a son revers : victime de sa bonne réputation, la ville est bondée en été. C'est donc hors saison qu'il faut visiter Sarlat. Et, là, vous pourrez (presque) avoir la belle périgourdine pour vous seul. Plus tranquille, la ville n'en est que plus belle. Et, à la nuit tombée, quand ses ruelles désertées s'offrent à la lueur vacillante des réverbères alimentés au gaz naturel, c'est un pur enchantement.

VALLÉE DE LA DORDOGNE : LA ROQUE-GAGEAC ET BEYNAC, DEUX VILLAGES STARS DU PÉRIGORD

Au sud du pays de Sarlat, tous les chemins mènent à « la vallée de la Dordogne », mais certains sont plus longs que d'autres. Les premiers embouteillages vous renseignent aux beaux jours. C'est qu'ici rien n'a été fait pour les grandes invasions, depuis la guerre de Cent Ans. On traverse, ou on stationne là où on vous dit de stationner. Et on paye, sans rechigner.

Beynac-et-Cazenac ⓫ est un superbe vieux village, dominé par un château splendide qu'il faudra immanquablement visiter. Ses charmes n'avaient pas échappé à Paul Éluard qui décida d'y finir ses jours.

C'est un des bijoux de la vallée. Pour s'en convaincre, il suffit de gravir les ruelles aux énormes pavés jusqu'au château, entre de nobles demeures dont la belle pierre change sans cesse de couleur, suivant les caprices du soleil couchant... Une balade romantique à souhait et un point de vue superbe sur la rivière en prime.

Beynac fut de tout temps en rivalité avec Castelnaud, qui passa la guerre de Cent Ans côté anglais, tandis que Beynac conserva bon an mal an son autonomie. Il ne fut pris que deux fois : par Richard Cœur de Lion et Simon de Montfort.

PAS DE CÔTÉ

Le **château de Castelnaud** est le plus visité du Périgord, sinon le plus admiré, avec le village à ses pieds. De là-haut, panorama exceptionnel sur la falaise, le château de Beynac, celui de Marqueyssac et sur le village de La Roque-Gageac. On découvre un magnifique exemple de fortification féodale, organisé de manière rationnelle et efficace. C'est toute l'histoire du pays que ces vieux murs pourraient raconter, depuis le premier château, construit au XIIe s, jusqu'à son abandon dans les années 1960 et sa restauration au fil des ans. Mais ce qui parle surtout à toutes les générations, ce sont les collections, disséminées au fil d'une quinzaine de pièces, du **musée de la Guerre au Moyen Âge**. Les pièces authentiques, s'échelonnant du XIIIe au XVIIe s, permettent de remonter le temps à travers salle d'artillerie, coursives, salles d'armes, terrasses, magasin d'armes, casemates, cuisines...

Aller ensuite jusqu'au **château des Milandes**, un des temps forts de la balade au fil de la Dordogne. Son nom fut rendu célèbre par Joséphine Baker, grande artiste de music-hall qui connut un incroyable succès sur les scènes parisiennes dès 1925. Tour à tour chanteuse, danseuse et actrice, Joséphine Baker fut aussi une espionne au service des Alliés durant la Seconde Guerre mondiale. C'est en 1947 qu'elle achète le château des Milandes et y fonde son « Village du Monde, capitale de la fraternité universelle ». Elle investit alors toute sa fortune dans cette propriété afin que ses 12 enfants, tous adoptés, y trouvent un refuge d'amour et de paix.

POUR SE DÉGOURDIR LES JAMBES

À quelques kilomètres de la ville coule la Dordogne. Pour avoir une magnifique vue d'ensemble sur la vallée, les châteaux et les villages, grimpez aux **jardins de Marqueyssac**, nichés sur un promontoire rocheux à 130 m au-dessus des méandres de la rivière. Ces jardins suspendus offrent plus de 6 km de promenades ombragées, bordées de 150 000 buis centenaires taillés à la main et ponctuées de belvédères, de points d'eau et d'aires de jeux. L'été, Marqueyssac se couvre tous les jeudis soirs d'un millier de bougies.

Coincé entre la Dordogne et la falaise, **La Roque-Gageac** ⓬ est lui aussi classé parmi les « Plus Beaux Villages de France ». Les quais rappellent l'activité batelière de jadis qui fit vivre et prospérer pêcheurs et gabariers durant quelques siècles. Pour découvrir depuis la rivière les cinq plus beaux (et imposants) châteaux du secteur, deux compagnies partent en alternance à l'heure pile ou à la demie de chaque heure. Au retour, on grimpe entre les maisons aux toits bruns qui se serrent les unes contre les autres ou tentent de s'accrocher aux flancs vertigineux de la masse rocheuse qui domine le village. On découvre au passage la résidence secondaire

des évêques de Sarlat, le fort troglodytique. Par beau temps, au soleil déclinant, une promenade à ne pas manquer mène jusqu'à l'église du XVe s, enfouie dans la roche dans une végétation quasi tropicale.

PAYS DES BASTIDES

Au cœur des méandres de la Dordogne, voici **Domme** 🔞, « acropole du Périgord noir ». Tout est dit. Cette bastide ceinte de remparts fut élevée en 1281, sur une falaise, par le roi de France Philippe III le Hardi pour faire face à la menace de « l'Anglois ». Pendant la guerre de Cent Ans, puis les guerres de Religion, la cité passera sans cesse d'un camp à l'autre. C'est un ravissement que d'explorer ses ruelles étroites lors d'une balade romantique entre les vieilles demeures de calcaire blond, guettant la myriade de petits jardins fleuris et secrets.

Au sud de la vallée de la Dordogne, halte bienvenue à **Belvès** 🔢, le « village aux sept clochers », notamment le jour du marché, quand l'animation bat son plein autour de la vieille halle du XVᵉ s. Ce bourg tranquille et sympathique, niché sur un éperon rocheux, cache bien son jeu… Une visite guidée dévoile son ancien habitat troglodytique, qui ménage une vision plus crue, plus réelle du pays. Situées à 5 m sous terre, ces habitations furent occupées au Moyen Âge et jusqu'au XVIIIᵉ s. On y pénétrait autrefois par le fossé, comblé autant pour des raisons de salubrité que de sécurité. La visite redonne vie à ceux qui y vécurent autrefois, souvent pas très âgés.

À l'écart du centre, de jolies surprises, comme l'église de Montcuq, sombre, massive, du XIIIᵉ-XVᵉ s, quasiment sans fenêtre, mais possédant un retable et des fresques remarquables, patiemment restaurées. Ou encore l'ancienne filature, où machines, fils et bobines sont restés en l'état. Suite du voyage dans le temps à **Monpazier** 🔢, l'un des « Plus Beaux Villages de France », là encore, mais aussi la plus belle bastide du Périgord. Construite par Édouard Iᵉʳ, roi d'Angleterre et duc d'Aquitaine, elle fut longtemps la rivale de Villefranche-du-Périgord : l'une anglaise, l'autre française ; puis l'une protestante et l'autre catholique. Un miracle qu'elle ait réussi, depuis 1284, à traverser les vicissitudes de l'histoire. Les remparts ceignent toujours sa taille de guêpe, que l'âge n'a pas déformée. Les ruelles gardent une rectitude qu'aucune ridule n'a défigurée. La place est bordée de vénérables demeures, rousses de leurs tuiles romaines, qui n'ont pas pris un cheveu blanc. En parcourant ses carreyrous (ruelles transversales) parfois grossièrement pavées, on tombe nez à nez avec des colombages, des fenêtres Renaissance, de massives portes en bois : un incroyable éventaire de beautés architecturales. À chaque passage voûté en ogive, on s'attend à voir débouler les archers de la garde écossaise… On insiste, Monpazier est parfaitement conservé. Outre son indéniable charme, on y trouve toutes les spécificités de l'urbanisme de ces villes nouvelles du XIIIᵉ s.

COUP DE CŒUR

LE CHÂTEAU DE BIRON

Ce château est l'un des témoignages les mieux conservés de l'histoire du Périgord. De sa haute stature, il surveille la région sur au moins 30 km. Construit au XIIe s, il a appartenu à la même famille (les Gontaut) pendant 24 générations, jusqu'au XXe s. Tous les types d'architecture y cohabitent : du donjon du XIIe s aux bâtiments du XVIIIe s en passant par une chapelle Renaissance. C'est d'ailleurs un lieu de tournage privilégié. Il fut largement utilisé pour *Les Visiteurs II*.

On rejoint finalement **Villefranche-du-Périgord** 16 , tout au sud. Bastide la plus ancienne du pays, elle fut aussi érigée par les Français, pour en surveiller d'autres, situées dans un Périgord qui voit rouge si on le qualifie aujourd'hui de pourpre. Mais c'est déjà une autre histoire.

Beynac-et-Cazenac

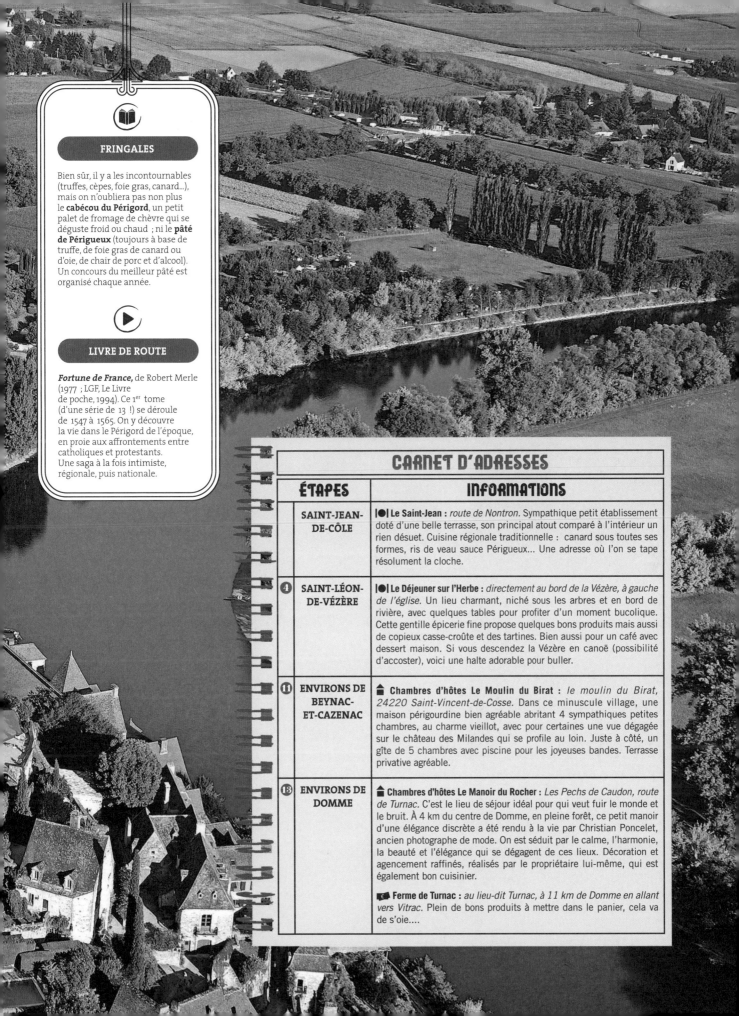

FRINGALES

Bien sûr, il y a les incontournables (truffes, cèpes, foie gras, canard…), mais on n'oubliera pas non plus le **cabécou du Périgord**, un petit palet de fromage de chèvre qui se déguste froid ou chaud ; ni le **pâté de Périgueux** (toujours à base de truffe, de foie gras de canard ou d'oie, de chair de porc et d'alcool). Un concours du meilleur pâté est organisé chaque année.

LIVRE DE ROUTE

Fortune de France, de Robert Merle (1977 ; LGF, Le Livre de poche, 1994). Ce 1er tome (d'une série de 13 !) se déroule de 1547 à 1565. On y découvre la vie dans le Périgord de l'époque, en proie aux affrontements entre catholiques et protestants. Une saga à la fois intimiste, régionale, puis nationale.

CARNET D'ADRESSES

ÉTAPES	INFORMATIONS
SAINT-JEAN-DE-CÔLE	**⦿ Le Saint-Jean :** *route de Nontron.* Sympathique petit établissement doté d'une belle terrasse, son principal atout comparé à l'intérieur un rien désuet. Cuisine régionale traditionnelle : canard sous toutes ses formes, ris de veau sauce Périgueux… Une adresse où l'on se tape résolument la cloche.
④ SAINT-LÉON-DE-VÉZÈRE	**⦿ Le Déjeuner sur l'Herbe :** *directement au bord de la Vézère, à gauche de l'église.* Un lieu charmant, niché sous les arbres et en bord de rivière, avec quelques tables pour profiter d'un moment bucolique. Cette gentille épicerie fine propose quelques bons produits mais aussi de copieux casse-croûte et des tartines. Bien aussi pour un café avec dessert maison. Si vous descendez la Vézère en canoë (possibilité d'accoster), voici une halte adorable pour buller.
⑪ ENVIRONS DE BEYNAC-ET-CAZENAC	**🏠 Chambres d'hôtes Le Moulin du Birat :** *le moulin du Birat, 24220 Saint-Vincent-de-Cosse.* Dans ce minuscule village, une maison périgourdine bien agréable abritant 4 sympathiques petites chambres, au charme vieillot, avec pour certaines une vue dégagée sur le château des Milandes qui se profile au loin. Juste à côté, un gîte de 5 chambres avec piscine pour les joyeuses bandes. Terrasse privative agréable.
⑬ ENVIRONS DE DOMME	**🏠 Chambres d'hôtes Le Manoir du Rocher :** *Les Pechs de Caudon, route de Turnac.* C'est le lieu de séjour idéal pour qui veut fuir le monde et le bruit. À 4 km du centre de Domme, en pleine forêt, ce petit manoir d'une élégance discrète a été rendu à la vie par Christian Poncelet, ancien photographe de mode. On est séduit par le calme, l'harmonie, la beauté et l'élégance qui se dégagent de ces lieux. Décoration et agencement raffinés, réalisés par le propriétaire lui-même, qui est également bon cuisinier. **🛒 Ferme de Turnac :** *au lieu-dit Turnac, à 11 km de Domme en allant vers Vitrac.* Plein de bons produits à mettre dans le panier, cela va de s'oie….

FICHE PRATIQUE

 SITUATION

Lot, Occitanie.

 MEILLEURE PÉRIODE

Les intersaisons offrent deux avantages : moins de monde sur les routes et des prix plus intéressants.

 MEILLEURS SOUVENIRS

La gastronomie, le village médiéval de Saint-Cirq-Lapopie qui semble sortir d'un livre de contes de fées, les balades en gabare sur le Lot et les petites randonnées dans des décors de toute beauté.

 PRÉPARER SON ROAD TRIP

• tourisme-lot.com

DÉPART

CAHORS ①

D653 D662

② SAINT-CIRQ-LAPOPIE

FIGEAC

ARRIVÉE

CAPDENAC

5

LE LOT

D86

CAJARC

D662

4

CHÂTEAU
DE CÉNEVIÈRES

3

AU CŒUR DE LA VALLÉE DU LOT

CAHORS ➤ CAPDENAC

Entre le mont Lozère, où il prend sa source, et Aiguillon, où il se jette dans la Garonne, le Lot serpente sur 481 km à travers la Lozère, l'Aveyron, le Cantal, le Lot et le Lot-et-Garonne. La portion de cette rivière qui se situe dans le département du même nom est longée par une route splendide. De Cahors à Capdenac, le Lot se faufile entre de hautes falaises, coincé entre les causses de Gramat et de Limogne. Bien plus encaissé qu'en aval de Cahors, il a dû tailler ici son cours à travers le calcaire, obligeant les hommes à percher leurs villages au sommet des rochers, voire dans la roche en certains endroits, forçant la route à se frayer un passage à même la pierre. Les paysages sont variés et les bourgs médiévaux, lovés dans des écrins de verdure, définitivement charmants.

LÉGENDES

ÉTAPES ●

À NE PAS LOUPER •

FLEUVES, RIVIÈRES —

Pont Valentré, Cahors

UN PACTE AVEC SATAN !

On raconte que pour arriver à construire le pont Valentré, l'architecte dut pactiser avec le diable auquel il tendit un piège au dernier moment. Pour se venger, celui-ci détruisit une partie de la tour située au milieu du pont. C'est pour immortaliser cette légende que le Malin fut sculpté dans la pierre de l'édifice, d'où son surnom de « pont du Diable ».

DE CAHORS À CAPDENAC-LE-HAUT

Belle bourgade ancienne, **Cahors** ❶ est la principale ville du Quercy. Elle fut originellement construite dans une large boucle du Lot, ce qui lui donne une douce allure de presqu'île. Cité ouverte sur le monde dès l'Antiquité, puissante place financière au Moyen Âge, elle sombra ensuite dans l'oubli. Aujourd'hui, on redécouvre avec bonheur son incroyable patrimoine architectural médiéval, circonscrit dans la partie est de la ville, en flânant de ruelle en placette jusqu'à déboucher sur son emblème : le fameux pont Valentré, superbe ouvrage du XIVᵉ s rehaussé de trois tours qui veillent sur le Lot.

À une demi-heure de route à l'est de Cahors apparaît **Saint-Cirq-Lapopie** ❷. D'une homogénéité architecturale quasi parfaite, le village s'agrippe à une falaise de 100 m de haut, dégringolant dans le Lot. Un paysage de carte postale qui attire les foules en saison. Du rouge, de l'ocre, du rose orangé, toutes les nuances de gris et les taches multicolores des roses trémières. Ainsi se dévoile le village quand le regard saisit dans son ensemble les petites maisons qui grimpent au flanc de la colline dans un infatigable assaut. Puis ce sont les détails qui émerveillent : telle petite maison haute et droite, telle fenêtre dans un toit, tel seuil de porte, tel balconnet, et les nombreuses façades en encorbellement, les fenêtres à meneaux, les ouvertures en accolade. Saint-Cirq-Lapopie est un miracle d'équilibre reconstitué, particulièrement dans la partie basse du village, authentique et à l'écart des inévitables boutiques d'artisans et de souvenirs. Beau panorama sur la vallée depuis le roc dominant le bourg, là où se dressait jadis le château. À l'instar d'André Breton, qui « a cessé de se désirer ailleurs » lorsqu'il a découvert « Saint-Cirq », difficile de ne pas tomber amoureux de ce merveilleux village, considéré comme l'un des plus beaux de France.

> ## POUR SE DÉGOURDIR LES JAMBES 🚶

LE CHEMIN DE HALAGE DE SAINT-CIRQ À BOUZIÈS

Départ au pied du village, en face de l'écluse. Compter 2h pour parcourir les 10 km aller-retour le long du Lot (rive gauche) par un agréable chemin de halage bien entretenu, emprunté au XIXᵉ s par les bœufs tirant les gabares, ces bateaux à fond plat qui acheminaient les marchandises sur le Lot, notamment le vin, vers l'amont de la rivière. Une partie du parcours est creusée dans le roc. Pour admirer le village sous un autre angle, on peut aussi embarquer à bord d'une **gabare**.

À 8 km à l'est de Saint-Cirq, ne pas manquer de visiter le **château de Cénevières** ❸, avec sa très belle façade, côté Lot, à 70 m de hauteur, sur un roc en à-pic. Le site fut de tout temps un poste d'observation fortifié et l'un des derniers points de résistance de Gaiffier, duc d'Aquitaine, à Pépin le Bref (premier fédérateur de la France). Un premier château fut construit au XIIIᵉ s par les Gourdon en prévision des attaques anglaises. Le gros donjon est l'unique vestige de cette époque. C'est au XVIᵉ s que Cénevières connut son apogée avec Flottard de Gourdon, ami de Galiot de Genouillac, le grand maître d'artillerie de François Iᵉʳ.

À l'est toujours, l'ancienne ville épiscopale de **Cajarc** ❹ offre un mignon centre-ville de forme ovale, tassé autour de l'église et bordé d'un boulevard « circulaire » alignant cafés, commerces et restos remarquables (une chance pour les gourmets !). Si la ville est modeste, elle a pourtant vu passer quelques célébrités : Françoise Sagan y est née le 21 juin 1935 et y a passé une grande partie de son enfance ; Pompidou venait s'y mettre au vert, sans oublier Papy Mougeot du Schmilblick de Coluche...

❸ DU VIN POUR CALMER LES ARDEURS INCENDIAIRES

Pendant la Révolution française, le château de Cénevières échappa à l'incendie grâce à un coup de génie de son intendant. Alors que les révolutionnaires arrivaient de Cajarc pour le brûler, l'intendant leur ouvrit toutes grandes les portes de la riche cave. Cela ne les empêcha pas de piller le château et de l'abîmer un peu, mais ce fut un moindre mal !

❹ OR ROUGE

Cajarc est la capitale du safran du Quercy, une culture relancée en 1997 et qui occupe une soixantaine de producteurs sur seulement 3 ha. Un travail d'une extrême précision puisque entièrement réalisé à la main, de la cueillette des fleurs au prélèvement de l'épice qu'elles renferment. 200 fleurs donnent à peine 1 g de safran.

❺ Après avoir suivi la rivière sur 30 km depuis Cajarc, on termine le road trip à **Capdenac** ❺. Petit village, fier de faire partie des « Plus Beaux Villages de France », il est édifié sur un promontoire qui domine un méandre du Lot. On peut y admirer un superbe panorama, et y visiter le donjon et les deux bassins de la fontaine romaine, accessibles par un escalier de 135 marches, de l'autre côté des ruines du château.

PAS DE CÔTÉ : FIGEAC

À 7 km, en remontant vers le nord, on quitte la vallée du Lot pour rejoindre celle du Célé et la ville de **Figeac**, petite perle à l'extraordinaire patrimoine architectural. C'est un véritable enchantement que de parcourir son centre médiéval le nez en l'air, en détaillant les façades sculptées, tourelles, fenêtres ouvragées, blasons et, surtout, les soleilhos, ces greniers ouverts utilisés comme séchoirs (denrées, draps, etc.), aujourd'hui très prisés pour l'habitat. Visiter le musée Champollion, en partie installé dans la maison natale de Jean-François Champollion, qui rend hommage au travail et au génie de l'illustre savant, déchiffreur des hiéroglyphes. Les collections abordent plus largement la fabuleuse aventure des écritures du monde, depuis l'apparition du cunéiforme en Mésopotamie jusqu'à l'écriture numérisée en usage aujourd'hui (soit près de 5 300 ans d'histoire !).

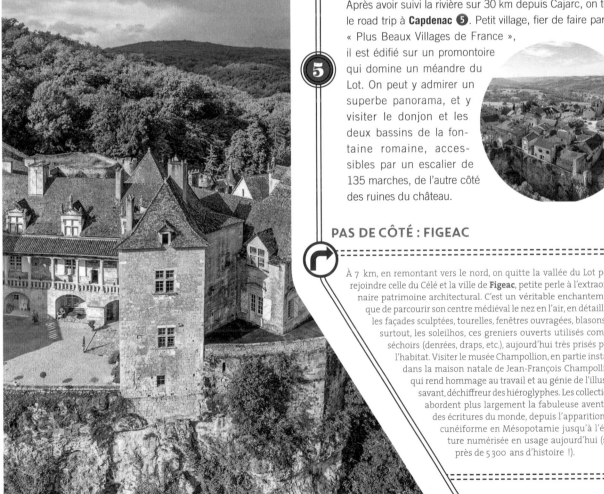

Château de Cénevières

Saint-Cirq-Lapopie

FRINGALES

Cette région appartient à la crème de la **France gourmande**. Ici, le moindre resto de campagne offre des ripailles d'un rapport qualité-prix épatant. Citons, quelques spécialités comme le **cabécou** (fromage de chèvre) ou le **safran du Quercy**, cultivé dans les environs de Cajarc. Et bien sûr, le **vin de Cahors**, à la réputation grandissante, qui revient pourtant de loin. Il a bien failli n'être qu'un souvenir dans nos mémoires, lorsqu'en 1878, le phylloxéra s'abattit sur la région. Aujourd'hui, le cahors compte 180 domaines répartis sur 45 communes et 25 % de la production est exportée.

CARNET D'ADRESSES

ÉTAPES	INFORMATIONS
❶ CAHORS	🏠 **Hôtel Jean XXII :** *2, rue Edmond-Albe.* Installé dans une section de l'ancien palais Duèze, cet hôtel simple et confortable dresse en bord de boulevard sa belle façade percée de fenêtres géminées.
	⦿ **Les Pizzas du Camion Jaune :** *au fond du marché aux halles, à droite.* Seulement à emporter, un long choix de pizzas confectionnées sur place avec des produits exclusivement frais, de la classique jambon-fromage à la plus locale quercynoise (asperge-cabécou). Également un plat cuisiné type lasagnes, pastilla, briouates.
	⦿ **Le Bergougnoux :** *77, rue Docteur-Bergougnoux.* Dans une étroite ruelle du vieux Cahors, un resto de poche que l'on se recommande dans le creux de l'oreille. Pas de carte, le choix est à l'ardoise pour une cuisine de marché variant au fil des saisons.
	⦿ **L'Ô à la Bouche :** *56, allées Fénelon.* Un resto qui porte bien son nom tant la carte est appétissante. Celle-ci mise sur une sélection de produits locaux, sérieusement choisis et cuisinés avec créativité. Bref, l'occasion de goûter un terroir habilement revisité.
❷ SAINT-CIRQ-LAPOPIE	⦿ **L'Oustal :** *dans le bas du village, juste au-dessus du Cantou.* Que ce soit à l'ardoise ou à la carte, les plats servis mettent à l'honneur une cuisine locale et de saison judicieusement teintée d'une pointe de créativité. Assiettes généreuses, produits frais et accueil adorable.
❹ CAJARC	🏠 ⦿ **L'Auberge du pont :** *16, av. Coluche.* • *auberge-cajarc.com* • Une auberge bien dans son temps mais qui pratique des prix d'avant-guerre. La cuisine de tradition régionale, solide et généreuse, met bien entendu le canard à l'honneur. Exceptionnelles formules midi et soir en semaine incluant un copieux buffet de hors-d'œuvre. Également des chambres simples à l'étage, à la déco gentiment contemporaine.
❺ CAPDENAC	🏠 ⦿ **Le Relais de la Tour :** *pl. Lucter.* • *lerelaisdelatour.fr* • Un emplacement de choix et pas de concurrence : c'est le seul hôtel de ce ravissant village. Belle déco, sobre, moderne et chaleureuse. Les chambres sont réussies, tout comme la salle de resto. Belle cuisine régionale. Terrasse sur la place principale.

N°20

250 KM

FICHE PRATIQUE

SITUATION

Occitanie.

MEILLEURS SOUVENIRS

Arpenter les bastides fortifiées de Rouergue, descendre les gorges de l'Aveyron en canoë, se délecter de produits locaux ancestraux.

PRÉPARER SON ROAD TRIP www.

- tourisme-aveyron.com
- bastidesdurouergue.fr

ABBAYE SAINTE-FOY DE CONQUES

CONQUES **4**

GROTTE DE FOISSAC

PEYRUSSE-LE-ROC **5**

VILLENEUVE -D'AVEYRON **6**

BELCASTEL

3

VILLEFRANCHE-DE-ROUERGUE **7**

D922

SAUVETERRE-DE-ROUERGUE

2

NAJAC **8**

CHATEAU DU BOSC

MAISON JEAN BOUDOU

D922

CORDES-SUR-CIEL

ARRIVÉE

PUYCELSI

9

AVEYRON

11

10

CASTELNAU-DE-MONTMIRAL

DÉPART

1 RODEZ

N88

À L'ASSAUT DES BASTIDES DU ROUERGUE

RODEZ ⟶ PUYCELSI

Au sud du Périgord et de l'Auvergne, mais au nord de l'Occitanie, l'Aveyron, ancien Rouergue, est une terre de contrastes : Villefranche côtoie le Quercy ; d'Entraygues à Laguiole dans l'Aubrac, on louche vers l'Auvergne ; du haut du célèbre viaduc de Millau, c'est la Méditerranée qui pointe le bout de son nez. Sur la route, s'égrènent certaines des plus belles bastides de l'Aveyron, blotties dans un terroir authentique.
Au programme, villages médiévaux au charme intact, marchés comme autrefois et paysages tantôt vallonnés tantôt striés de gorges abruptes. Là, on vit au rythme des troupeaux de brebis ou de vaches immobilisant la circulation, le temps de profiter du paysage.

LÉGENDES

ÉTAPES ●

À NE PAS LOUPER ·

FLEUVES, RIVIÈRES ▬

250 KM

DE RODEZ À NAJAC, PAR LES GORGES DE L'AVEYRON

Lovée dans un écrin de verdure, adossée contre une boucle de l'Aveyron et dominant la région du haut de sa colline à 627 m d'altitude, **Rodez** ❶ est la capitale du Rouergue. Il fait bon flâner dans la vieille ville avec sa somptueuse cathédrale, ses hôtels particuliers Renaissance et son surprenant musée Fenaille, petite merveille archéologique. Il présente la plus importante collection en Europe occidentale de statues-menhirs, dont « la dame de Saint-Sernin », découverte par l'abbé Hermet en 1888 et si chère à Pierre Soulages. Vieilles de près de 5 000 ans, ces œuvres demeurent une énigme. Quelle civilisation en est à l'origine ? Dans l'admirable musée Soulages, on progresse dans l'œuvre de l'artiste depuis les couleurs sombres jusqu'aux peintures à l'huile grand format, travaillées à la brosse et dans l'épaisseur de la matière.

LA CATHÉDRALE NOTRE-DAME DE RODEZ

Un des chefs-d'œuvre du gothique : 107 m de long sur 36 m de large. Le grès rouge (très friable, ce qui nécessite une restauration constante) crée une agreable impression de chaleur. Commencée au XIIIe s, elle ne fut achevée que trois siècles plus tard. Mais, contrairement à d'autres édifices dont la construction dura également fort longtemps, elle présente une architecture assez homogène. Le fascinant clocher du XVIe s, de style gothique flamboyant, s'élève à 87 m de haut.

À l'ouest et au sud de Rodez, on traverse une région longtemps restée pauvre. La grande acidité des sols empêchait la culture des céréales nobles, comme le blé. On se contentait d'y faire pousser le seigle (d'où le nom *Ségala*). La situation s'améliora avec la construction, en 1902, du viaduc du Viaur, qui, en désenclavant la région, a notamment permis l'apport de chaux pour fertiliser les champs et diversifier les cultures. Le plateau est profondément entaillé par les cours d'eau. Aussi, après des passages relativement plats, la route plonge-t-elle dans de pittoresques vallons verdoyants dominés par des éperons rocheux.

Fondée en 1281 par Guillaume de Mâcon, sénéchal du Rouergue, **Sauveterre-de-Rouergue** ❷ est un chef-d'œuvre d'équilibre urbain, au charme indicible, avec maisons à colombages, vestiges de fortifications, douves, tours, portes de la ville... le tout bâti autour de la place des Arcades. Cette dernière, exceptionnellement grande pour une bastide, permet d'imaginer l'importance de la cité au Moyen Âge. Un vrai décor de théâtre !

À voir aussi 📷 Le château du Bosc, près de Naucelle. C'est la demeure familiale où Toulouse-Lautrec venait passer ses vacances chaque année étant enfant et où il garda ses habitudes plus tard. Ne pas louper non plus la maison Jean-Boudou, à Crespin. Le pouls occitan bat ici plus que jamais, au gré d'une immersion dans l'univers tantôt poétique, tantôt réaliste de l'écrivain.

FOCUS
AU PAYS DES BASTIDES

Ces villes pas comme les autres, fondées au Moyen Âge, sont appelées bastides. Comment sont-elles nées ? La forte croissance démographique et les désordres politiques au début du XIIIe s dans le Sud-Ouest, mais aussi la nécessité de regrouper la population dans un même endroit, obligent le roi de France à faire preuve d'ingéniosité. Malin, il crée ces villes neuves, souvent fortifiées, dotées d'un quadrillage rectangulaire séparé par un réseau de voies orthogonal, commandé par une belle place centrale à arcades appelée les « couverts ». Ces bastides, témoignages vivants d'un phénomène unique d'urbanisation médiévale, sont aujourd'hui très visitées.

À ne pas manquer 🔍 Le Festival en Bastides. 1re semaine d'août. • espaces-culturels.fr • Théâtre et arts de rue à Villefranche, Najac, Sauveterre, Villeneuve, La Bastide-l'Évêque, Rieupeyroux.

Conques

Le merveilleux – et discret – village de **Belcastel** ❸ dégringole vers l'Aveyron, dans un désordre architectural poétique. Église du XVᵉ s avec un gisant classé et un chemin de croix contemporain, ruelles parées de petits pavés ronds, solides demeures médiévales dans le beau grès local, superbe pont gothique ; au milieu, une croix du XIIIᵉ s érigée là sur une table d'autel plus ancienne encore, pour apaiser les rivalités existant entre les habitants d'un côté et de l'autre du pont... Et puis, au sommet du village, dominant l'Aveyron, il reste encore le château fort du haut Moyen Âge. Ancienne propriété du célèbre architecte Fernand Pouillon (1912-1986), qui a notamment reconstruit une partie des immeubles du port de Marseille dans les années 1950, il est ouvert à la visite.

Même si, en Aveyron, tous les chemins mènent à **Conques** ❹, on préfère arriver par la route de Noailhac. La vue sur le village agrippé à son roc est vertigineuse et l'entrée triomphale (mais prudente !) par le petit pont dit « romain » (celui des pèlerins). Tous les superlatifs ne suffiraient pas à décrire l'émotion que l'on éprouve en découvrant Conques, ses splendides demeures aux grosses pierres rougeâtres, ses toits de lauzes et sa superbe abbatiale Saint-Foy sauvée de la ruine par Prosper Mérimée, infatigable inspecteur des Monuments historiques ! Un vrai bijou aux 95 simplissimes vitraux contemporains conçus par Pierre Soulages.

Le voyage dans le temps continue à **Peyrusse-le-Roc** ❺. Ce site médiéval impressionnant rassemble sept monuments abrités dans l'enceinte d'un charmant vieux village isolé et joliment fleuri. Accroché à la montagne, il devait son importance à sa position stratégique et à des mines d'argent. Lorsqu'elles furent épuisées, la ville vécut une lente déchéance avant d'être abandonnée au début du XVIIIᵉ s.

À voir aussi 📷 **La grotte préhistorique de Foissac.** Pour découvrir la vie des hommes du Chalcolithique (3400-2000 ans av. J.-C.).

LES ASSAILLANTS SONT MAL ACCUEILLIS

Les escaliers à vis des forteresses, comme celle de Najac, tournent généralement dans le sens des aiguilles d'une montre. En effet, l'épée se tenait généralement avec la main droite. Ainsi, les attaquants qui gravissaient l'escalier pour conquérir les étages de l'édifice se trouvaient handicapés dans leurs mouvements par la vis centrale. Des escaliers « vicieux » en somme...

⑥

Plus loin, **Villeneuve-d'Aveyron** ⑥, ancienne sauveté (lieu de protection) fondée au XIᵉ s, puis transformée en bastide du causse minéral, est aujourd'hui un village paisible et coloré. Introduites par une grosse tour-porte, des ruelles bien fraîches et une place centrale qui rassemble de solides demeures avec arcades gothiques.

⑦

À une dizaine de kilomètres, **Villefranche-de-Rouergue** ⑦ s'érige en capitale du Rouergue occidental. Elle abrite l'une des plus séduisantes bastides de la région. Ne pas manquer de grimper en haut de la côte de Macarou, où se dévoile l'impressionnante masse de la collégiale Notre-Dame, émergeant de la forêt de tuiles rouges. Elle révèle aussi de nombreuses artères faites de vieux galets, impitoyables pour les talons aiguilles, aux noms pittoresques comme la rue des Pergameniers (du nom des anciens fabricants de parchemins), et quelques belles bâtisses. Incontournable, le traditionnel marché se tient le jeudi matin sur la place Notre-Dame, l'une des plus harmonieuses que l'on connaisse au cœur de la ville médiévale ! À voir aussi, la chapelle des Pénitents-Noirs, au décor époustouflant. Enfin et surtout, la bastide abrite l'un des plus importants édifices du Rouergue : la chartreuse Saint-Sauveur. Débutée en 1451 grâce à la fortune d'un très riche négociant de Villefranche, 20 ans suffirent pour l'achever, ce qui explique l'unité quasi

parfaite de l'ensemble. **Najac** ⑧ (photo ci-dessus) est un bien charmant village là encore. Jadis, sa position stratégique, la plus imprenable de toute la région, suscita des convoitises. Ce site, propriété des comtes de Toulouse, verrouillait toute la vallée. Rois de France et d'Angleterre, albigeois, protestants, croquants, révolutionnaires de 1789, tous tentèrent de s'en emparer... en vain. Depuis le sud, en venant de Saint-André-de-Najac, on comprend mieux pourquoi. La forteresse royale s'élève sur une très haute colline enserrée dans une boucle de l'Aveyron et seulement accessible par une étroite ligne de crête rocheuse sur laquelle s'étire l'unique rue du village. Un îlot suspendu dans le ciel. Saisissant !

⑧

DE CORDES À PUYCELSI

« À **Cordes** 9, tout est beau même le regret », écrivait Albert Camus. Ce merveilleux village médiéval, admirablement conservé et perché sur un promontoire offre aux amateurs de vieilles pierres un régal pour les yeux. De belles façades gothiques, des ruelles pavées à arpenter, moult galeries d'art à explorer, une imposante halle du XIIIe s toujours pleine de vie, une balade dans le Jardin des Paradis à ne pas manquer. Au lever ou au coucher du soleil, quand la lumière est douce et le visiteur endormi, Cordes est alors d'une poésie rare. Depuis la Bride, une terrasse dominant la cité, le panorama est saisissant. On y visite aussi la maison du Grand Fauconnier, une vénérable demeure à encorbellement d'oiseaux et d'animaux fantastiques. Elle abrite les collections du musée d'Art moderne et contemporain.

À une vingtaine de kilomètres de là, **Castelnau-de-Montmiral** 10 est une ancienne bastide, fondée en 1222 (la même année que Cordes) pour surveiller le bassin de la Vère. Sur son mamelon, entouré de collines et de vignes, le village fortifié classé parmi « Les Plus Beaux Villages de France » coule des jours paisibles… Magnifiques maisons à colombages et jolie place à couvert, typique de la région. Au nord-ouest de Castelnau-de-Montmiral et déjà visible de la bastide, la belle forêt domaniale de la Grésigne, de chênes et de charmes, s'étend sur près de 4 000 ha, traversée par le GR® 46.

En suivant la très belle route conduisant à Bruniquel, on aperçoit tout à coup le village perché de **Puycelsi** 11, au sommet d'une crête rocheuse dominant la vallée. Le village, classé « Plus Beau Village de France » lui aussi, est tout petit et plein de charme. Les fortifications du XIIIe s ont conservé deux grosses portes, de belles murailles et quelques tours de guet. Là encore, de magnifiques maisons à encorbellement et à colombages ponctuent la visite. De quoi finir la balade en beauté.

Cordes-sur-Ciel

Sauveterre-de-Rouergue

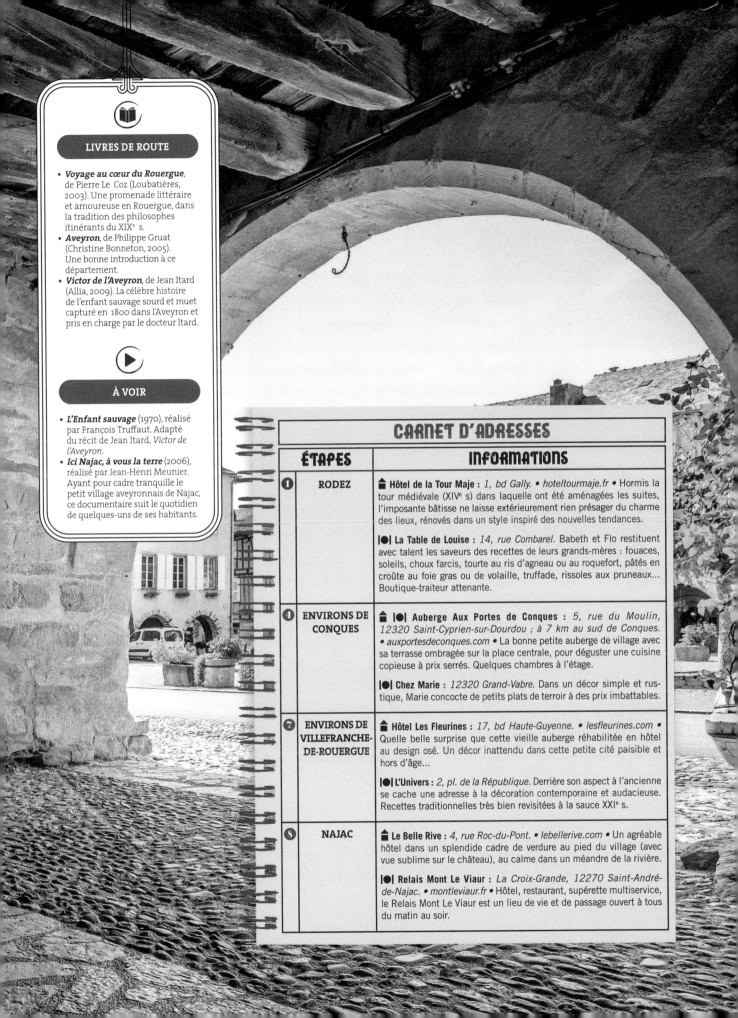

CARNET D'ADRESSES

ÉTAPES	INFORMATIONS
❶ RODEZ	🏠 **Hôtel de la Tour Maje** : *1, bd Gally.* • *hoteltourmaje.fr* • Hormis la tour médiévale (XIVe s) dans laquelle ont été aménagées les suites, l'imposante bâtisse ne laisse extérieurement rien présager du charme des lieux, rénovés dans un style inspiré des nouvelles tendances.
	|◉| **La Table de Louise** : *14, rue Combarel.* Babeth et Flo restituent avec talent les saveurs des recettes de leurs grands-mères : fouaces, soleils, choux farcis, tourte au ris d'agneau ou au roquefort, pâtés en croûte au foie gras ou de volaille, truffade, rissoles aux pruneaux… Boutique-traiteur attenante.
❹ ENVIRONS DE CONQUES	🏠 |◉| **Auberge Aux Portes de Conques** : *5, rue du Moulin, 12320 Saint-Cyprien-sur-Dourdou ; à 7 km au sud de Conques.* • *auxportesdeconques.com* • La bonne petite auberge de village avec sa terrasse ombragée sur la place centrale, pour déguster une cuisine copieuse à prix serrés. Quelques chambres à l'étage.
	|◉| **Chez Marie** : *12320 Grand-Vabre.* Dans un décor simple et rustique, Marie concocte de petits plats de terroir à des prix imbattables.
❼ ENVIRONS DE VILLEFRANCHE-DE-ROUERGUE	🏠 **Hôtel Les Fleurines** : *17, bd Haute-Guyenne.* • *lesfleurines.com* • Quelle belle surprise que cette vieille auberge réhabilitée en hôtel au design osé. Un décor inattendu dans cette petite cité paisible et hors d'âge…
	|◉| **L'Univers** : *2, pl. de la République.* Derrière son aspect à l'ancienne se cache une adresse à la décoration contemporaine et audacieuse. Recettes traditionnelles très bien revisitées à la sauce XXIe s.
❾ NAJAC	🏠 **Le Belle Rive** : *4, rue Roc-du-Pont.* • *lebellerive.com* • Un agréable hôtel dans un splendide cadre de verdure au pied du village (avec vue sublime sur le château), au calme dans un méandre de la rivière.
	|◉| **Relais Mont Le Viaur** : *La Croix-Grande, 12270 Saint-André-de-Najac.* • *montleviaur.fr* • Hôtel, restaurant, supérette multiservice, le Relais Mont Le Viaur est un lieu de vie et de passage ouvert à tous du matin au soir.

FICHE PRATIQUE

SITUATION

Sud-est de la France, Lozère (Occitanie).

MEILLEURE PÉRIODE

Au **printemps** ou à l'**automne** pour éviter les foules estivales et pour la météo, agréable. C'est au printemps que la flore et la faune s'épanouissent.

MEILLEURS SOUVENIRS

Les fraîches baignades qui revigorent. Les nuits étoilées. La chance de pouvoir observer des vautours en vol. La sensation d'être dans un lieu unique… et l'envie d'y retourner !

PRÉPARER SON ROAD TRIP

- cevennes-parcnational.fr
- cevennes-gorges-du-tarn.com
- ot-gorgesdutarn.com
- lozere-tourisme.com

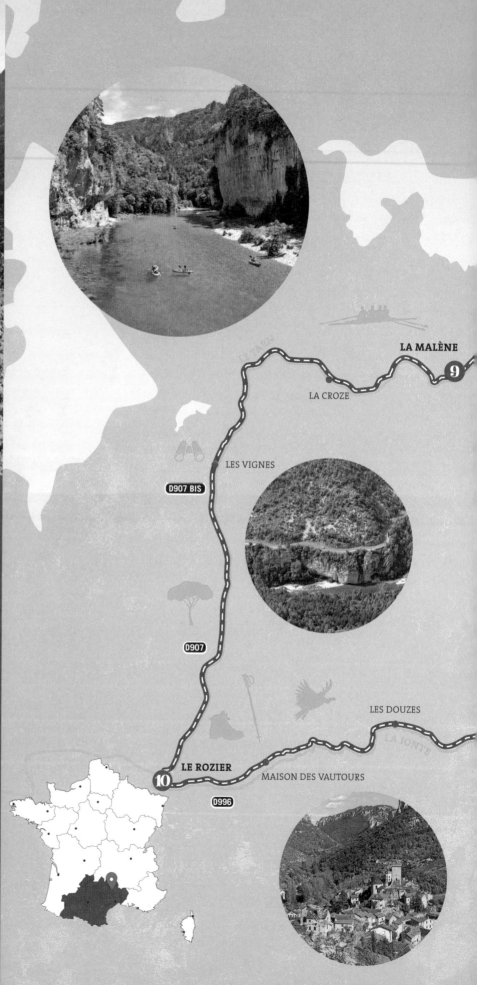

LA MALÈNE
9

LA CROZE

LES VIGNES

D907 BIS

D907

LES DOUZES

LA JONTE

LE ROZIER
10

MAISON DES VAUTOURS

D996

QUÉZAC

D907 BIS

3

2

ISPAGNAC

SAINTE-ÉNIMIE

5

D907 BIS

POUGNADOIRES

7

6 SAINT-CHÉLY-DU-TARN

CASTELBOUC

4

D907 BIS

N106

DÉPART

FLORAC

ARRIVÉE

1

8 HAUTERIVES

D907

VIRÉE AUTOUR DU CAUSSE MÉJEAN : AU FIL DU TARN ET DE LA JONTE

• CAUSSE MÉJEAN

FLORAC ➤ FLORAC, EN BOUCLE

D907 VEBRON

Le tour du causse Méjean par les magnifiques gorges du Tarn et de la Jonte. Entre les villages de Florac et du Rozier, la route qui longe le Tarn est plus fréquentée à la belle saison mais recèle des sites fabuleux. La partie sud suit le cours des gorges de la Jonte et offre des paysages plus sauvages, confidentiels. Pourquoi ne pas s'arrêter dès que possible pour tremper les pieds dans ces fraîches eaux de montagne... Et surtout, n'oubliez pas de lever les yeux au ciel, les vautours sont ici chez eux !

D996

• LA GROTTE DE DARGILAN

11 D996

MEYRUEIS

LÉGENDES	
ÉTAPES	●
À NE PAS LOUPER	•
FLEUVES, RIVIÈRES	—

DE FLORAC AU ROZIER, AU FIL DU TARN

1 Le Tarn a pris sa source au sommet du mont Lozère à 1 575 m d'altitude et coule comme une petite rivière de montagne jusqu'à **Florac ❶**, entouré de versants raisonnables. Au pied de la corniche du causse Méjean, la capitale du parc national des Cévennes occupe le fond d'une vallée encaissée où le Tarn rencontre le Tarnon et la Mimente, ainsi que le Vibron, un petit ruisseau qui jaillit à la source du Pêcher. C'est aussi le lieu d'un rendez-vous géologique rare où se côtoient granit du mont Lozère, schiste des Cévennes et calcaire du causse. Animée et commerçante en saison, la bourgade se dévoile au gré de ses ruelles anciennes jalonnées de charmantes maisons traditionnelles, d'agréables terrasses ombragées mais aussi de boutiques paysannes où les producteurs se font les ambassadeurs de leur riche terroir. On y goûte le fameux pélardon, le miel, l'oignon doux et les châtaignes des Cévennes.

POUR SE DÉGOURDIR LES JAMBES

LE PARC NATIONAL DES CÉVENNES
Tout public • 1h30-5h de marche • boucle

Il y a **38 sentiers** de randonnée en boucle dans le parc national des Cévennes (tout public ; 1h30-5h de marche). Le GR 68 fait le tour du mont Lozère et passe à 1 km au nord de Florac, au Pont-du-Tarn. Renseignements au centre d'information à Florac.

2 Depuis Florac, on prend la N 106 pour rejoindre la D 907 bis, en direction d'**Ispagnac ❷**. Là, le Tarn commence à creuser un profond canyon et coule au pied de falaises hautes de 400 à 500 m. Adieu le granit du mont Lozère et les schistes des Cévennes ! Voilà le royaume du calcaire, roche tendre parmi les plus tendres. Peu de temps après Ispagnac, on peut dévier pour rejoindre le village de **Quézac ❸**, sur la gauche, par un très beau pont gothique à cinq arches du XIVᵉ s, qui enjambe majestueusement la rivière. Sa longue et étroite rue médiévale a retrouvé une nouvelle jeunesse grâce à une certaine source d'eau gazeuse qui coule ici… On peut d'ailleurs visiter l'usine d'embouteillage pour connaître son procédé d'extraction.

De retour sur la D 907 bis, juste après Blajoux, la silhouette du **château de Castelbouc ❹** se dessine, de l'autre côté de la rivière. Un site magnifique dominé par la route. Au pied des ruines, le village, aux maisons de pierre accrochées à la pente.

PETITE MORT

Le château est à l'origine d'une croustillante histoire… Raymond, seigneur des lieux au XIIIᵉ s, n'était pas parti aux croisades avec les autres. De ce fait, il ne restait qu'un seul homme dans toute la région ! À force de vouloir contenter toutes les femmes, il périt dans les bras de l'une d'elles (épectase : le cœur lâche pendant l'orgasme). Et lorsque son âme s'envola, on vit planer un bouc monstrueux sur le château. De là viendrait le nom de Castelbouc…

POUR SE DÉGOURDIR LES JAMBES

LE SENTIER DE CASTELBOUC
4 km • 2h • balisage jaune • boucle

Prendre à gauche sur le chemin en pente au niveau du Céret juste après Blajoux. Continuer jusqu'à la rivière. Franchir le pont submersible (impraticable lors des crues) puis continuer sur la route menant directement à Castelbouc. Garer son véhicule sur le parking et continuer à pied. Entrer dans le hameau par le chemin qui sépare à gauche les maisons accrochées à la falaise et à droite le Tarn. Repérer le four à pain de l'autre côté de la place et prendre la ruelle à gauche. 50 m plus loin, prendre de nouveau à gauche et s'engager dans le sentier qui grimpe vers les ruines du château. Arrivé à un sentier forestier, prendre à droite et continuer sur cette voie jusqu'à la fin du parcours.

5

Environ 8 km après Castelbouc, on arrive à **Sainte-Énimie** **5**, un site fabuleux figurant parmi les « Plus Beaux Villages de France ». Il serait dommage de ne pas y faire étape pour partir à la découverte de ses ruelles escarpées. Jolie église du XIVe s, dans laquelle on trouve des statues de bois et de pierre datant du XVe s, ainsi qu'une céramique récente illustrant la vie de la sainte locale. En surplomb, une ancienne abbaye, dont il ne reste que l'entrée, la crypte et la salle capitulaire.

Et enfin, la légendaire source de la Burle, où, raconte-t-on, la belle princesse Énimie se serait baignée pour guérir de la lèpre. Après deux vaines tentatives de cures dans la fontaine, elle évangélisa la région et vécut ici en ermitage. Cet ermitage, accroché à la roche, est toujours accessible à pied par la ruelle qui part, rive droite, face au pont sur le Tarn (compter 1h30 de balade aller-retour). De là-haut, on profite d'un beau panorama sur le village.

Quelques kilomètres plus loin, il faut bifurquer légèrement pour arriver au charmant hameau de **Saint-Chély-du-Tarn** **6**. Installé au pied de hautes falaises calcaires et en bordure du Tarn, on traverse un pont avant d'y accéder. Une église romane, un four à pain et une série de maisons en pierre du pays se prêtent aux plus beaux clichés. On y trouve aussi un moulin transformé en boutique de poteries et d'artisanat d'art, à l'intérieur duquel on peut observer l'écoulement des ruisseaux qui actionnaient les roues. Tout à côté, une petite chapelle du XIe s nichée sous un énorme rocher. Le village est connu pour sa belle cascade moussue, un endroit magnifique pour se baigner. L'eau glacée fait paraître le Tarn presque chaud…

EXPÉRIENCE

Descendre les gorges du Tarn en canoë-kayak

La descente des gorges du Tarn est une expérience exceptionnelle, accessible à presque tout le monde. Il suffit de savoir nager ! Les bambins à partir de 7 ans peuvent partir avec un adulte sur un kayak ou un canoë biplace (les gilets de sauvetage sont fournis et obligatoires). La rivière offre des points de vue charmants sur de vénérables maisons de pierre, dressées fièrement au-dessus des falaises. La descente est possible entre Pâques et la Toussaint, en fonction du niveau de la rivière.

Où louer un canoë ou un kayak ? Dans tous les gros villages baignés par le Tarn, entre Ispagnac et La Malène, mais la plupart sont réunis à Sainte-Énimie et à La Malène. Quel que soit votre site de départ, tous les loueurs viennent vous chercher à votre point d'arrivée pour vous ramener à votre véhicule. En saison, pensez à réserver votre location.

La Malène

DE POUGNADOIRES AU ROZIER

Entre Saint-Énimie et La Malène, le village de **Pougnadoires** ❼, sur le causse du Sauveterre, rassemble des maisons encastrées dans les anfractuosités de la roche. Il s'adosse à ces gigantesques falaises dont les hautes murailles, percées de cavernes aux teintes rougeâtres, forment un cirque. À peine plus loin se dessine le petit village de **Hauterives** ❽, sur la rive gauche du Tarn. Adossé à la pierre, aucune voie ni route n'y mène depuis l'autre rive… il n'est accessible qu'en barque ou à la nage !

La route progresse jusqu'au village de **La Malène** ❾, joliment coiffé de lauzes. Il fut incendié par les révolutionnaires ; le rocher qui surplombe le village garde encore la trace des flammes. Entre La Malène et Les Vignes, le défilé du Tarn commence à se resserrer, comme dans le passage des Détroits. Peut-être la plus belle partie des gorges ! C'est là que s'est installé l'adorable hameau de La Croze, lové aux pieds du causse Méjean, au bord de la rivière.

PAS DE CÔTÉ

Au niveau du village Les Vignes, sur le plateau, ne pas manquer **le point Sublime** (forcément sublime !) d'où l'on domine les gorges avec une vue saisissante (détour de 10 km par la D 995 et la D 46).

Peyreleau

Au village du **Rozier** ❿ à quelques kilomètres de là, la première partie de l'itinéraire s'achève. Construit à la confluence de la Jonte et du Tarn, le village est à la limite de la Lozère et de l'Aveyron, où se trouve Peyreleau, juste en face. Une jolie église romane et une enfilade de vieilles maisons bordent la rue principale. C'est un bon point de départ pour les balades à pied sur le causse Méjean.

LE CAUSSE MÉJEAN

Le causse Méjean s'apparente à une sorte de désert d'altitude : 33 000 ha d'une vaste plaine s'étirant à l'infini, légèrement ondulée et parsemée de bien jolis hameaux aux toits de lauzes, parfois sans charpente – ici, le bois est rare et l'eau, pour éteindre d'éventuels incendies, l'est tout autant –, de clapas, des pierres entassées ici et là par l'homme et de caselles, sorte d'abris pour les moutons et les bergers. C'est le plus haut de tous les causses (environ 1 000 m), sans doute le plus beau. Très peu peuplé (1,4 hab./km²), il donne l'impression d'un bout du monde. Traversé par des drailles, des sentiers de randonnée (GR® 6 et GR® 60) et quelques routes secondaires, le causse Méjean offre des paysages qui rappelle les steppes d'Asie centrale, les plaines d'altitude du Mexique, les collines arides d'Anatolie et parfois même certains horizons de l'Ouest américain. Il est plus dénudé à l'est qu'à l'ouest, où des grands bois de pins sylvestres sont plantés. Seuls endroits cultivables : des dépressions circulaires nommées « sotchs » ou « dolines », qui ponctuent le paysage de loin en loin. L'homme des causses a toujours dû cohabiter avec son voisin des gorges pour troquer le lait des brebis contre l'eau des sources et pour transformer son blé en farine... La principale curiosité du causse Méjean, c'est l'aven Armand (une des merveilles du monde souterrain) et, bien sûr, les panoramas forcément grandioses. Plusieurs dolmens et menhirs éparpillés témoignent d'un habitat préhistorique remontant au IVᵉ millénaire av. J.-C., notamment au col de la Pierre-Plate, à Combelébrouse et au Mas-Saint-Chély.

À NE PAS LOUPER

LE CHAOS DE NÎMES-LE-VIEUX

Un étrange amas de pierres calcaires, rappelant une cité en ruine. Rien à voir avec le vieux Nîmes, évidemment ! Il a été baptisé ainsi en 1908 pour faire un clin d'œil au chaos de Montpellier-le-Vieux (dans l'Aveyron). L'endroit est superbe : l'érosion a sculpté des blocs aux contours déchiquetés, que l'on découvre à pied. Le site s'étend sur 4 km. La partie la plus spectaculaire (avec les arènes de Nîmes... le-Vieux) se découvre au départ du Veygalier (accès payant). Mais un sentier d'interprétation en boucle (compter 1h30) entre L'Hom et Galy permet de découvrir plus avant (et gratuitement) cet étonnant paysage.

DU ROZIER À FLORAC LE LONG DES GORGES DE LA JONTE

Dépassé le village **Le Rozier** ⑩, on s'engage sur la D 996. Sur la gauche, le causse Méjean. À droite, les gorges de la Jonte. Moins connues que celles du Tarn, elles tout aussi belles, nettement plus sauvages, encaissées et à la végétation dense. La rivière de la Jonte prend sa source dans le massif des Cévennes, sur le flanc nord du mont Aigoual, vraie « mère des eaux » de cette partie de la France.

Puis elle creuse son chemin dans les calcaires, formant un canyon impressionnant entre Le Rozier et Meyrueis. En chemin, des curiosités sculptées par la nature surplombent la route, comme les « vases de Chine et de Sèvres » ou encore le rocher de Saint-Gervais au niveau du hameau des Douzes, coiffé d'une petite chapelle romane.

Une vingtaine de kilomètres après le Rozier s'étale le gros village de **Meyrueis** ⑪, sympathique, vivant et commerçant. Au carrefour de trois vallées, il est traversé par les eaux de la Jonte bien sûr, mais aussi du Béthuzon et de la Brèze. Son nom signifie d'ailleurs « au milieu des ruisseaux ». Pour finir, la D 996 rejoint la D 907 au niveau du hameau tranquille de Vebron et finit sa route à **Florac**, le point de départ de l'itinéraire. La boucle est bouclée !

POUR SE DÉGOURDIR LES JAMBES

LES ACTIVITÉS SPORTIVES

- **VTT :** la descente du mont Aigoual par des sentiers balisés, à l'aube. On y monte en bus au lever du soleil. Renseignements à l'office de tourisme.

- **Escalade, spéléologie, canyoning, canoë-kayak :** infos à l'office de tourisme du village.

FOCUS
LA MAISON DES VAUTOURS

Au creux des gorges, à 4 km du Rozier sur la route de Meyrueis, juste avant **Le Truel**. Réintroduits en 1981 au-dessus des gorges de la Jonte, les vautours fauves sont aujourd'hui plus de 600 à voler sur les Grands Causses. Grâce à la Ligue pour la protection des oiseaux (LPO), à la communauté de communes de la vallée de la Jonte et au parc national des Cévennes, un espace muséographique a été créé , avec terrasse équipée de longues-vues pour observer au mieux ces redoutables charognards, principalement des vautours fauves, mais aussi quelques vautours moines, percnoptères et gypaètes barbus. D'impressionnants volatiles puisque leur envergure peut atteindre 2,80 m ! Un vautour peut détecter à la vue une proie de 30 cm à une distance de... 3 km !

Plus d'infos ʷʷ·**vautours-lozere.com**

PAS DE CÔTÉ

La grotte de Dargilan : à 9 km au nord-ouest de Meyrueis, par la D 39. • grotte-dargilan.com • Surnommée aussi la « grotte Rose » à cause de la couleur particulière de ses cristallisations. Découverte en 1880 par un berger, explorée en 1888 par Martel, le pionnier de la spéléologie française et aménagée en 1890. Dargilan englobe l'ancien lit d'une rivière souterraine avec sa cascade pétrifiée, unique de par ses dimensions et ses couleurs, et un ensemble fantastique de concrétions, stalagmites en grandes orgues et de salles aussi étranges que spectaculaires, le tout sous un éclairage LED dynamique. Attention, 10 °C dans les grottes : prévoir une petite laine (prêt de pulls) ! Sortie superbe sur les gorges de la Jonte.

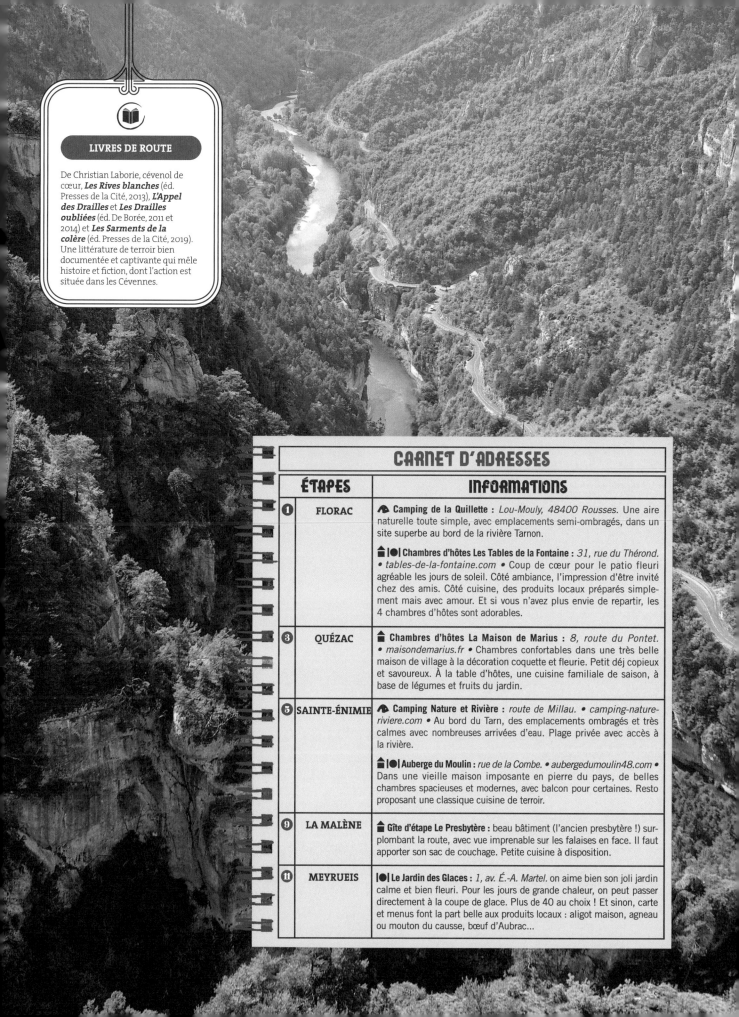

CARNET D'ADRESSES

ÉTAPES	INFORMATIONS
❶ **FLORAC**	🏕 **Camping de la Quillette** : *Lou-Mouly, 48400 Rousses*. Une aire naturelle toute simple, avec emplacements semi-ombragés, dans un site superbe au bord de la rivière Tarnon. 🏠|◉| **Chambres d'hôtes Les Tables de la Fontaine** : *31, rue du Thérond.* • *tables-de-la-fontaine.com* • Coup de cœur pour le patio fleuri agréable les jours de soleil. Côté ambiance, l'impression d'être invité chez des amis. Côté cuisine, des produits locaux préparés simplement mais avec amour. Et si vous n'avez plus envie de repartir, les 4 chambres d'hôtes sont adorables.
❸ **QUÉZAC**	🏠 **Chambres d'hôtes La Maison de Marius** : *8, route du Pontet.* • *maisondemarius.fr* • Chambres confortables dans une très belle maison de village à la décoration coquette et fleurie. Petit déj copieux et savoureux. À la table d'hôtes, une cuisine familiale de saison, à base de légumes et fruits du jardin.
❺ **SAINTE-ÉNIMIE**	🏕 **Camping Nature et Rivière** : *route de Millau.* • *camping-nature-riviere.com* • Au bord du Tarn, des emplacements ombragés et très calmes avec nombreuses arrivées d'eau. Plage privée avec accès à la rivière. 🏠|◉| **Auberge du Moulin** : *rue de la Combe.* • *aubergedumoulin48.com* • Dans une vieille maison imposante en pierre du pays, de belles chambres spacieuses et modernes, avec balcon pour certaines. Resto proposant une classique cuisine de terroir.
❾ **LA MALÈNE**	🏠 **Gîte d'étape Le Presbytère** : beau bâtiment (l'ancien presbytère !) surplombant la route, avec vue imprenable sur les falaises en face. Il faut apporter son sac de couchage. Petite cuisine à disposition.
⓫ **MEYRUEIS**	|◉| **Le Jardin des Glaces** : *1, av. É.-A. Martel.* on aime bien son joli jardin calme et bien fleuri. Pour les jours de grande chaleur, on peut passer directement à la coupe de glace. Plus de 40 au choix ! Et sinon, carte et menus font la part belle aux produits locaux : aligot maison, agneau ou mouton du causse, bœuf d'Aubrac...

N°22

350 KM

FICHE PRATIQUE

SITUATION

Aude et Ariège.

MEILLEURE PÉRIODE

Toute l'année, même si en été les plus beaux villages de France sont très fréquentés.

MEILLEURS SOUVENIRS

Remonter le temps, traverser des paysages mémorables dans les Pyrénées, les Corbières et les grandes plaines…

PRÉPARER SON ROAD TRIP

WWW.

- payscathare.org
- audetourisme.com
- aude.fr

LASTOURS

CAUNES-MINERVOIS

2

D118

DÉPART

CARCASSONNE

1

L'AUDE

D3

ARRIVÉE

D119

MIREPOIX

LAGRASSE

3

13

D212

N20

TERMES

VILLEROUGE-
TERMENÈS

4   5

12 FOIX

D39

CHÂTEAU
DE PEYREPERTUSE

PUIVERT

6

10

8   CUCUGNAN

CHÂTEAU
D'AGUILAR

11

GORGES
DE GALAMUS

7

MONTSÉGUR

D117

CHÂTEAU
DE QUÉRIBUS

9

PUILAURENS   D117

ESPAGNE

SUR LES TRACES DES CATHARES

CARCASSONNE ➤ MIREPOIX

Une croisade pacifique, à l'assaut des châteaux du Pays cathare ! Sur fond de paysages époustouflants entre Corbières et Pyrénées, ces « citadelles du vertige » témoignent d'un épisode marquant de la mémoire occitane : la mystérieuse hérésie cathare et ses conséquences. Une histoire de foi, de rébellion, de résistance et de conquête. Sur le chemin défile une véritable flotte de vaisseaux, suspendus entre ciel et terre, dans lesquels les cathares trouvèrent refuge avant d'être éradiqués par les croisés. Aujourd'hui, ces vestiges blanchis par le temps se confondent avec la roche des montagnes.

MÉDITERRANÉE

LÉGENDES	
ÉTAPES	●
À NE PAS LOUPER	•
FLEUVES, RIVIÈRES	—
FRONTIÈRE	--

LA CITÉ DE CARCASSONNE : UNE MACHINE À REMONTER LE TEMPS

Inscrite au Patrimoine mondial de l'Unesco, **Carcassonne** est la plus importante cité médiévale d'Europe, l'une des plus visitées de France aussi. Lorsqu'on la découvre, nichée sur une colline derrière ses remparts, elle fait l'effet d'un mirage. Construite entre le Xe et le XIIe s, remaniée par Viollet-le-Duc au XIXe s, la capitale du Pays cathare, avec ses 52 tours, ses 3 km de murailles et ses Lices, semble sortie d'un conte de fées.

À l'été 1209, l'ambiance vire pourtant au cauchemar à Carcassonne. Conciliante envers les cathares, la ville est prise par les croisés de Simon de Montfort et tombe, non sans résistance, dans le giron de la famille royale. C'en est fini du comté de Carcassonne, mais pas de la ville : Louis VIII renforce alors les remparts de la cité, ajoute une enceinte extérieure et agrandit la cathédrale. Magnifiquement restaurée, la cité envoûte le visiteur, particulièrement à la nuit tombée quand, illuminée, elle retrouve toute sa tranquillité. « Forteresse dans la forteresse », le château comtal construit vers 1130 par les Trencavel est un riche témoignage de l'architecture militaire médiévale. Ses remparts offrent de superbes panoramas sur la ville basse, la Montagne Noire et les Pyrénées. Autre joyau, la basilique Saint-Nazaire se compose d'une nef romane, d'un chœur et d'un transept gothiques qui s'accordent harmonieusement. Mais ce sont les vitraux des rosaces, parmi les plus beaux du Midi, qui subjuguent le visiteur une fois à l'intérieur, notamment en raison des jeux de lumière constamment renouvelés au fil de la journée.

FOCUS
LE CATHARISME

Le catharisme – de *catharos* « pur » – est une hérésie chrétienne médiévale qui se développe surtout dans le Midi. Les cathares distinguent le Bien (divin) et le Mal, le charnel qui détourne les esprits. Le but de l'existence est d'atteindre la pureté parfaite de l'âme pour gagner le repos éternel. Ceux qui n'y parviennent pas sont condamnés à se réincarner. Les cathares ne croient pas aux sacrements, dont le mariage qui légitime l'union charnelle. Considérés comme hérétiques par l'Église catholique, deux croisades sont menées en 1209 et 1226 (dites *croisade des Albigeois*) pour éradiquer cette religion.

CABARDÈS : LES QUATRE CHÂTEAUX DE LASTOURS

Au nord de l'Aude, le Cabardès déploie des paysages méditerranéens préservés, où vignes, garrigues, hêtres et cyprès sont rois. C'est dans cette région, à 30 mn de route de Carcassonne, que se trouve **Lastours** ❷, l'un des sites majeurs de l'épopée cathare. Les hérétiques trouvèrent refuge dans cette vallée reculée où ils s'établirent, à l'intérieur d'un *castrum*. Le seigneur de Cabaret, alors maître des terres, était un sympathisant du catharisme, allant même jusqu'à abriter le siège de l'évêché cathare du Carcassès lors des croisades. Après deux décennies d'homériques combats, les troupes royales vinrent à bout des hérétiques.

Les silhouettes des quatre châteaux (Cabaret, tour Régine, Surdespine et Quertinheux), perchés à 300 m d'altitude, se dressent toujours sur la ligne de crête à Lastours, se détachant sur la masse sombre de la Montagne Noire. Un chemin (120 m de dénivelé) serpentant à travers la colline permet de les rejoindre. Juste en face des châteaux, depuis le belvédère de Montfermier, on embrasse d'un coup d'œil l'ensemble des vestiges. Magique !

PAS DE CÔTÉ : CAUNES-MINERVOIS

Caunes-Minervois était un village fortifié dont les origines remontent au VIIIe s, lorsque l'abbé Anian y fonda une abbaye. Quelques vestiges ont résisté après le passage ravageur du duc de Joyeuse, chef de la Ligue du Languedoc. Parmi eux, la très belle abbatiale Saint-Pierre-et-Saint-Paul, ainsi qu'un remarquable centre ancien. Caunes-Minervois est aussi connu pour ses carrières de marbre dont on extrait des roches allant du rouge au vert. Un marbre employé, entre autres, au Grand Trianon, à l'Opéra de Paris, dans la grande mosquée de Cordoue, au Capitole de Toulouse ou encore au palais de Chaillot. Voilà une carrière qui a su faire son trou !

CORBIÈRES : LES CATHARES, DE LAGRASSE À AGUILAR

Au sud-est de Carcassonne, la région des Corbières abrite les plus beaux sites du Pays cathare. Les « bons hommes » ont-ils trouvé dans cette terre à la fois austère et lumineuse un écho à leur quête de pureté ? Ils furent nombreux à se réfugier dans ces paysages rocailleux et arides, ces vallées de terre rouge écrasées de soleil, ces vastes étendues couvertes de vignes, d'oliviers, de cyprès et de garrigue, dominées par de sublimes pitons rocheux défiant le ciel.

Pays viticole de premier plan, les Corbières sont également une terre marquée par l'histoire, où résonne encore la résistance cathare. Après avoir fait une halte dans le superbe bourg médiéval de **Lagrasse** ❸ on empruntera de tortueuses routes pour se rendre à **Termes** ❹, citadelle cathare du IXᵉ s, qui rendit les armes après quatre mois de siège. Les ruines du château, tel un nid d'aigle, dominent la vallée et les collines vierges qui semblent s'étendre à l'infini.

À une dizaine de kilomètres de Termes, au milieu des vignes et de la garrigue, le village de **Villerouge-Termenès** ❺ (photo ci-dessus) a également été marqué par l'Histoire. C'est ici que fut brûlé le dernier des cathares, Bélibaste, en 1321. À l'intérieur du château (magnifiquement restauré), une exposition retrace son funeste destin. On peut même déguster des recettes du Moyen Âge à la *Rôtisserie médiévale*. La bourgade conserve de remarquables souvenirs de son lointain passé : pont Vieux, vestiges des portes et des remparts, petites ruelles et maisons des XVIᵉ et XVIIIᵉ s, jardin des simples...

En continuant vers le sud-est sur la route de Perpignan, on arrive au **château d'Aguilar** ❻, une ancienne forteresse royale veillant depuis son éperon rocheux sur la plaine de Tuchan. Aguilar, aujourd'hui en ruines, fut fortifié par Saint-Louis pour contrôler la frontière avec l'Aragon. De là-haut, on profite d'un sublime panorama à 360° sur les vignobles, les Corbières et les Pyrénées.

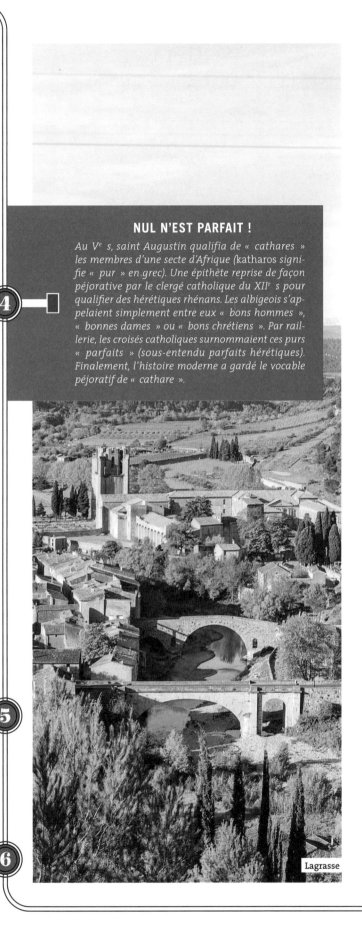

NUL N'EST PARFAIT !

Au Vᵉ s, saint Augustin qualifia de « cathares » les membres d'une secte d'Afrique (katharos signifie « pur » en grec). Une épithète reprise de façon péjorative par le clergé catholique du XIIᵉ s pour qualifier des hérétiques rhénans. Les albigeois s'appelaient simplement entre eux « bons hommes », « bonnes dames » ou « bons chrétiens ». Par raillerie, les croisés catholiques surnommaient ces purs « parfaits » (sous-entendu parfaits hérétiques). Finalement, l'histoire moderne a gardé le vocable péjoratif de « cathare ».

Lagrasse

Château de Quéribus

CORBIÈRES : QUERIBUS ET PEYREPERTUSE, VERTIGE CATHARE

Au sud de l'Aude, **Quéribus** ❼ et **Peyrepertuse** ❽, qui se font face par-delà les villages de Duilhac et Cucugnan, sont incontestablement les plus fascinantes « citadelles du vertige ». Ces deux rêves de pierre, qui semblent surgir de la roche, dominent la vallée, perchés à plus de 700 m sur la ligne de crête des Corbières. Tout autour, un point de vue circulaire donne à voir d'époustouflants paysages, où le vert de la garrigue et de la vigne répond à l'anthracite de la roche et au bleu du ciel. Grâce à leur position stratégique, ces anciens bastions de la résistance cathare sont devenus, sous la couronne de France, deux forteresses sentinelles protégeant la frontière avec l'Aragon. Ces châteaux, édifiés pour subjuguer l'adversaire, font toujours forte impression.

Depuis Quéribus, le regard porte sur la plaine agricole du Roussillon jusqu'à la ligne des Pyrénées, dominée par le mont Canigou et la Méditerranée. Par temps orageux, les ruines s'élançant vers le ciel capricieux prennent une allure dramatique et tourmentée, profondément romantique. Le donjon massif (XIIIe s.), fièrement érigé sur la roche, abrite une belle salle aux voûtes gothiques.

POUR SE DÉGOURDIR LES JAMBES 🚶

LA BOUCLE DE QUÉRIBUS

Un sentier balisé de 10 km, faisable en 3h... mais compter plus avec la visite du château, les 350 m de dénivelée et quelques passages peu évidents (déconseillé aux jeunes enfants). Départ au théâtre Mir. Une belle découverte du vignoble, de la forêt et de la garrigue. En plus du château, bien sûr.

Les vestiges de la forteresse médiévale de Peyrepertuse, qui défient le vide, font penser à une version occitane du Machu Picchu. Avec ses 2 km de remparts toujours debout et ses trois enceintes, elle s'étend sur la même superficie que la Cité de Carcassonne.

Entre deux visites de château, le charmant village de **Cucugnan**, coiffé d'un moulin, mérite une halte pour goûter aux vins de Corbières (à la coopérative *Les terroirs du vertige*) ou assister à un spectacle audiovisuel sur le catharisme… et le fameux « Curé de Cucugnan » sorti de l'imagination d'Alphonse Daudet.

Château de Peyrepertuse

Château de Puivert

HAUTE VALLÉE DE L'AUDE : PUILAURENS ET PUIVERT

En continuant vers l'ouest du Pays cathare, le paysage devient encore plus montagneux, les sommets se couvrent de sapins et les vallées sont sillonnées de torrents. La route se poursuit jusqu'aux impressionnantes gorges de Galamus, profonde entaille de 4 km dans le maquis.

⑨

FOCUS
LES GORGES DE GALAMUS

Ces gorges somptueuses griffent profondément la frontière entre l'Aude et les Pyrénées-Orientales, la partie la plus spectaculaire se trouvant sans conteste dans l'Aude... En les descendant, du nord au sud, on découvre à quel point l'Agly a creusé ici l'une des plus belles cluses de la région. Sur 4 km, ce ne sont qu'escarpements où seuls quelques genêts, arbousiers et chênes kermès parviennent à se cramponner. Au fond de ce ravin, par endroits vertigineux, le torrent tumultueux fait courir ses eaux turquoise. Quelques marmites géantes font office de bassins naturels. On ne peut rêver piscine plus agréable... En descendant le sentier qui part de l'aire de stationnement, on aboutit à un ermitage créé au VIe s. Nichée dans la paroi rocheuse, une incroyable chapelle...

Bon à savoir 💡 L'étroitesse des voies rend fastidieuse la traversée en voiture à certaines saisons. En juillet-août, la circulation est alternée par deux feux (l'un à l'entrée des gorges, l'autre à la sortie) et interdite aux camping-cars. Alors, pour vous éviter tout stress, laissez plutôt la voiture se reposer sur l'un des parkings d'entrée, et hardi le mollet ! Sinon, prendre la petite diabline, une navette gratuite qui circule entre les deux parkings.

⑩

C'est dans ce décor pyrénéen que repose, à quelque 700 m de haut, la silhouette médiévale du château de **Puilaurens ⑨**. Ce nid d'aigle inexpugnable, qui verrouille la haute vallée du Fenouillèdes, fut l'un des derniers refuges cathares. Particulièrement impressionnants, les vestiges actuels sont ceux, comme partout ailleurs, du château reconstruit après l'épisode cathare. Ancienne vigie frontalière, Puilaurens a conservé ses donjons et une partie de ses hauts remparts qui tutoient le précipice et les Pyrénées.

À une trentaine de kilomètres à l'ouest de Puilaurens, **Puivert ⑩** constitue l'ultime étape cathare avant l'Ariège. Si le village a été une place forte du catharisme, le château actuel, qui date du XIVe siècle, offre un beau témoignage de l'architecture féodale occitane.

CINÉMA — **Avec son fier donjon, sa silhouette vous sera peut-être familière :** Puivert a servi de décor à plusieurs films comme *La Passion Béatrice* de Bertrand Tavernier ou le *Peuple migrateur* de Jacques Perrin.

ARIÈGE : DE MONTSÉGUR, CAPITALE DES CATHARES, À MIREPOIX

« Synagogue de Satan » pour le Pape, antre du Graal, planque du trésor des cathares… La citadelle ariégeoise de **Montségur** ⑪, refuge de l'hérésie albigeoise, a éveillé bien des fantasmes au fil de l'Histoire. Aujourd'hui encore, le 21 juin, des dizaines de curieux viennent observer l'étrange phénomène lumineux des premiers rayons du soleil traversant les meurtrières opposées du donjon.

Nichées au sommet d'un *pog* (« piton rocheux » en occitan) à 1 207 m d'altitude, comme flottant entre ciel et terre, les ruines de Montségur continuent d'exciter l'imagination des visiteurs, sans doute pour leur réputation sulfureuse. À partir de 1232, Montségur fut aussi le siège de l'Église hérétique et la capitale du catharisme. Quelque 600 personnes, religieux, soldats et civils, vivaient sur le *pog*, à l'intérieur d'un village fortifié *(castrum)* dont quelques ruines subsistent au nord-est de la citadelle actuelle.

Pendant 40 ans, Montségur résista vaillamment aux croisés, jusqu'au terrible siège de l'hiver 1244 qui opposa la communauté cathare à une armée de 6 000 soldats. Acculés, les cathares se rendirent et furent livrés au bûcher.

S'il n'est pas aussi spectaculaire que Peyrepertuse ou Quéribus, Montségur offre, après 20 mn d'ascension parfois difficile, une vue grandiose sur les montagnes et la vallée ariégeoises. Le site reste le symbole de la résistance et de la tragédie cathare, qui ont marqué la mémoire locale.

Outre Montségur, d'autres sites ariégeois portent la mémoire du catharisme. Visible depuis le sommet du *pog*, Roquefixade servit aussi de refuge aux hérétiques persécutés, avant de devenir une forteresse royale. Aujourd'hui, il se trouve sur le parcours du « sentier des bons hommes » reliant Montségur à Berga, en Catalogne.

À quelques kilomètres de Roquefixade, le **château de Foix** ⑫, bâti sur un bloc calcaire dominant la préfecture de l'Ariège, témoigne de la résistance occitane aux croisés, qui ne le prirent jamais. Depuis le centre de Foix, il est difficile de le voir en entier (et souvent même de le voir tout court !). Pour cela, il faut traverser l'Ariège et se rendre près du resto *Le Phoebus* ou au bout des allées de Villote. Pour la photo souvenir, c'est là ! Puis, direction le château, pour une immersion dans l'univers de Gaston Fébus, autrefois comte de Foix. Au gré de la visite, on déambule dans la salle d'apparat, l'intendance où étaient stockées les vivres, la salle des gardes avec son lot d'armes et armures, le scriptorium ou encore la chambre du comte. Frissons garantis dans le cachot. Une visite pour s'imprégner de la vie, des atmosphères, et même des odeurs (!) du XIVe s.

POUR SE DÉGOURDIR LES JAMBES

Le Sentier cathare, long d'environ 200 km, relie les différents châteaux. De la Méditerranée aux Pyrénées, il traverse une grande diversité de paysages (garrigues, montagnes…). Il est homologué sentier de Grande Randonnée (GR®) par la Fédération française de randonnée pédestre (FFRP). Compter une dizaine de jours pour le parcourir dans son ensemble.

EXPÉRIENCE

Baptême de parapente au-dessus du château de Montségur

Ce n'est pas donné mais voler au-dessus de l'ancienne forteresse cathare est tout simplement magique !

Plus d'infos www. ariegeparapente.fr

En continuant sur la route D 119, on parvient finalement à **Mirepoix** 13 la plus belle bastide d'Ariège ! Ancienne ville cathare, construite sur la rive droite de l'Hers, elle fut prise par Simon de Montfort. Elle fut ensuite reconstruite sur l'autre rive d'après le modèle des bastides en 1290. On y arpente l'une des plus belles places à couverts de la région. Façades et volets composent une ravissante palette de couleurs. Pour la petite histoire, la mirepoix est une préparation culinaire à base d'oignons, de carottes et de céleri coupés en petits morceaux.

Carcassonne

CARNET D'ADRESSES

ÉTAPES	INFORMATIONS
❶ CARCASSONNE	🛏 **Hôtel Montmorency :** *2, rue Camille-Saint-Saëns.* • *hotelmontmorency.com* • Proche de la Cité, cet hôtel joliment décoré abrite de belles chambres, dont les plus agréables jouissent d'un balcon ou d'une vue sur les remparts. Décoration design pour certaines ; champêtre pour d'autres. Jardin, piscine chauffée et jacuzzi partagés avec l'Hôtel du Château attenant. Accueil très agréable. 🍽 **Le Jardin en Ville :** *5, rue des Framboisiers.* Quoi de plus agréable qu'un jardin fleuri, des tables ombragées par de larges voiles et une maison aux grands volumes tout à la fois boutique, galerie d'art et resto ? Les fruits et légumes viennent du potager du propriétaire, les viandes et fromages sont sélectionnés avec soin, et on peut même repartir avec son panier du jardin ou sa tarte salée !
⓫ MONTSÉGUR	🍽 **À la Patate qui fume :** *dans la rue principale.* Le genre d'endroit que l'on est ravis de dénicher quand on arrive le soir dans un village aux airs de bout du monde. Quelle joie de découvrir de la vie quand tout paraît désert ! Dans l'assiette, rien de bouleversant, mais tout est frais et « maison ». Et surtout, à base de bons produits : truite bio de Montferrier, canard local et légumes bio...
⓬ FOIX	🛏 **Chambres d'hôtes l'Arche des Chapeliers :** *25, rue des Chapeliers.* Cette ancienne demeure du XVIIIe s, au cœur du centre-ville, propose deux grandes chambres (en fait des suites). L'une dispose d'un salon indépendant, l'autre d'une mezzanine avec vue sur la paroi rocheuse et un bout du château. Cour pour prendre le petit déj si le temps le permet. 🍸 **Foix Plage :** *Lac de Labarre.* L'endroit parfait pour se poser sur une prairie au bord d'un lac, les doigts de pied en éventail, faire un tour de canoë ou de pédalo sur les flots, déguster une glace ou profiter de l'ambiance festive des soirées estivales (façon *beach bar* lounge, DJ, soirées *eighties*, salsa et on en passe). Minigolf pour les enfants.
⓭ MIREPOIX ET SES ENVIRONS	🛏 **Les Gîtes de Mirepoix :** *9, rue du Docteur-Chabaud.* Dans un ancien presbytère, des chambres et un dortoir décorés par Hubert Chojcan, un peintre en trompe l'œil ! C'est cosy, coloré et confortable. Certaines chambres sont en fait de petits appartements avec cuisine (possibilité de formule gîte).

N°23

250 KM

FICHE PRATIQUE

SITUATION

Pyrénées-Atlantiques.

MEILLEURE PÉRIODE

En automne, quand les collines se parent de couleurs flamboyantes absolument superbes. Mais on risque d'être arrosé ! En été, le temps est (généralement) plus sec.

MEILLEURS SOUVENIRS

Se goberger d'une généreuse omelette arrosée d'une rasade de vin dans une venta postée à la frontière franco-espagnole, pour récompenser une randonnée en montagne ; la découverte du vignoble d'Irouleguy avec ses vignes photogéniques plantées en terrasse sur les flancs des Pyrénées.

PRÉPARER SON ROAD TRIP

- tourisme64.com
- tourisme.euskadi.eus

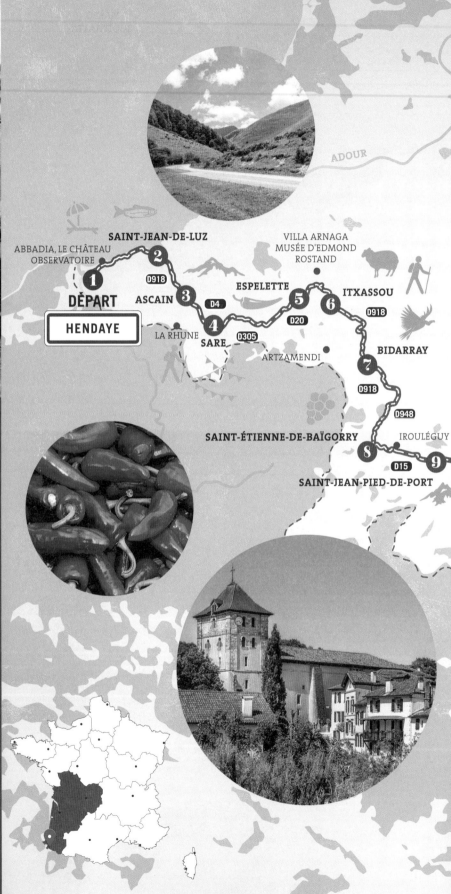

ADOUR

ABBADIA, LE CHÂTEAU OBSERVATOIRE

SAINT-JEAN-DE-LUZ

2

VILLA ARNAGA MUSÉE D'EDMOND ROSTAND

1

DÉPART

ASCAIN

3

D918

ESPELETTE

5

ITXASSOU

6

D918

HENDAYE

D4

LA RHUNE

4

SARE

D305

D20

ARTZAMENDI

BIDARRAY

7

D918

D948

SAINT-ÉTIENNE-DE-BAÏGORRY

IROULÉGUY

8

9

D15

SAINT-JEAN-PIED-DE-PORT

LES PYRÉNÉES, ENTRE PAYS BASQUE ET BÉARN

HENDAYE ➤ VALLÉE D'OSSAU

Si le Pays basque est principalement connu pour ses plages et ses surfeurs, cet itinéraire dévoile son autre visage, montagnard et secret. En route pour de magnifiques villages aux maisons plantureuses, d'où partent des randos s'invitant au cœur de somptueux paysages. Sorti des grands axes, on peut passer une journée sans croiser âme qui vive. Sans oublier d'aller voir côté Béarn si l'herbe n'est pas plus verte que chez le voisin, les deux territoires étant aujourd'hui réunis en un même département, les Pyrénées-Atlantiques.

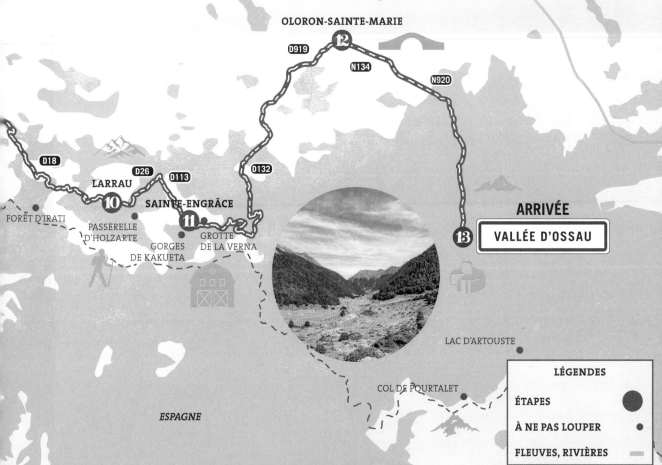

OLORON-SAINTE-MARIE

D919 ⑫ N134 N920

D18 D26 D113 D132

LARRAU ⑩ SAINTE-ENGRÂCE ⑪

FORÊT D'IRATI

PASSERELLE D'HOLZARTE GORGES DE KAKUETA GROTTE DE LA VERNA

⑬

ARRIVÉE

VALLÉE D'OSSAU

LAC D'ARTOUSTE

COL DE POURTALET

ESPAGNE

LÉGENDES

ÉTAPES ●

À NE PAS LOUPER •

FLEUVES, RIVIÈRES —

UN QUARTIER BLANC COMME NEIGE !

Certaines rues d'Hendaye portent des noms que l'on voit rarement sur les plaques : « Walt Disney », « Blanche-Neige » et rue des « 7 Nains » ! Curieux, non ? En fait, les terrains qui les abritent appartenaient autrefois à la Comtesse d'Orio, descendante de Graham Bell, l'inventeur du téléphone, et par ailleurs grande admiratrice de Walt Disney. Elle aurait légué ses terres à un promoteur à condition que les nouvelles rues tracées évoquent son héros et ses personnages. Ce fut chose faite en 1974.

1

2

PIERRE LOTI, PAS TRÈS CLAIR

Après le succès de son roman Ramuntcho, Loti resta très attaché au Pays basque. Il séjourna fréquemment à Hendaye et décida d'avoir des enfants d'une mère basque, afin qu'ils soient d'une race... plus pure. Il eut trois enfants basques dont le premier fut nommé Ramuntcho. Ils furent élevés par sa femme officielle !

3

Route de la Corniche

DE HENDAYE À SARE

Étendue le long de la rivière Bidassoa, aux portes de l'Espagne, **Hendaye** **1** est la ville la plus méridionale de la façade atlantique et surtout une station balnéaire familiale, bordée d'une longue et large plage en pente douce, idéale avec des enfants ou pour s'initier au surf. Si elle n'a pas le même charme que ses proches voisines, elle peut toutefois s'enorgueillir d'aligner sur le front de mer (entre l'ancien casino et jusqu'au port de plaisance) une soixantaine de villas néobasques classées, datant du début du XXᵉ s. Un record sur la côte ! Notez aussi que c'est d'Hendaye que vous pouvez vous lancer à l'assaut du sentier du littoral ou du GR® 10, qui relie d'ouest en est les Pyrénées.

La route de la Corniche, qui court d'Hendaye à Saint-Jean-de-Luz, offre de superbes points de vue, avec la mer d'un côté et les montagnes de l'autre. En chemin, l'arrêt au château-observatoire d'Abbadia est incontournable ! Ce palais néogothique aux allures de forteresse fut construit, face à l'océan, entre 1864 et 1884 sur des plans de Viollet-le-Duc pour Antoine d'Abbadie, scientifique et grand voyageur passionné par l'Orient. La visite de ce lieu hors du commun se révèle passionnante et le panorama sur l'océan est imprenable.

À **Saint-Jean-de-Luz** **2**, port pittoresque et coloré où tanguent les petits chalutiers, on profite de l'ambiance d'une station balnéaire qui a su préserver tout son charme, surtout hors saison. D'un côté, une coquette vieille ville aux ruelles commerçantes bordées d'immeubles typiques et affublée d'un élégant front de mer et, de l'autre côté du port, la charmante commune Ciboure avec son mouillage de pêche artisanale où l'on peut acheter du poisson.

À 6 km de là, le joli village d'**Ascain** **3** est le point de départ pour l'ascension de la montagne de la Rhune. Dans le village, on admire la jolie place principale bordée d'auberges, avec ses maisons basques typiques, l'église et son fronton. C'est ici que Pierre Loti, installé à l'Hôtel de la Rhune, écrivit son célèbre roman *Ramuntcho*.

POUR SE DÉGOURDIR LES JAMBES

LA RHUNE

C'est la montagne la plus célèbre de la région, véritable borne frontière avec l'Espagne (905 m d'altitude). Depuis Ascain, on peut gravir La Rhune à pied, mais c'est une rando assez difficile (compter 4h30 aller-retour). Se renseigner auprès de l'office de tourisme d'Ascain.

Autre solution plébiscitée par les familles, l'ascension par le chemin de fer à crémaillère, attraction incontournable du pays depuis 1924. Le trajet en train couvre 4 200 m (compter env 35 mn) et grimpe plus de 700 m, presque jusqu'au sommet ! Le panorama sur le Labourd, l'océan, la chaîne des Pyrénées et la vallée de la Bidassoa est époustouflant. Il n'est pas rare d'y croiser des troupeaux de *pottoks*, les fameux petits chevaux basques, élevés en liberté.

④

Niché au creux des collines, on arrive à **Sare** ④, un autre de ces villages typiques, classé parmi les « Plus Beaux Villages de France », où les traditions basques restent très vivaces. De splendides demeures des XVIIe et XVIIIe s lui confèrent une belle homogénéité. Bourg devenu pratiquement mythique, il doit beaucoup à Paul Dutournier, ami de Churchill et de Pompidou, conteur infatigable et fou de son pays. Il a fait de Sare, en tant que maire, ce petit paradis assez fréquenté en été.

Dans la campagne alentour, quelques champs possèdent encore des barrières faites de lauzes et des bornes en pierre délimitant la frontière avec le Pays basque Sud. Celle-ci a profondément marqué l'histoire du lieu, qui fut longtemps un lieu de contrebande... Le week-end, on monte déjeuner ou s'approvisionner dans les ventas, ces auberges-supermarchés postées juste de l'autre côté de la frontière.

D'ESPELETTE À LARRAU

5

Bientôt apparaissent les façades des maisons couvertes de guirlandes de gros piments rouges qui ont fait la réputation d'**Espelette** **5**. Au centre d'interprétation du piment, on vous raconte l'histoire du piment d'Espelette, de ses origines mexicaines à nos jours.

6

Tout près, en suivant la D 918, on arrive au joli village d'**Itxassou** **6**, célèbre pour sa cerise noire qui, en confiture, accompagne merveilleusement le fromage de brebis produit sur ses collines.

POUR SE DÉGOURDIR LES JAMBES

DEPUIS LE VILLAGE D'ITXASSOU

Une balade agréable vers le mont Artzamendi dans un paysage très sauvage. Le sentier emprunte le **Pas-de-Roland** (un passage étroit et rond creusé dans la roche). La légende raconte que ce rocher fut creusé par le sabot du cheval de Roland, neveu de Charlemagne. Au sommet, prodigieux panorama sur les vallées basques espagnoles. Beaucoup de moutons et quelques pottoks (cheval typique basque). Si vous poussez jusqu'au col des Veaux, attendez le coucher du soleil, la vision est paradisiaque. Toutefois, n'oubliez pas vos papiers, vous êtes sur un chemin de contrebandiers encore actif !

LA VILLA ARNAGA, À CAMBO-LES-BAINS

Edmond Rostand, atteint de pleurésie, vint à **Cambo** pour se soigner. Il tomba amoureux du pays et de son climat qui lui avait fait recouvrer la santé. Avec les droits d'auteur de *Cyrano de Bergerac*, il se fit construire cette fastueuse demeure en 1903, où il résida 12 ans. Rostand participa lui-même à la conception de la maison, aujourd'hui classée Monument historique, et de ses jardins. À l'intérieur, on se rend compte que l'auteur de *L'Aiglon* était doucement allumé. Arnaga compte quelque 40 pièces, dont 20 ouvertes au public, toutes décorées à l'image du grand hall avec son double arceau, ses colonnes de marbre et ses lambris de chêne.

Insolite ! Henri Vian, maître ferronnier, fabriqua les grilles de la maison d'Edmond Rostand. Grâce à son talent, l'artisan fit fortune. Mais son fils Paul (père de Boris Vian) ne travailla jamais et dilapida son héritage. Installée dans une superbe villa de Ville-d'Avray, la famille Vian dut louer aux parents du célèbre violoniste Yehudi Menuhin et vivre dans le garage.

Plus d'infos ᵂᵂ. arnaga.com

Toujours sur la D 918, arrêt à **Bidarray** ❼, agréable village magnifiquement lové au cœur de la montagne basque, au pied des crêtes d'Iparla, et très vieille halte compostellane. Ne pas manquer sa belle église en grès rouge. À signaler, les chapiteaux romans sculptés, l'auvent en bois et le clocher très particulier en forme de... fronton pour la pelote ! Au-dessus de Bidarray, la crête d'Iparla promet d'agréables randonnées, qui permettent parfois d'apercevoir l'une des colonies de vautours fauves.

Plus au sud, **Saint-Étienne-de-Baïgorry** ❽ est un bourg sympathique posé le long de la Nive des Aldudes. L'église et le centre sont dominés par le château d'Etxauz, berceau de la famille du même nom qui a régné pendant cinq siècles sur la vallée. C'est ici que l'on trouve Le vignoble d'Irouléguy. Le seul vignoble du Pays basque français est réparti sur une dizaine de communes (à peine 240 ha !). Une terre rouge et des cépages caractéristiques lui confèrent un goût bien spécifique et en font un vrai vin de terroir qui se marie bien avec la gastronomie locale. On vous conseille vraiment de venir arpenter le vignoble, c'est un des plus beaux qui soient. En terrasses, à flanc de montagne, il dégringole vers les villages et offre des perspectives époustouflantes sur les Pyrénées.

À 8 km de la frontière espagnole, au milieu de son verdoyant cirque de montagnes, on découvre **Saint-Jean-Pied-de-Port** ❾. L'histoire lui a donné un caractère, un charme qu'aucune ville de Basse-Navarre ne peut lui disputer. Avec sa muraille rose, ses rues médiévales quasi intactes, ses jardins tombant en cascade et la belle citadelle dominant le tout, elle compose un tableau dont on ne se lasse pas. Beaucoup de monde en été. Ça ne fait rien, visiter la ville de très bonne heure le matin est un ravissement !

Expérience 🎭 Assister à une partie de pelote basque à main nue. Ambiance assurée ! Elle a lieu tous les lundis à 17h en été et à 16h en hiver, au trinquet Garat.

TIENS, DES VACHES... SAUVAGES

La betizu (prononcer « betissou ») est la vache locale du Pays basque, délaissée par ses propriétaires qui en tiraient un faible rendement. Sauvages, ces vaches ont été rachetées par le gouvernement basque et vivent aujourd'hui en liberté dans les montagnes des Pyrénées-Atlantiques. Vous les croiserez peut-être lors d'une randonnée : leur robe est brun rouge et leurs cornes sont évasées.

PAS DE CÔTÉ : LA MONTAGNE BASQUE, AUTOUR DE SAINT-JEAN-PIED-DE-PORT

Impossible d'être exhaustif, tant il y a d'itinéraires, de routes menant dans des coins sauvages invraisemblables. Elles sont en fort bon état (voire neuves !). En effet, les postes de tir à la palombe (les « célèbres » palombières) se louent si cher qu'une partie de l'argent est réinvestie dans l'amélioration du réseau routier. Faites, par exemple, une boucle en passant par le **col d'Orgambide** (988 m). Paysages époustouflants !

POUR SE DÉGOURDIR LES JAMBES 🚶

BALADE DE LA PASSERELLE D'HOLZARTE
5h environ

Pour s'y rendre, partir de Logibar. Le chemin fait partie du **GR® 10**. Le sentier balisé s'avance le long de surprenantes crevasses que les torrents ont taillées dans le calcaire, pour donner des parois lisses et des profondeurs vertigineuses pouvant atteindre 300 m. Compter 1h environ pour rejoindre une spectaculaire passerelle à 180 m au-dessus du vide. Superbe spectacle de la rencontre des gorges d'Holzarte et d'Olhadubie. Quelques passages un peu rudes en chemin. Possibilité d'effectuer le tour complet. Après le franchissement de la passerelle, on longe à main gauche la gorge d'Olhadubie jusqu'à un pont. Puis retour par Latsaborda et Bordapia. Total : 5h environ.

À partir de Saint-Jean-le-Vieux, prendre la D 18 puis la D 19 jusqu'à **Larrau** ❿ pour passer par les cols d'Haltza, d'Haritzcurutche, de Burdincurutcheta, de Heguichouria, de Bagargui et d'Orgambidesca. « Des montagnes qui se découpent au ciel avec une netteté absolue et cependant noyées dans je ne sais quoi de diaphane et doré. » Pierre Loti semble avoir écrit ces lignes en souvenir de Larrau. À l'est de la forêt d'Iraty, le village, accroché à flanc de montagne au-dessus des rives du gave qui porte son nom, est dominé par le pic d'Orhy. Celui-ci culmine à 2 017 m d'altitude (belle randonnée de 4h aller-retour depuis la D 26). Sur ses pentes sont disséminées des fermes, et, plus loin, on entend tinter les clochettes des troupeaux au milieu des palombières. L'église, reconstruite au XVIIe s, présente une abside romane et une belle Vierge polychrome. Difficile de résister à l'appel de Larrau et de ne pas poser ses valises un (long) moment pour profiter d'un endroit aussi magique.

DE SAINTE-ENGRÂCE À LA VALLÉE D'OSSAU

La route sinue au fil de 60 virages pendant les 17 km séparant Larrau de **Sainte-Engrâce** ⑪, dans un paysage tout à fait remarquable. Environ 100 fermes tachent de blanc la robe verte de la vallée. Une curiosité : elles sont toutes visibles l'une de l'autre, héritage de l'époque où l'on pouvait avoir besoin de son voisin (et de le prévenir également de l'arrivée des gabelous !). Selon une étude du département d'ethnologie de l'université d'Oxford, c'est Sainte-Engrâce qui a su maintenir le plus fermement ses traditions. Il paraît que cette notoriété en a fait râler plus d'un outre-Pyrénées, les Basques espagnols étant plus de 2 millions !

À ne pas manquer 🔍 **La grotte de la Verna.** Partie intégrante de l'immense réseau souterrain de La Pierre-Saint-Martin et formée il y a plus de 200 000 ans, la Verna a été découverte en 1953, par trois spéléologues lyonnais.

POUR SE DÉGOURDIR LES JAMBES ➤

LES GORGES DE KAKUETTA
2h environ

C'est l'une des balades les plus populaires, mais ce n'est pas une raison pour partir en espadrilles (bonnes chaussures recommandées !). La partie la plus impressionnante est un canyon très étroit, de plus de 200 m de haut. L'originalité du parcours réside dans le fait que, pour une fois, on marche au fond du canyon. Un câble le long de la paroi donne un peu plus d'assurance. Quelques passerelles apportent du piment à la balade. Au bout, on parvient à une cascade et à une grotte. Compter 2h environ.

Vallée d'Ossau

ON N'A PAS SIFFLÉ LA FIN DE LA PARTIE

Pendant des siècles, les bergers de la vallée d'Ossau communiquaient en sifflant. Ils échangeaient de montagne en montagne, de vallée en vallée. Un bon siffleur pouvait se faire entendre jusqu'à 3 km... Cette communication codée fut utilisée par les maquisards. On s'est rendu compte que le langage sifflé existe encore dans un seul endroit au monde : les îles Canaries. Depuis peu, on l'enseigne à nouveau au collège de Laruns.

IRONIE DE L'HISTOIRE

Le fort du Portalet fut transformé, avant-guerre, en colonie de vacances. Puis Pétain en fit une prison, où, dès 1941, il enferma Léon Blum, Daladier, Reynaud et Mandel. En 1945, ce fut au tour du maréchal Pétain lui-même d'y être reclus, avant de connaître les geôles de l'île d'Yeu.

Après 1h de route vers le nord, voici **Oloron-Sainte-Marie** 🄬, la plus vieille cité du Béarn avec ses 2 000 ans d'histoire. La ville fut édifiée au confluent des gaves d'Ossau et d'Aspe (qui donne ensuite le gave d'Oloron, naviguant jusqu'à Bayonne). De tout temps, elle a constitué un site stratégique : débouché des vallées, confluence des gaves, mais aussi point essentiel sur l'axe est-ouest de la route du piémont pyrénéen (commerce du pastel, des tissus et des étoffes, sur la voie d'Arles et d'Italie vers Saint-Jacques-de-Compostelle). Pittoresque, au tracé quelque peu anarchique, rythmé par les ponts et les collines, elle présente des visages variés. L'un d'eux, peut-être le plus marquant, est cette série de demeures à l'allure de hautes falaises tombant abruptement dans le gave d'Aspe.

Afin de finir en beauté, on remonte la **vallée d'Ossau** 🄭, un must avec ses paysages préservés. Une magnifique balade dans une région qui défendit farouchement son identité et ses particularismes. Au Moyen Âge, le servage n'y avait déjà plus cours. La vallée possédait une grande autonomie et fonctionnait démocratiquement. Au XIIIe s, elle avait obtenu une charte des libertés, le « for d'Ossau ». Chaque commune élisait des délégués (les jurats) qui se formaient en syndicat pour défendre les intérêts de la communauté. L'aisance des habitants de la vallée à cette époque se reflète dans l'architecture. Grande homogénéité des villages, robustesse et noblesse des demeures du XVIe au XIXe s.

À ne pas manquer 🔍 L'« estivade », la transhumance entre la basse vallée et la haute montagne. La 1re semaine de juillet en principe. Pendant 48h, des milliers de bêtes remontent la vallée, dans le vacarme des sonnailles, traversant les villages en émoi (chants, ripailles...).

Pour finir on pourra monter jusqu'au col du Pourtalet qui, avec ses 1 794 m d'altitude, fait frontière entre la France et l'Espagne. Il surplombe, côté français, le sauvage cirque d'Anéou où paissent les troupeaux. Le contraste est d'ailleurs saisissant entre la très nature haute vallée d'Ossau et, de l'autre côté de la frontière, les paysages plus ouverts et surtout beaucoup plus urbanisés.

POUR ALLER PLUS LOIN

LE LAC D'ARTOUSTE

L'une des plus belles balades de la région, à faire dans un petit train à ciel ouvert qui trottine à 2 000 m d'altitude à travers des paysages sublimes, jusqu'au lac d'Artouste. Départ du lac de Fabrèges. On prend d'abord la télécabine de la Sagette, qui mène au départ du petit train, où un espace M3 (prononcer « m cube ») sur son histoire a été créé. Ensuite, promenade de 10 km en 50 mn à travers des cartes postales à couper le souffle. Au terminus, sentier bien balisé menant en 15-20 mn au lac d'Artouste. Un site magnifique qui ne vit pas que du pastoralisme et du tourisme : la production d'hydroélectricité est une activité majeure.

Plus d'infos ww. altiservice.com

Irouléguy

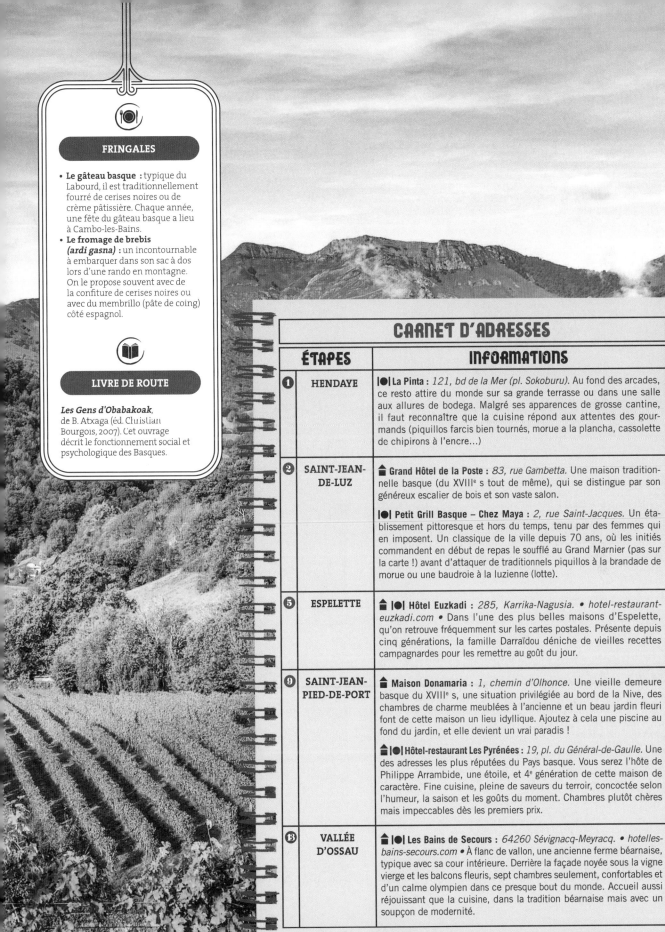

FRINGALES

- **Le gâteau basque :** typique du Labourd, il est traditionnellement fourré de cerises noires ou de crème pâtissière. Chaque année, une fête du gâteau basque a lieu à Cambo-les-Bains.
- **Le fromage de brebis (ardi gasna) :** un incontournable à embarquer dans son sac à dos lors d'une rando en montagne. On le propose souvent avec de la confiture de cerises noires ou avec du membrillo (pâte de coing) côté espagnol.

LIVRE DE ROUTE

Les Gens d'Obabakoak, de B. Atxaga (éd. Christian Bourgois, 2007). Cet ouvrage décrit le fonctionnement social et psychologique des Basques.

CARNET D'ADRESSES

ÉTAPES	INFORMATIONS
① HENDAYE	¶ **La Pinta :** *121, bd de la Mer (pl. Sokoburu).* Au fond des arcades, ce resto attire du monde sur sa grande terrasse ou dans une salle aux allures de bodega. Malgré ses apparences de grosse cantine, il faut reconnaître que la cuisine répond aux attentes des gourmands (piquillos farcis bien tournés, morue a la plancha, cassolette de chipirons à l'encre...)
② SAINT-JEAN-DE-LUZ	🛏 **Grand Hôtel de la Poste :** *83, rue Gambetta.* Une maison traditionnelle basque (du XVIIIᵉ s tout de même), qui se distingue par son généreux escalier de bois et son vaste salon.
	¶ **Petit Grill Basque – Chez Maya :** *2, rue Saint-Jacques.* Un établissement pittoresque et hors du temps, tenu par des femmes qui en imposent. Un classique de la ville depuis 70 ans, où les initiés commandent en début de repas le soufflé au Grand Marnier (pas sur la carte !) avant d'attaquer de traditionnels piquillos à la brandade de morue ou une baudroie à la luzienne (lotte).
⑤ ESPELETTE	🛏 ¶ **Hôtel Euzkadi :** *285, Karrika-Nagusia.* • *hotel-restaurant-euzkadi.com* • Dans l'une des plus belles maisons d'Espelette, qu'on retrouve fréquemment sur les cartes postales. Présente depuis cinq générations, la famille Darraïdou déniche de vieilles recettes campagnardes pour les remettre au goût du jour.
⑨ SAINT-JEAN-PIED-DE-PORT	🛏 **Maison Donamaria :** *1, chemin d'Olhonce.* Une vieille demeure basque du XVIIIᵉ s, une situation privilégiée au bord de la Nive, des chambres de charme meublées à l'ancienne et un beau jardin fleuri font de cette maison un lieu idyllique. Ajoutez à cela une piscine au fond du jardin, et elle devient un vrai paradis !
	🛏 ¶ **Hôtel-restaurant Les Pyrénées :** *19, pl. du Général-de-Gaulle.* Une des adresses les plus réputées du Pays basque. Vous serez l'hôte de Philippe Arrambide, une étoile, et 4ᵉ génération de cette maison de caractère. Fine cuisine, pleine de saveurs du terroir, concoctée selon l'humeur, la saison et les goûts du moment. Chambres plutôt chères mais impeccables dès les premiers prix.
⑬ VALLÉE D'OSSAU	🛏 ¶ **Les Bains de Secours :** *64260 Sévignacq-Meyracq.* • *hotelles-bains-secours.com* • À flanc de vallon, une ancienne ferme béarnaise, typique avec sa cour intérieure. Derrière la façade noyée sous la vigne vierge et les balcons fleuris, sept chambres seulement, confortables et d'un calme olympien dans ce presque bout du monde. Accueil aussi réjouissant que la cuisine, dans la tradition béarnaise mais avec un soupçon de modernité.

FICHE PRATIQUE

SITUATION

Pyrénées-Orientales, à l'extrême sud de l'Occitanie, sur les rives de la Méditerranée, vers la frontière avec l'Espagne.

LONGUEUR

30 km env (90 km avec la visite de Céret).

MEILLEURS SOUVENIRS

Rouler sur les traces de Matisse, Derain ou Vlaminck et revivre la naissance du fauvisme, profiter de l'animation des cafés du vieux port de Collioure, plonger dans la réserve naturelle marine de Cerbère-Banyuls, goûter aux anchois de Collioure ou aux cerises de Céret, savourer un bon verre de banyuls chez un producteur.

PRÉPARER SON ROAD TRIP

- tourisme-occitanie.com
- tourisme-pyreneesorientales.com
- frac-om.org

SUR LES PAS DES PEINTRES FAUVISTES DE LA CÔTE VERMEILLE

COLLIOURE ➤➤➤ CERBÈRE

Mais d'où vient le nom de cette superbe portion du littoral roussillonnais ?
De la couleur de ses roches bien sûr, qui s'embrasent au soleil au point de virer au… vermeil.
Célébrée par une foule d'artistes – en particulier les Fauves –, cette côte déroule ses collines
sculptées en terrasses et plantées de vignes de Collioure à l'Espagne. Pas de longues plages
de sable fin mais un chapelet de vieux ports de pêche, plutôt bien préservés.
Et puis, au fil de criques rocheuses et d'anses paisibles, d'admirables panoramas
et randonnées s'offrent au visiteur. Le charme méditerranéen s'exerce ici sans retenue.

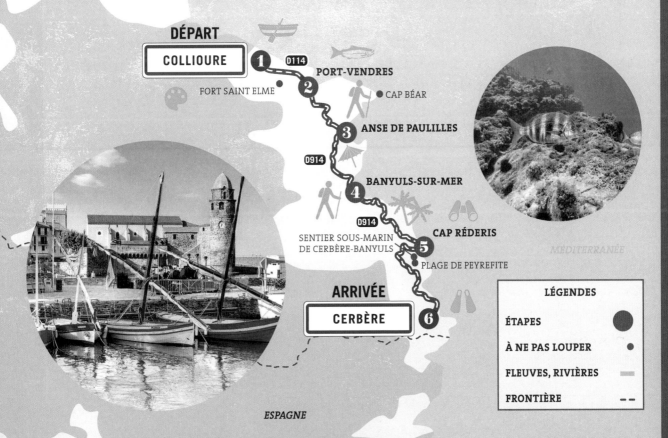

DÉPART
COLLIOURE 1 D114
PORT-VENDRES
FORT SAINT ELME 2 CAP BÉAR
3 ANSE DE PAULILLES
D914
BANYULS-SUR-MER 4
D914
CAP RÉDERIS
SENTIER SOUS-MARIN 5
DE CERBÈRE-BANYULS PLAGE DE PEYREFITE
MÉDITERRANÉE
ARRIVÉE
CERBÈRE 6

ESPAGNE

LÉGENDES

ÉTAPES ●
À NE PAS LOUPER ·
FLEUVES, RIVIÈRES —
FRONTIÈRE - - -

COLLIOURE

Collioure ❶ fut une véritable muse pour Matisse et Derain, qui la peignirent sous toutes les coutures. Il faut dire que la ville possède un charme fou ! Commencer par arpenter le vieux port, avec sa plage de galets, ses barques peintes et ses cafés animés. L'église Notre-Dame-des-Anges, dont le clocher n'est autre qu'un ancien phare, domine superbement l'ensemble. Quant au château royal, il s'agit de l'ancienne résidence des rois de Majorque et d'Aragon, qui fut ensuite fortifiée par Vauban.

Le quartier du Mouré a tout du village mauresque avec ses ruelles pavées et ses maisons aux façades ocre, jaune, vert, ou rose. En remontant la pittoresque rue Miradou, on parvient au fort du même nom, occupé par l'armée. Pour terminer la balade, une visite aux collections du musée d'Art moderne s'impose. À côté, l'ancien couvent dominicain a été reconverti en cave coopérative.

Avant de repartir, on s'arrête à la Maison Roque. C'est le royaume de l'anchois ! La visite se déroule dans l'ancien atelier de fabrication, où l'on peut assister à leur préparation et les déguster sur place. Sinon, on ira faire le plein de victuailles à la boutique.

POUR SE DÉGOURDIR LES JAMBES

À Collioure, un **chemin du fauvisme** permet de découvrir des reproductions de leurs tableaux, placées à l'endroit exact où les peintres avaient posé leur chevalet.

PAS DE CÔTÉ : CÉRET

À une trentaine de kilomètres à l'ouest de Collioure, en partant vers la Montagne, **Céret** a tout pour séduire les esthètes avec son boulevard ombragé de platanes, son pont du Diable hanté par les légendes, ses danses locales et ses 310 jours d'ensoleillement par an. Le musée d'Art moderne perpétue le souvenir des nombreux artistes ayant fréquenté la ville, comme Picasso, Braque, Juan Gris mais aussi Masson, Soutine, Chagall... À découvrir, de magnifiques coupelles tauromachiques de Picasso, des dessins de Collioure signés Matisse et un fonds d'art contemporain riche d'œuvres d'artistes du sud de la France ou de Catalogne, comme Viallat, Ben, Tàpies ou Barceló...

DES FAUVES EN LIBERTÉ

Débarquant à Collioure en 1905, Matisse est ébloui par l'extraordinaire lumière caressant la ville. Une nouvelle manière de peindre s'impose à lui. Car ici, tout est couleur : maisons roses comme la terre, volets verts, carrés de mer et de ciel réunissant toutes les nuances de bleu... Avec ses amis Derain, Vlaminck ou Braque, il libère la couleur de ses carcans. Les fauves sont lâchés ! Au grand dam des académiciens et critiques parisiens, que cet éclat nouveau révulse.

EXPÉRIENCE

Train

Embarquez dans le **petit train** qui relie **Collioure** à **Port-Vendres** et traverse des paysages enchanteurs, en surplomb de la mer. Les commentaires audio permettent de percer tous les secrets de cette côte..

Quand ? 📅 Avril-novembre.

Plus d'infos ᵂ ᵂ petit-train-touristique.com

DE PORT-VENDRES
À L'ANSE DE PAULILLES

À seulement 3 km au sud de Collioure, planqué au fond d'une longue échancrure, l'actif petit port de **Port-Vendres** ❷ n'a pas la notoriété de sa coquette voisine. Sa belle église rose de style espagnol, dressée sur le quai, et son obélisque de marbre de 33 m de haut valent pourtant le coup d'œil. Le matin, le port s'affaire au retour des chalutiers lestés de la pêche du jour.

POUR SE DÉGOURDIR LES JAMBES

Depuis l'extrémité sud du port de commerce, on peut rejoindre le fameux **cap Béart** et son phare en 30 mn de marche. On est récompensé par de belles vues sur le littoral, en particulier en fin de journée, quand le soleil couchant effleure la roche. C'est l'une des parties les plus séduisantes de la côte Vermeille.

Perché sur une colline au-dessus de Port-Vendres, le fort Saint-Elme domine la région depuis le XVIe s. De là-haut, panorama à 360° vraiment saisissant ! Derrière ses murs épais, une riche collection d'armes anciennes ainsi que des expos historiques sur Charles Quint ou Vauban. En août, un spectacle médiéval s'y déroule.

À 5 km au sud de Port-Vendres, sur la route de Banyuls, l'**anse de Paulilles** ❸ accueille l'ancienne dynamiterie de la société Nobel (oui, celui du prix, l'inventeur de la dynamite !), en activité de 1870 à 1984. La maison du directeur renferme une expo sur la mémoire ouvrière de l'usine. Après avoir arpenté le jardin, on peut profiter de la plage del Mitg, située en contrebas.

BANYULS-SUR-MER

Banyuls ④ est une agréable petite ville convertie au tourisme balnéaire, plantée de palmiers et de platanes. Terre des vignobles qui
portent son nom, c'est aussi la patrie du sculpteur Aristide Maillol.
Installé dans un bâtiment moderne, l'aquarium scientifique, ouvert
en 1859, est le plus ancien de France. Ses bassins reconstituent
les milieux marins de la côte catalane (des étangs aux profonds
canyons sous-marins), accueillant près de 300 espèces de poissons, invertébrés ou végétaux marins...

POUR SE DÉGOURDIR LES JAMBES 🚶

Le fameux **GR® 10** débute devant le perron de la mairie de
Banyuls. Il relie la mer à l'océan en gravissant hardiment
les Pyrénées. 750 km jusqu'à Hendaye, dont 180 dans les
Pyrénées-Orientales, où ce chemin de grande randonnée
passe le col du Perthus avant de tutoyer le Canigou.

Il est temps de rejoindre le musée Maillol, installé dans une maison
de pierre située en pleine nature, au milieu des collines. Le sculpteur repose dans le jardin de sa propriété, sous une de ses œuvres
majeures, *Méditerranée*. Un lieu émouvant, encore empreint de l'âme
de l'artiste. Dans les étages, on admire une quarantaine d'œuvres :
peintures, dessins et, évidemment, quelques sculptures. Non loin, le
Jardin scientifique méditerranéen vaut lui aussi une visite. Sur 3 ha,
toute la biodiversité du massif des Albères et des milieux méditerranéens y est représentée. Un espace muséographique avec expos et
vidéos complète l'expérience. Sur la route, on s'arrête volontiers chez
un producteur de banyuls. Ce vin doux naturel ne peut être produit
que sur les quatre communes de la côte : Collioure, Port-Vendres,
Cerbère et bien sûr Banyuls-sur-Mer. Ce qui en fait l'une des plus
petites AOC de France !

Bon à savoir ☀

La coopérative Terre des Templiers permet de tout connaître
sur son histoire et sa vinification.

Plus d'infos ʷʷ. banyuls.com

DU CAP RÉDERIS À CERBÈRE

Quelques kilomètres après Banyuls, le belvédère du **cap Réderis** ❺, avec sa table d'orientation, offre un panorama exceptionnel : au nord, la côte du Roussillon et les Corbières ; au sud, la Costa Brava espagnole. Plus loin, la route dessine d'impressionnants virages cernés de ravins, dans un décor de vignes, de roche schisteuse et de calanques. Et toujours cette lumière envoûtante.

À 4 km de la frontière espagnole, le village de **Cerbère** ❻ est connu pour ses plages de galets et ses petites criques. Avant d'entrer dans le centre-bourg, l'hôtel du Belvédère du Rayon Vert interpelle l'automobiliste. Ce grand bâtiment en béton, dont la forme évoque celle d'un paquebot, a ouvert en 1932. Il permettait aux voyageurs fortunés d'attendre confortablement le passage de la frontière et le changement d'essieux de leur train (les voies ferrées françaises et espagnoles n'ont pas le même écartement !). On trouvait donc ici des chambres, des restaurants, des salles de réception, un théâtre-cinéma et même un court de tennis posé sur le toit-terrasse ! Intéressante visite de l'immense salle à manger, d'où l'on a l'impression de voguer sur la Méditerranée.

EXPÉRIENCE

Plongée

La réserve marine entre Banyuls et Cerbère est un site incontournable et un paradis pour les passionnés de plongée. Une riche biodiversité y est préservée. En face de la plage de Peyrefite, entre les caps Réderis et Peyrefite, un **« sentier » sous-marin** a été balisé. C'est un parcours de snorkeling de 250 m, jalonné de panneaux décrivant la faune ou la flore et de bornes émettrices. On entend le commentaire grâce à un tuba spécial, loué sur place.

Où 📍 Centre de plongée Cap Cerbère, route d'Espagne.

Plus d'infos ᵂᵂ. plongee-cap-cerbere.com

Fort Saint-Elme, Collioure

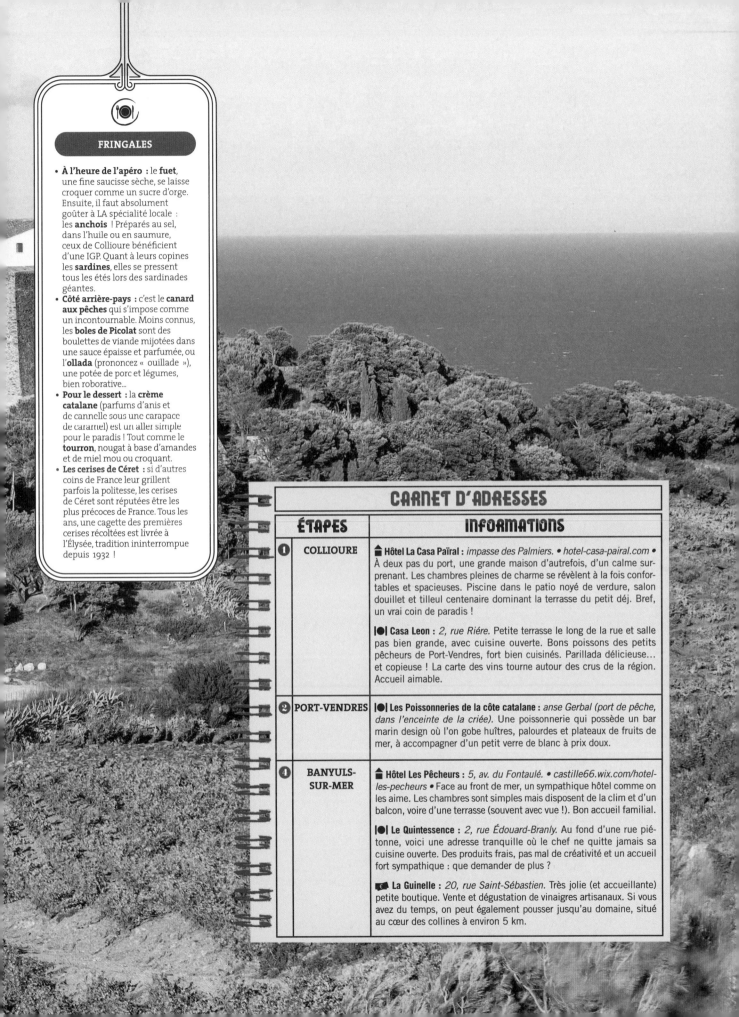

- **À l'heure de l'apéro** : le **fuet**, une fine saucisse sèche, se laisse croquer comme un sucre d'orge. Ensuite, il faut absolument goûter à LA spécialité locale : les **anchois** ! Préparés au sel, dans l'huile ou en saumure, ceux de Collioure bénéficient d'une IGP. Quant à leurs copines les **sardines**, elles se pressent tous les étés lors des sardinades géantes.
- **Côté arrière-pays** : c'est le **canard aux pêches** qui s'impose comme un incontournable. Moins connus, les **boles de Picolat** sont des boulettes de viande mijotées dans une sauce épaisse et parfumée, ou l'**ollada** (prononcez « ouillade »), une potée de porc et légumes, bien roborative...
- **Pour le dessert** : la **crème catalane** (parfums d'anis et de cannelle sous une carapace de caramel) est un aller simple pour le paradis ! Tout comme le **tourron**, nougat à base d'amandes et de miel mou ou croquant.
- **Les cerises de Céret** : si d'autres coins de France leur grillent parfois la politesse, les cerises de Céret sont réputées être les plus précoces de France. Tous les ans, une cagette des premières cerises récoltées est livrée à l'Élysée, tradition ininterrompue depuis 1932 !

CARNET D'ADRESSES

ÉTAPES	INFORMATIONS
❶ COLLIOURE	🛏 **Hôtel La Casa Païral** : *impasse des Palmiers.* • *hotel-casa-pairal.com* • À deux pas du port, une grande maison d'autrefois, d'un calme surprenant. Les chambres pleines de charme se révèlent à la fois confortables et spacieuses. Piscine dans le patio noyé de verdure, salon douillet et tilleul centenaire dominant la terrasse du petit déj. Bref, un vrai coin de paradis !
	🍽 **Casa Leon** : *2, rue Riéra.* Petite terrasse le long de la rue et salle pas bien grande, avec cuisine ouverte. Bons poissons des petits pêcheurs de Port-Vendres, fort bien cuisinés. Parillada délicieuse... et copieuse ! La carte des vins tourne autour des crus de la région. Accueil aimable.
❷ PORT-VENDRES	🍽 **Les Poissonneries de la côte catalane** : *anse Gerbal (port de pêche, dans l'enceinte de la criée).* Une poissonnerie qui possède un bar marin design où l'on gobe huîtres, palourdes et plateaux de fruits de mer, à accompagner d'un petit verre de blanc à prix doux.
❹ BANYULS-SUR-MER	🛏 **Hôtel Les Pêcheurs** : *5, av. du Fontaulé.* • *castille66.wix.com/hotel-les-pecheurs* • Face au front de mer, un sympathique hôtel comme on les aime. Les chambres sont simples mais disposent de la clim et d'un balcon, voire d'une terrasse (souvent avec vue !). Bon accueil familial.
	🍽 **Le Quintessence** : *2, rue Édouard-Branly.* Au fond d'une rue piétonne, voici une adresse tranquille où le chef ne quitte jamais sa cuisine ouverte. Des produits frais, pas mal de créativité et un accueil fort sympathique : que demander de plus ?
	🛒 **La Guinelle** : *20, rue Saint-Sébastien.* Très jolie (et accueillante) petite boutique. Vente et dégustation de vinaigres artisanaux. Si vous avez du temps, on peut également pousser jusqu'au domaine, situé au cœur des collines à environ 5 km.

SUD-EST

GOUR DE TAZENAT

GRAND SARCOUI

GROTTE
DU SARCOUI

PUY DE LEMPTÉGY

VULCANIA

9

11

10 PUY DES
GOULES

8

PUY PARIOU

D90

DÉPART

CLERMONT-FERRAND

ARRIVÉE

1

PLATEAU
DE GERGOVIE

PUY
DE LASSOLAS

5

7 PUY-DE-DÔME

2

6

MAISON DU PARC NATUREL
RÉGIONAL DES VOLCANS D'AUVERGNE

PUY DE LA VACHE

D213

4

3

LAC D'AYDAT

SAINT-SATURNIN

N°25

67 KM

FICHE PRATIQUE

SITUATION

Dans le Puy-de-Dôme (Auvergne-
Rhône-Alpes).

MEILLEURE PÉRIODE

Ces paysages boisés séduisent en toute
saison. Du printemps à l'automne,
les masses sombres des épicéas se
détachent des taches plus claires ou
rousses des feuillus, tandis qu'au printemps la lande sur les hauteurs se couvre
de fleurs. En hiver, la neige s'invite parfois dans le décor et saupoudre les cimes
de blanc. Les principales attractions
touristiques sont ouvertes de Pâques
à la Toussaint.

MEILLEURS SOUVENIRS

Les nombreuses randonnées, les panoramas à couper le souffle, nager dans
les eaux chauffées au soleil du gour de
Tazenat et pique-niquer sur ses berges,
survoler le puy de Dôme…

PRÉPARER SON ROAD TRIP

- auvergne-tourisme.info
- parcdesvolcans.fr
- chainedespuys-failledelimagne.com

PUY DE SANCY

LA CHAÎNE DES PUYS

CLERMONT-FERRAND ➤➤➤ EN BOUCLE

*Ils sont 80 à s'aligner du nord au sud sur une quarantaine de kilomètres.
Les volcans d'Auvergne forment une chaîne le long de la faille de Limagne,
à l'ouest de Clermont-Ferrand. Ils sont inactifs depuis plusieurs milliers d'années :
c'est donc l'esprit léger que vous vagabonderez le long de cet itinéraire sillonnant une région
façonnée par les silhouettes de ces doux sommets tour à tour verdoyants et rocailleux
(dont les célèbres puys de Dôme, Pariou, Vache, Lassolas...). Entre deux étapes, ces volcans
formés au gré des colères telluriques sont aussi un formidable terrain d'exploration à savourer
au rythme lent de la marche. En 2018, ce paysage unique a été inscrit
au Patrimoine mondial de l'Humanité.*

LÉGENDES

ÉTAPES ●

À NE PAS LOUPER ·

CLERMONT-FERRAND

Bien reliée au reste de l'Hexagone, **Clermont-Ferrand** ❶, la capitale auvergnate, n'est pas uniquement un point de départ pratique. Elle est aussi, depuis les hauteurs de sa butte, un balcon face à l'élévation parfaite du puy de Dôme. Du haut de la rue des Gras, la perspective à l'ouest sur le cône volcanique est exceptionnelle. Derrière se dresse la silhouette colossale de la cathédrale en pierre de lave. Construite au XIIIᵉ s, rénovée par Viollet-le-Duc, elle surprend par sa robe presque noire : la pierre de Volvic, issue d'une coulée du puy de la Nugère, devient à cette époque un matériau de prédilection et habille de blocs sombres les villes alentour. Non, ce n'est pas de la crasse ! En rejoignant son parvis, on atteint la place de la Victoire, ses bars en terrasses autour de l'élégante fontaine où Urbain II prêcha le départ de la première croisade. Autre clin d'œil historique, sur la vaste esplanade centrale qu'est la place de Jaude, le Vercingétorix imaginé par le sculpteur Auguste Bartholdi galope vers la victoire de Gergovie (52 av. J.-C.), l'épée à la main. Cette grande place, repensée dans les années 2000 et traversée par un tram rouge « fleur de lave », reste le point de ralliement préféré des Clermontois. Autre atout de cette ville surprenante, une multitude d'excellents restos : c'est le moment de faire une pause !

RIFT AUVERGNAT OU LA POSSIBILITÉ D'UNE MER

La grande faille de Limagne, le bassin effondré que forme la plaine et l'alignement de la chaîne des Puys sont les témoins exceptionnels du rift ouest-européen qui s'est produit il y a environ 35 millions d'années. Le soulèvement des Alpes a provoqué l'amincissement de la croûte terrestre, engendrant fissurations et effondrements tout autour. Le plateau des Dômes, socle continental, s'est affaissé de 3 km, créant un fossé qui aurait pu se transformer en océan si l'agitation tectonique ne s'était pas apaisée... Comblé par les sédiments, cet effondrement est aujourd'hui l'une des plaines les plus fertiles du monde.

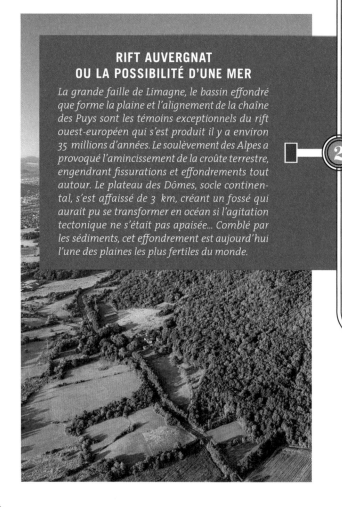

LE PLATEAU DE GERGOVIE

Il faut parfois faire un pas de côté pour mieux appréhender un paysage dans son ensemble. Rendez-vous donc sur le **plateau de Gergovie** ❷, une des promenades favorites des Clermontois. Depuis ses 750 m d'altitude, la vue embrasse une large partie de l'Auvergne. À l'est, la plaine de Limagne, bordée vers le couchant par la faille de Limagne, haute de 700 m de haut et longue de 30 km, majestueux piédestal végétal de la chaîne des Puys.

Plus au sud, le massif aiguisé du Sancy, point culminant du Massif central et donc du centre de la France. Sur les hauteurs battues par les vents, les cerfs-volants zigzaguent dans les airs tandis qu'en contrebas, un troupeau de moutons prend au sérieux sa mission d'entretien des pâturages !

Si le musée archéologique fait revivre la mythique bataille de Gergovie à travers une projection immersive et palpitante, tout en retraçant la saga des Arvernes, il remonte aussi jusqu'aux temps géologiques. Maquettes et supports multimédia scandent la genèse du relief alentour. Une bonne introduction avant la découverte à ciel ouvert de ce patrimoine géographique unique.

Plus d'infos ᵂᵂ. **musee-gergovie.fr**

SAINT-SATURNIN ET LE LAC D'AYDAT

Retour dans la vallée pour faire un saut à **Saint-Saturnin** ③. Ce charmant village, perché sur une ancienne coulée entre les rivières de la Monne et de la Veyre, a conservé son lacis de ruelles bordées de logis Renaissance et maisons vigneronnes, ponctuées de lavoirs et fontaines. Il compte surtout, presque bord à bord, une ravissante église romane (à admirer plutôt de dos !) et un château fort, fief de la famille de la Tour d'Auvergne depuis le XIIIe s, que la reine Margot offrit à Louis XIII.

Un peu plus à l'ouest, voici le **lac d'Aydat** ④, une destination prisée des puydômois en manque d'escapades balnéaires ! Âgé de de plus de 8 000 ans, c'est le plus grand lac naturel d'Auvergne. Enveloppés dans une épaisse forêt de conifères, ses 60 ha d'eau douce sont le résultat d'un barrage naturel de la Veyre, après que des coulées issues des puys de Lassolas et de la Vache, baptisées la cheire d'Aydat, ont bloqué son écoulement. Le lac d'Aydat a été aménagé en station nautique et aire de baignade. Aux beaux jours, sa plage et les pelouses voisines ont un air de bord de mer. Et sur ses eaux, pédalos, planches à voile et petits dériveurs se croisent.

Puy de la Vache

LES PUYS DE LASSOLAS ET DE LA VACHE

Les Auvergnats aiment bien médire de leurs sommets. Il faut bien reconnaître que sans eux, tout serait plus simple : plus de neige, plus de routes interminables, plus de montées, plus de lacets, plus de brouillard. Mais, la montagne est là, et c'est tant mieux. Ici, le paysage se mérite avec des cols à gravir, à franchir virage après virage en faisant chauffer la boîte de vitesses ou en tétanisant les mollets.

Les deux cônes jumeaux de **Lassolas** ⑤ et de la **Vache** ⑥ datent de la même éruption strombolienne, la dernière en date de la chaîne des Puys. Leurs cratères ouverts, inclinés par la principale coulée de lave, culminent au-dessus des 1 100 m. La Maison du Parc des Volcans d'Auvergne, installée dans le château de Montlosier, propose une exposition permanente autour du territoire du parc et une sympathique boutique de produits du terroir où remplir sa besace.

FOCUS
CÔNES, DÔMES ET MAARS

Du fait de sa jeunesse, la chaîne des Puys rassemble une collection de volcans aux formes pures et variées. Le magma s'est échappé différemment une fois remonté à la surface, selon la profondeur et la quantité de gaz renfermée. Il a pu être projeté dans les airs sous forme de scories et bombes retombées autour de la bouche éruptive, avec parfois aussi des coulées de lave : il forme alors un cône avec un cratère. En revanche, si le magma est très visqueux, il s'accumule autour de la bouche éruptive et distend le relief pour former un dôme. Lorsque la pression devient trop forte, il arrive que cet amas de gaz explose tel un bouchon de champagne et crée un panache et des nuées ardentes. Quand le magma rencontre l'eau sur son parcours, le choc thermique provoque des déflagrations en série qui le fragmentent et créent un cratère circulaire entouré de débris. Celui-ci se remplit alors d'eau.

POUR SE DÉGOURDIR LES JAMBES

Deux sentiers faciles sont indiqués depuis la Maison du Parc : **Sur les traces de Montlosier**, jalonné de panneaux d'interprétation (1,5 km), et **Musette Nature** (5 km sur le puy de Vichatel). Depuis le parking suivant, à 500 m sur la D5, une autre boucle (balisage bleu) grimpe à **l'ascension des deux puys de Lassolas et la Vache**. Compter 2h45 pour suivre l'itinéraire de 4,5 km. Mais, la vision de ces deux cratères mérite l'effort.

Plus d'infos ᵂᵂ. parcdesvolcans.fr

PUY DE DÔME

Le plus emblématique des **puys** ❼ culmine à 1 465 m d'altitude, sans compter l'antenne de communication de près de 100 m de haut installée dans les années 1950. Repère familier pour les habitants du coin, son dôme régulier côté est cède la place à une structure plus trapue et asymétrique dès qu'on l'aborde depuis le sud ou le nord. Et dire qu'il n'aura fallu que quelques dizaines d'années il y a 11 000 ans pour que cette montagne s'élève ! Nos ancêtres gallo-romains installèrent à son sommet un complexe religieux, comme en attestent les vestiges du temple de Mercure. Ils furent mis au jour lors du chantier de construction d'un observatoire de physique du globe entrepris en 1872. Ce centre de recherches devenu Observatoire des Sciences de l'Univers poursuit toujours ses missions scientifiques, dont celle de percer le mystère des nuages.

Aujourd'hui, trois parcours thématiques explorent la croupe du puy à la lande rase et offrent d'éblouissants panoramas. Le passage du Tour de France à maintes reprises a sans aucun doute accru la notoriété du site. Le duel Anquetil-Poulidor en 1964 est d'anthologie !

ACCÈS AU SOMMET

L'ascension du puy de Dôme est une vieille tradition. Les Gaulois, qui ne craignaient pas que le ciel leur tombe sur la tête les jours où les nuages entouraient le dôme, y vénéraient Toutatis. Les Romains se contentèrent d'y placer le dieu des voyageurs, Mercure. Les actuels pèlerins y montent en train à crémaillère (1 à 2 départs/h au pied du puy ; 15 mn d'ascension avec vue panoramique époustouflante) ou à pied (compter 45 mn de grimpette), l'accès en voiture étant interdit.

EXPÉRIENCE

Parapente

Le sommet du puy de Dôme, avec ses huit pistes d'envol orientées différemment, est une base de vol libre idéale. Hiver comme été, une myriade d'ailes volantes, presque invisibles de loin, évolue au-dessus de sa silhouette. Planer au-dessus des volcans endormis est une expérience inoubliable et accessible à tous, grâce aux baptêmes avec moniteur agréé en parapente biplace.

Plus d'infos ᴡᵂ federation.ffvl.fr

Puy de Pariou

⑧ ⑨

PUY DE PARIOU ET VULCANIA

Surnommé le Vésuve auvergnat, ce cône strombolien impeccable de 8 000 printemps vole la vedette au puy de Dôme tant il est un modèle du genre. Son profil pur est d'ailleurs devenu l'emblème des eaux de Volvic. C'est aussi un lieu de promenade très apprécié. Afin de limiter l'impact environnemental de sa fréquentation, une rampe en bois mène sur les lèvres parfaitement rondes de son cratère, à 1 200 m d'altitude. Il faut compter 2 h de marche depuis le parking de la Fontaine-du-Berger, et 1 h de plus pour explorer le fond de sa caldeira.

Tout près, unique parc en Europe à explorer les mystères des entrailles de la Terre, **Vulcania** ⑨ profite d'un cadre grandiose pour exposer de façon ludique et interactive les phénomènes naturels comme l'activité volcanique, les ouragans et les séismes. Des plongées en bathyscaphe dans les abysses au survol en nacelle dynamique de la chaîne des Puys, le voyage promet découvertes et sensations !

Plus d'infos ᵂᵂ. **vulcania.com**

COUP DE CŒUR

PUY DE LEMPTÉGY

Gigantesque carrière où furent extraites, après la Seconde Guerre mondiale, des tonnes de pouzzolane destinées aux revêtements routiers, le **puy de Lemptégy** a pris une retraite active ! La cavité de 10 ha, entaillée de huit strates, est ouverte à la visite. Un univers minéral à découvrir à pied ou en petit train. Le réel est spectaculaire, le virtuel immersif sensationnel !

Plus d'infos ᵂᵂ. **auvergne-volcan.com**

LE PUY DES GOULES
ET LE GRAND SARCOUI

Au sud du col des Goules s'élèvent deux puys de même altitude que l'on pourrait croire jumeaux mais qui ont des origines différentes : les 1 146 m du **puy des Goules** ⑩ sont de type strombolien tandis que le **Grand Sarcoui** ⑪, à 1 147 m, est péléen. À cause de sa forme en coupole aplanie au sommet, ce dernier est surnommé « le Chaudron ».

POUR SE DÉGOURDIR LES JAMBES

LA GROTTE DU SARCOUI

Depuis le parking du col des Goules, une randonnée facile (5 km, 2h en prenant son temps) traverse les prairies parsemées de bosquets de bouleaux avant de grimper sur les flancs du volcan entre les noisetiers puis les hêtres. On atteint rapidement la **grotte du Sarcoui**, une ancienne carrière mérovingienne où furent taillés des blocs pour les sarcophages. On redescend en sens inverse pour rejoindre le puy des Goules et atteindre les bords de son cratère large de 200 m et profond de 40 m. Le panorama à 360° depuis son pourtour est spectaculaire : le Grand Sarcoui au nord, la plaine de la Limagne à l'est, les puys de Pariou et de Dôme au sud, les puys de Côme, de Lemptégy, des Gouttes et Chopine ainsi que Vulcania à l'ouest.

POUR ALLER PLUS LOIN

LE GOUR DE TAZENAT

Tout au nord de la chaîne des Puys, le **gour de Tazenat** forme un parfait iris bleu ouvert sur le ciel. Entouré de bois, le cratère d'explosion, en forme d'entonnoir, s'est rempli d'eau il y a environ 30 000 ans. La profondeur longtemps insondable du lac l'a peuplé de terribles légendes et de sorcières. Aujourd'hui, ses dimensions sont officielles : 700 m de diamètre, 66 m de profondeur et 14 m de vase. Par grand soleil, le site, avec ses rochers surplombant les eaux tièdes et azur, a des allures presque méditerranéennes. Les jeunes adorent venir y plonger ! Une promenade (2 h, 6,5 km) dans les sous-bois fait le tour du plan d'eau.

Lac d'Aydat

LIVRES DE ROUTE

- **Maigret en Auvergne** de Georges Simenon, Le Livre de Poche (2013). Deux enquêtes sur les terres auvergnates du fameux inspecteur, que séparent une quarantaine d'années : *L'Affaire Saint-Fiacre* (1932) et *Maigret à Vichy* (1968).
- **La belle histoire de la Chaîne des Puys – faille de Limagne inscrite au patrimoine mondial de l'UNESCO**, aquarelles d'Alain Bouldouyre, textes d'Yves Michelin. Ouvrage édité par le Conseil départemental du Puy-de-Dôme.

FRINGALES

L'Auvergne est un **plateau de fromages** à elle seule. Elle peut s'enorgueillir de compter cinq appellations d'origine protégée : le cantal, le salers, le saint-nectaire, la fourme d'Ambert et le bleu d'Auvergne !

CARNET D'ADRESSES

ÉTAPES	INFORMATIONS
1 **CLERMONT-FERRAND**	🏠 **Hôtel Saint-Joseph** : *10, rue de Maringues. • hotelsaintjoseph.fr •* Hôtel modeste mais bien tenu, affublé d'un snack-bar au rez-de-chaussée dans un quartier tranquille. 12 chambres, avec bonne literie et double vitrage. Bon accueil. 🏠 **5 Chambres en Ville** : *8, rue Neyron. • 5chambresenville.com •* À deux pas de la basilique Notre-Dame-du-Port, cinq chambres déco où les hôtes se sentent comme chez eux. Petit-déjeuner-buffet servi dans l'ancienne boutique du rez-de-chaussée.
3 **SAINT-SATURNIN**	🏠 **Chambres d'hôtes Les Quatre Provinces d'Irlande** : *chez Emma et Philip Cleary, 7, rue Léger-Gauthier, 63450 Saint-Amant-Tallende. • lesquatreprovincesdirlande.eu •* La Londonienne Emma et son mari irlandais, tous deux francophones et très accueillants, ont acheté et retapé cet ancien relais de poste doté d'un superbe escalier à vis. Ils y ont ouvert quatre belles chambres. Patio, ping-pong et baby-foot en prime. 🍴 **Le Bistrot d'Ici** : *12, pl. du 8-Mai. • lebistrotdici.fr •* Un bistrot et un lieu de vie labellisé justement « Bistrot de pays » grâce à l'enthousiasme de Patricia et Bernard. Resto le midi où l'on sert une cuisine simple et locavore en salle ou en terrasse. Programme d'animations sur le site.
2 **PUY DE DÔME**	🏠 🍴 **Archipel Volcans** : *19, route de Clermont, Laschamps, 63122 Saint-Genès-Champanelle. • archipel-volcans.com •* Face au Puy-de-Dôme, une belle adresse qui s'adresse autant aux randonneurs qu'aux familles. Chambres privées jusqu'à six personnes ou collectives avec 7 à 8 lits superposés, façon auberge de jeunesse. Bonne cuisine régionale au resto, avec la truffade en vedette. Propose également des séjours et des activités avec des prestataires extérieurs.
5 **PARIOU**	🍴 **L'Ours des Roches** : *La Courteix, 63230 Saint-Ours-les-Roches.* Au pied des volcans et à proximité de Vulcania, une ancienne bergerie rénovée avec soin. Le cadre à la fois rustique et élégant convient à une séduisante cuisine de terroir revisitée. Plateau de fromages à ne pas négliger avant d'attaquer les desserts ! Accueil fort sympathique de toute l'équipe. 🍴 **L'auberge de la Fontaine du Berger** : *167, Route de Limoges, 63870 Orcines. • auberge.fr •* À deux pas du départ du sentier pour le Pariou, cette auberge rustique avec terrasse couverte propose à midi un menu du jour inspiré du terroir et mitonné avec soin. Le tout à un prix alléchant. On peut aussi puiser dans la carte qui fait honneur aux jolis produits d'ici et d'ailleurs, du fin gras du Mézenc aux huîtres de Cancale.

N°26

160 KM

FICHE PRATIQUE

 SITUATION

Dans le Cantal (Auvergne-Rhône-Alpes).

 MEILLEURE PÉRIODE

En été, on apprécie les nombreuses randonnées qui émaillent la route. Attention : le pas de Peyrol n'est ouvert que de mai à octobre, en fonction des conditions météorologiques. En hiver, les sports de montagne sont au rendez-vous.

 MEILLEURS SOUVENIRS

Rouler sur le plus grand stratovolcan d'Europe, les panoramas exceptionnels sur le Massif central, les petites églises romanes et les villages hors du temps à découvrir au détour d'une route étroite et sinueuse, les fromages à se damner (cantal en tête), les randonnées de buron en buron et, l'hiver, pour les courageux, se croire presque dans la toundra !

 PRÉPARER SON ROAD TRIP

- auvergne-tourisme.info
- parcdesvolcans.fr

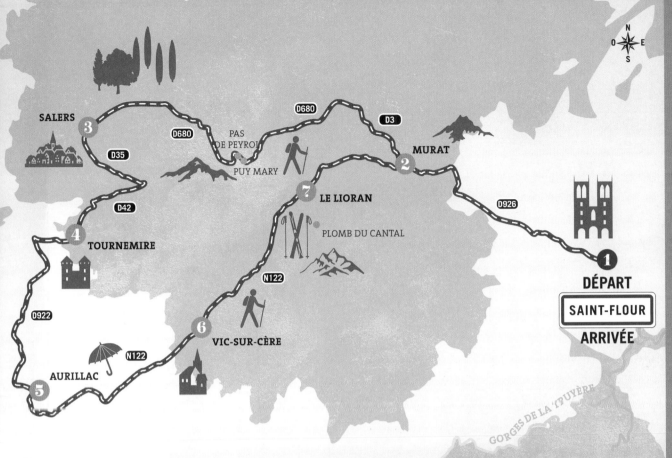

LES MONTS DU CANTAL

SAINT-FLOUR ➤ SAINT-FLOUR, EN BOUCLE

Incroyable, les monts du Cantal n'en font qu'un ! À l'origine, un seul et même volcan de 70 km de large. Presque la largeur du département. Aujourd'hui, ce cône massif a laissé place à de nombreux sommets – dont le célèbre Plomb du Cantal et ses 1 858 m d'altitude – et à de belles vallées verdoyantes. Splendidement isolé, le Cantal est un concentré de pittoresque auvergnat : alpages moelleux, paysages grandioses, villages hors du temps... Et des villes dotées d'intéressants patrimoines, telles que Saint-Flour, ajoutent au plaisir du voyage – sans oublier la découverte des trésors de la gastronomie locale !

LÉGENDES

ÉTAPES ●

À NE PAS LOUPER ·

FLEUVES, RIVIÈRES —

SUD-EST · · · 160 KM

Les monts du Cantal 217

SAINT-FLOUR

Sur sa plate-forme de basalte battue par tous les vents, nid de grands-ducs haut perchés dans les lumières violettes et blanches des ciels de la Planèze, **Saint-Flour** ❶ la médiévale, Saint-Flour la catholique, résonne encore des pas de ses chanoines. L'éternelle rivale d'Aurillac, et le point de départ de cet itinéraire, a bien des atouts. D'ailleurs, sa région est labellisée Pays d'art et d'histoire. Après une balade dans la vieille ville, on pourra se rendre au musée de la Haute-Auvergne, abrité dans l'ancien palais épiscopal, (1610). Son cadre est remarquable. Pas moins intéressant, le musée d'Art et d'Histoire Alfred-Douët est installé, lui, dans l'une des plus anciennes demeures de la ville (XIIIᵉ s). Avant de partir, aller découvrir sur le flanc de la cathédrale Saint-Pierre, rue Dessauret, la signature des tailleurs de pierre : écu, harpon (ou angle droit), hameçon, croix, cercle, D gothique, etc.

DE MURAT À SALERS

Première étape à **Murat** ②. Ici, l'intense activité des volcans d'antan laissa en souvenir trois hauts rochers, ceux de Bonnevie, Bredons et Chastel, anciennes bouches d'émissions volcaniques, entre lesquelles la ville se moula. Au carrefour de la haute Auvergne, Murat a beaucoup à offrir, ne serait-ce qu'une riche balade dans l'histoire et l'architecture médiévale de sa vieille ville. Et aussi une visite de la formidable Maison de la faune et de la merveilleuse chapelle de Bredons, véritable conservatoire du retable en Auvergne.

Vallée de Cheylade

POUR SE DÉGOURDIR LES JAMBES

LE PUY MARY
30 mn

Depuis le pas de Peyrol, un petit sentier mène au sommet du **puy Mary** (à 1 787 m). Courte ascension de 30 mn environ, pas trop difficile – mais prévoir de bonnes chaussures –, sur un sentier bétonné aménagé. En haut, on profite de l'un des plus beaux panoramas de France. Par temps très clair, au lever du soleil, on aperçoit, paraît-il, le mont Blanc (à quelque 340 km !).

FOCUS
LE BURON

Tout droit sortis de l'âge de pierre, ces refuges à demi enterrés, coiffés de mottes de gazon, ont été semés sur tous les alpages du Cantal. Du mois de mai jusqu'à mi-octobre, ils abritaient les « buronniers » (traduisez : garçons vachers) des intempéries. Les vaches pâturaient tout le jour à portée de cloches. On les trayait matin et soir, lorsqu'elles quittaient ou regagnaient l'enclos. Nourri de « trempes » de pain dans du lait caillé, le buronnier s'occupait aussi du fromage, qu'il pressait et affinait dans sa propre cave. Dans le Cantal, il subsiste une poignée de burons actifs, comme les burons de Salers. En contrebas de la route panoramique du Puy-Mary, deux burons traditionnels profitent d'un panorama éblouissant sur la vallée de Saint-Paul-de-Salers et Récusset.

Pour rejoindre Salers, pourquoi ne pas s'offrir une belle ascension en passant par le pas de Peyrol (le plus haut col routier du Massif central). Ouverte de mai à octobre, cette route pittoresque offre un panorama époustouflant sur la vallée de la Jordanne et sur celle du Mars.

Du pas de Peyrol, vers l'ouest, la D680 descend vertigineusement à travers une dense forêt, vers **Salers** ③. Certainement la plus jolie bourgade du Cantal, classée parmi les « Plus Beaux Villages de France », Salers possède un ensemble exceptionnel d'hôtels particuliers et de nobles demeures. Surprenant à cette altitude et dans une région aussi isolée. On prend plaisir à flâner sur sa place Tyssandier-d'Escous (un vrai décor de film de cape et d'épée du XVe s !) jusqu'à l'esplanade de Barrouze. Point d'orgue de la promenade en ville, cette terrasse arborée offre un remarquable panorama.

DE TOURNEMIRE À AURILLAC

Tournemire ④ est, lui aussi, classé parmi les « Plus Beaux Villages de France ». Dominant la vallée de la Doire, le village s'étire le long de sa rue unique, entrecoupée d'adorables placettes. Elle est bordée de solides et élégantes demeures, aux toits couverts d'épaisses lauzes. Et tout au bout, le fier et puissant château d'Anjony monte une garde vigilante contre tout promoteur immobilier susceptible de briser cette sérénité !

Plus au sud, **Aurillac** ⑤, chef-lieu du Cantal et vieille cité longtemps enclavée au sud d'un département peu industrialisé, est célèbre pour ses parapluies vendus dans le monde entier. Aujourd'hui dynamique et commerçante, elle s'active autour d'une offre culturelle variée. Son festival de Théâtre de rue a gagné une notoriété internationale. Le vieux centre-ville aux rues piétonnes dévoile quelques jolies façades. La plupart des demeures datent des XVIIe et XVIIIe s. Beaucoup possèdent encore leurs anciennes arcades-boutiques. Au dernier étage, on peut souvent noter, sous la retombée du toit, une petite rangée d'ouvertures. Elle indique un ancien grenier à séchage ouvert à tous les vents. Autre curiosité : certaines façades révèlent des fenêtres décalées par rapport à la porte d'entrée. L'explication : les ruelles coupe-feu, transformées en couloirs d'immeuble lorsque l'on a construit au-dessus pour agrandir.

EXPÉRIENCE

Le festival international d'art de rue d'Aurillac

C'est ici qu'a lieu le plus grand festival de Théâtre de rue d'Europe. Il draine près de 120 000 spectateurs, des dizaines de troupes étrangères et près de 600 compagnies, peut-être les « grandes de demain ». Comme à Avignon, il y a le *in* et le *off*. Rupture totale avec le quotidien pendant quelques jours et beaucoup d'émotion devant la créativité de certaines troupes. Fusion de toutes les langues, de toutes les classes sociales, de tous les âges, confrontation des troupes entre elles, verdict du public... Une inoubliable fête populaire.

Quand ? 📅 **Fin août.**

Plus d'infos ᵂᵂ. **aurillac.net**

Compagnie Rhinofanpharyngite

DE VIC-SUR-CÈRE À SAINT-FLOUR

Depuis Aurillac, on rejoint **Vic-sur-Cère** ⑥. La ville fut longtemps une importante bourgade agricole et une station thermale. Le vieux bourg s'étage à gauche de la montagne (venant d'Aurillac), tandis que la ville thermale s'élève à droite de la Cère. Si Balzac avait été auvergnat, il aurait, c'est sûr, choisi Vic-sur-Cère pour en faire le théâtre de la comédie auvergnate. Petite ville qui sut, en son temps, être charmante, briquée de rouge et de bleu, enceinte de ses notaires et de ses hobereaux, elle a depuis perdu ses eaux. Plusieurs belles adresses ont éclos tout autour et en font une agréable halte touristique, à condition de quitter le centre...

À ne pas manquer 🔍 Le château de Pesteils. De son haut donjon carré à mâchicoulis, il domine le village. Les amateurs de patrimoine, d'architecture et d'histoire seront comblés.

⑥

POUR SE DÉGOURDIR LES JAMBES 🚶

Derrière l'église, petit pont et départ d'une jolie balade vers la **cascade du Trou de la Conche**. À la clé, belle vue sur la vallée de la Cère.

⑦ ⑧

Plus au nord, **Le Lioran** ⑦ est la station de ski la plus importante du Cantal. La vocation de la station remonte loin, puisqu'en 1906 il y avait déjà des concours de ski, et qu'en 1911 un concours international militaire de ski réunit sept nations participantes et des milliers de spectateurs. Hélas, la Première Guerre mondiale cassa l'essor de la pratique, et ce n'est qu'en 1947 que l'on construisit le premier remonte-pente. En 1960, l'idée d'une station prit corps, et en 1967 fut inauguré le téléphérique du Plomb du Cantal. L'occasion d'une petite descente avant le retour sur **Saint-Flour** ⑧.

POUR SE DÉGOURDIR LES JAMBES 🚶

LE PLOMB DU CANTAL
4h aller-retour

À 1 858 m, c'est le point culminant du département. On y accède à pied par le **GR® 4** (4h aller-retour, 600 m de dénivelée). Attention, la montée est rude. Sinon, il y a l'option téléphérique, avec départ à 1250 m, arrivée à 1850 m (tous les jours de juin à début sept). Panorama exceptionnel sur le massif cantalien et le parc des Volcans d'Auvergne.

EXPÉRIENCE

En pleine nature

En hiver : du ski, évidemment ! Le domaine skiable s'étend sur deux massifs et trois vallées. 18 remontées mécaniques, dont 8 télésièges et un téléphérique pour rejoindre 60 km de pistes de tous les niveaux. Sans oublier les activités hivernales traditionnelles : patinoire, pistes de luge, randonnées à raquettes, chiens de traîneaux, ski de randonnée, cascade de glace, escalade, ski-joëring... et balnéothérapie.

En été : c'est le royaume de la randonnée. Excellent réseau de sentiers balisés (plus de 300 km), dont le GR® 4 et le GR® 465. Découverte des prodigieux panoramas depuis les sommets cantaliens. Des professionnels proposent toute l'année un programme disponible à l'office de tourisme. Le téléphérique (accessible aux piétons, VTT, parapentistes) et le télésiège de Rombière permettent d'effectuer une partie de la grimpette sans s'essouffler.

POUR ALLER PLUS LOIN

LE CÉZALLIER

Entre 900 et 1 400 m d'altitude, au nord de Murat, s'étend une séduisante et âpre région, dont une grande partie appartient au parc naturel régional des Volcans d'Auvergne.

Il y a plusieurs millions d'années, le coin connut une succession de coulées de lave, bien creusées et rabotées ensuite par quelques glaciations. D'où, aujourd'hui, ces paysages ouverts, nus, ondulant mollement à perte de vue.

Ici, les hivers sont longs et les amplitudes de température importantes. Terre de grande émigration, beaucoup d'habitants du Cézallier devinrent marchands de toile. Nulle monotonie pourtant, c'est un relief tout en nuance, tout en subtilité.

De-ci de-là, quelques buttes, quelques fermes et de nombreuses cornes qui accrochent le regard. Car c'est bien sûr un pays d'estive, dont les gourmandes salers vont patiemment ciseler les contours et peaufiner le relief (ne pas manquer, en mai, la grande fête de l'Estive à Allanche).

Par la D 9 puis la D 21, en direction de Massiac, on découvre toute la beauté du plateau mamelonné. À partir de Chavanon, on est aspiré par l'ampleur de l'espace s'étalant à perte de vue. C'est un paysage totalement pelé, royaume des hauts pâturages. Superbe panorama sur les monts du Cantal.

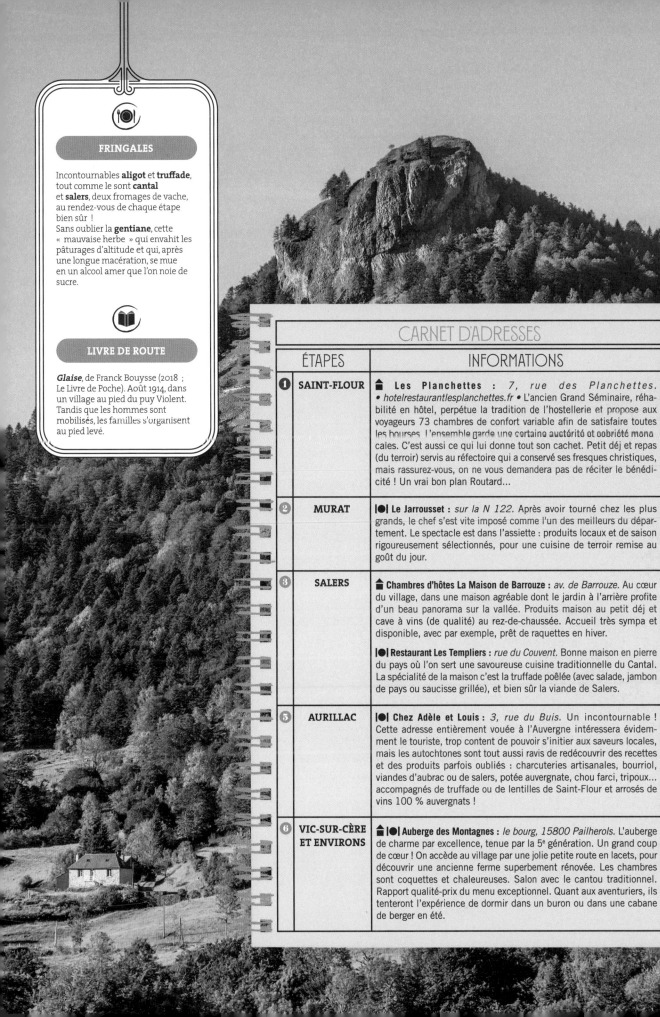

Incontournables **aligot** et **truffade**, tout comme le sont **cantal** et **salers**, deux fromages de vache, au rendez-vous de chaque étape bien sûr !
Sans oublier la **gentiane**, cette « mauvaise herbe » qui envahit les pâturages d'altitude et qui, après une longue macération, se mue en un alcool amer que l'on noie de sucre.

Glaise, de Franck Bouysse (2018 ; Le Livre de Poche). Août 1914, dans un village au pied du puy Violent. Tandis que les hommes sont mobilisés, les familles s'organisent au pied levé.

CARNET D'ADRESSES

ÉTAPES	INFORMATIONS
① SAINT-FLOUR	🏠 **Les Planchettes :** *7, rue des Planchettes.* • *hotelrestaurantlesplanchettes.fr* • L'ancien Grand Séminaire, réhabilité en hôtel, perpétue la tradition de l'hostellerie et propose aux voyageurs 73 chambres de confort variable afin de satisfaire toutes les bourses. L'ensemble garde une certaine autorité et sobriété monacales. C'est aussi ce qui lui donne tout son cachet. Petit déj et repas (du terroir) servis au réfectoire qui a conservé ses fresques christiques, mais rassurez-vous, on ne vous demandera pas de réciter le bénédicité ! Un vrai bon plan Routard...
② MURAT	🍴 **Le Jarrousset :** *sur la N 122.* Après avoir tourné chez les plus grands, le chef s'est vite imposé comme l'un des meilleurs du département. Le spectacle est dans l'assiette : produits locaux et de saison rigoureusement sélectionnés, pour une cuisine de terroir remise au goût du jour.
③ SALERS	🏠 **Chambres d'hôtes La Maison de Barrouze :** *av. de Barrouze.* Au cœur du village, dans une maison agréable dont le jardin à l'arrière profite d'un beau panorama sur la vallée. Produits maison au petit déj et cave à vins (de qualité) au rez-de-chaussée. Accueil très sympa et disponible, avec par exemple, prêt de raquettes en hiver. 🍴 **Restaurant Les Templiers :** *rue du Couvent.* Bonne maison en pierre du pays où l'on sert une savoureuse cuisine traditionnelle du Cantal. La spécialité de la maison c'est la truffade poêlée (avec salade, jambon de pays ou saucisse grillée), et bien sûr la viande de Salers.
⑤ AURILLAC	🍴 **Chez Adèle et Louis :** *3, rue du Buis.* Un incontournable ! Cette adresse entièrement vouée à l'Auvergne intéressera évidemment le touriste, trop content de pouvoir s'initier aux saveurs locales, mais les autochtones sont tout aussi ravis de redécouvrir des recettes et des produits parfois oubliés : charcuteries artisanales, bourriol, viandes d'aubrac ou de salers, potée auvergnate, chou farci, tripoux... accompagnés de truffade ou de lentilles de Saint-Flour et arrosés de vins 100 % auvergnats !
⑥ VIC-SUR-CÈRE ET ENVIRONS	🏠🍴 **Auberge des Montagnes :** *le bourg, 15800 Pailherols.* L'auberge de charme par excellence, tenue par la 5e génération. Un grand coup de cœur ! On accède au village par une jolie petite route en lacets, pour découvrir une ancienne ferme superbement rénovée. Les chambres sont coquettes et chaleureuses. Salon avec le cantou traditionnel. Rapport qualité-prix du menu exceptionnel. Quant aux aventuriers, ils tenteront l'expérience de dormir dans un buron ou dans une cabane de berger en été.

N°27

700 KM

DÉPART

THONON-LES-BAINS

1

LAC LÉMAN

D902

2 LES GETS

CIRQUE DU FER À CHEVAL

LAC DE PEYRE

3 LE REPOSOIR

LAC DE LESSY

LE GRAND-BORNAND

COL DE LA COLOMBIÈRE

4

COL DES ANNES

5

ANNECY

CHAÎNE DES ARAVIS

LA CLUSAZ

MONT BLANC

LES SAISIES 6

ARÊCHES-BEAUFORT 7

D902

8 VAL-D'ISÈRE

9 COL DE L'ISERAN

PARC NATIONAL DE LA VANOISE

10 BONNEVAL-SUR-ARC

VAL CENIS

11

BESSANS

VALLOIRE

12

D1006

LA GRAVE

13 COL DU GALIBIER

D1091

BRIANÇON

14

ITALIE

PARC NATIONAL DES ÉCRINS

PARC NATUREL DU QUEYRAS ♥

15

SAINT-VÉRAN

D902

16

BARCELONNETTE

PARC NATIONAL DU MERCANTOUR

VALBERG D28

TENDE

MONT BÉGO

17

SAINT-MARTIN-VÉSUBIE

D2566

SAINTE-AGNÈS

18

19

ARRIVÉE

MENTON

FICHE PRATIQUE

SITUATION

Haute-Savoie, Savoie, Hautes-Alpes, Alpes-de-Haute-Provence, Alpes-Maritimes, Var, Auvergne-Rhône-Alpes et PACA.

BON À SAVOIR

Ce trajet est faisable dans son intégralité de juin à octobre. Le reste de l'année, de nombreux cols sont fermés.

MEILLEURS SOUVENIRS ♥

Après avoir franchi des cols mythiques le long de cette itinérance en montagne, dégringoler vers la mer, sur une route panoramique exceptionnelle.

PRÉPARER SON ROAD TRIP www.

• route-grandes-alpes.com

LA ROUTE DES GRANDES ALPES, ENTRE MER ET MONTAGNE

THONON ➤➤➤ MENTON

Voici l'une des premières routes touristiques établies en France. Créée en 1909, au moment où l'automobile commençait à devenir un important moyen de locomotion, cet itinéraire est l'un des plus beaux de l'Hexagone ! Sur près de 700 km, le spectacle est tout du long époustouflant et offre une phénoménale leçon de géographie. Du lac Léman à la Côte d'Azur, on avale 16 cols, dont le plus haut culmine à 2 764 m d'altitude (l'Iseran), en traversant quatre grands parcs naturels : Vanoise, Écrins, Queyras et Mercantour.

MÉDITERRANÉE

LÉGENDES

ÉTAPES ●

À NE PAS LOUPER ·

FRONTIÈRE - -

La route des Grandes Alpes, entre mer et montagne

DE THONON-LES-BAINS AU REPOSOIR

Ancienne capitale du Chablais, **Thonon-les-Bains** ❶ est joliment bâtie en surplomb du Léman. Son centre-ville bien léché, son pittoresque port de pêche, ses points de vue exceptionnels sur l'azur du lac invitent à la *dolce vita*. Discrètement thermale, furtivement touristique, Thonon est une ville animée toute l'année, sans doute un peu moins guindée que sa voisine Évian.

Passée la montagne et ses sommets embrumés, on est saisi par la vue du célèbre lac Léman, véritable mer intérieure aux dimensions titanesques : 310 m de profondeur (on y planterait à l'aise la tour Eiffel) et 58 000 ha… On aperçoit à peine le rivage suisse, avec lequel il marque la frontière depuis 1567. Déambuler le long de ses 50 km de rives, où s'alignent petits ports de pêche et plages de sable, est une expérience à part. Et dire que l'instant d'avant, on était à la montagne… Le Léman ressemble à un concept marketing : vivez la mer en altitude !

Plus au sud du lac, **Les Gets** ❷ est une petite station assise sur un col discret. Point de passage qui, toujours, a valu à ce charmant village relié à la vallée de Morzine un développement prospère. Il aurait été fondé au XIVᵉ s par des juifs (en savoyard, *gets*) chassés de Toscane. Un village de montagne typiquement savoyard, parsemé de chalets traditionnels en pierre et en bois. On y coule des jours paisibles, bercé par le son des clarines. Les sportifs y trouvent leur compte quelle que soit la saison : l'été lors de randos à pied ou de descentes à VTT, activité en essor constant devenue l'un des fers de lance de la station. En hiver, les skieurs acharnés dévalent les pistes du fabuleux domaine des Portes-du-Soleil, à cheval sur la Suisse.

PAS DE CÔTÉ

À environ 35 km des Gets, sur la route qui mène en Suisse, on ne loupera pas le **cirque du Fer-à-Cheval**. Grandiose ! Un amphithéâtre de sévères falaises calcaires, hautes de 700 m pour certaines, transpercées par mille et une cascades aux noms plutôt évocateurs (Pissevache, la Pissette…) et qui dégringolent dans un boucan infernal. Du plan du Lac (au pied du cirque), un sentier bien tracé grimpe (une bonne heure et demie) jusqu'au « bout du monde », par le fond de la Combe (carte IGN). Site grandiose, une fois encore, où l'on assiste à la naissance du Giffre, au pied de glaciers suspendus.

On emprunte ensuite la jolie route de montagne du col de la Colombière (l'été seulement car la neige bloque la route en hiver). Après une myriade de lacets se dévoile le mignon village montagnard **Le Reposoir** ❸ – niché à 875 m d'altitude dans une douce vallée, au pied du Bargy et de la pointe d'Areu. À peine à l'écart du village, la chartreuse du Reposoir a été fondée en 1161, mais le majestueux ensemble de bâtiments qui domine superbement le petit lac date des XVIIe et XVIIIe s. La chartreuse abrite désormais une communauté de carmélites. L'accès au cloître et à l'église est possible.

❸

POUR SE DÉGOURDIR LES JAMBES

Quelques classiques pour les amateurs de randonnées : les alpages du **col des Annes** (une demi-journée), le **lac de Peyre** (une demi-journée), le **lac de Lessy** (5h30 aller-retour), le **refuge de Gramusset** (3h30 aller-retour).

PAS DE CÔTÉ : ANNECY

Le paysage de carte postale, **Annecy** le doit en grande partie à la nature qui s'est montrée ici vraiment généreuse. Son lac bordé par la montagne, autrefois souillé par la pollution, est aujourd'hui le plus pur d'Europe, et ses eaux cristallines flirtent avec les 24 °C à la belle saison. Avec ses quais fleuris, son entrelacement de canaux et de ruelles médiévales, Annecy a tout (ou presque) pour elle. Et ça n'a pas échappé à la foule qui gonfle dans le centre-ville au cœur de l'été. Cela dit, personne ne vous empêche de succomber au charme de cette coquette cité au printemps ou à l'automne.

Coup de cœur pour le **vieil Annecy** (à ne pas confondre avec Annecy-le-Vieux, charmant village de la commune nouvelle d'Annecy). Une Venise en miniature, zébrée de canaux, où coule une eau turquoise presque irréelle, frangée de géraniums aux teintes tapageuses. Et les façades des vénérables maisons, fardées de verts anisés, d'orange fané, de terre de Sienne, s'ajoutent à la palette de ce plaisant tableau.

DE LA CHAÎNE DES ARAVIS À VAL D'ISÈRE

Entre la vallée de Thônes et le val d'Arly, la chaîne des Aravis (prononcer : « Ah ! ravi ! ») forme une monumentale et quasi rectiligne muraille de dents acérées où culmine, à 2 752 m, le célèbre sommet de la pointe Percée. À son pied, des alpages qui bruissent du tintement des clarines des troupeaux, d'aimables vallées modelées par le cours des torrents où se serrent autour du clocher à bulbe de leurs églises des villages pittoresques. Villages qui vivent aujourd'hui comme hier, malgré le développement des sports d'hiver, de l'élevage laitier (les Aravis sont le berceau du fameux reblochon !) et de l'exploitation forestière.

Dans l'une des vallées les plus ouvertes et – ce qui ne gâte rien – les plus ensoleillées des Aravis, le charmant village typique du **Grand-Bornand** ④, coiffé d'un plantureux clocher à bulbe, égraine pas moins de 400 chalets anciens, pour la plupart bicentenaires (le plus vieux, datant de 1664, est toujours habité par la même famille !). La station moderne s'est en effet développée sur les hauteurs, au Chinaillon, et le chef-lieu est resté semblable à ce qu'il a toujours été : un bourg où il y a quasiment autant de vaches que de Bornandins. Pas si étonnant dans la mesure où c'est le plus gros troupeau de vaches d'Abondance de Haute-Savoie ! « Le Grand-Bo » abrite le plus important marché de gros de reblochon depuis 1795. Parmi la quarantaine de fermes, une dizaine de producteurs ouvrent été comme hiver les portes de leurs exploitations (renseignements à l'office de tourisme).

On passera ensuite par **La Clusaz** ⑤, célèbre station de ski.

FOCUS
LE MONT BLANC

Un spectacle grandiose, prestigieux, envoûtant... Le même souffle coupé par l'émotion esthétique qu'à l'approche des montagnes de l'Himalaya ! 31 km de sommets, de pics, de dents, d'aiguilles, d'arêtes et de glaciers. Plus de dix sommets dépassant les 4 000 m et soixante dépassant les 3 000 m, aux noms désormais inscrits dans l'inconscient collectif : les Drus, les Grandes Jorasses... Et le sommet le plus haut de France, qui trône au-dessus de Chamonix, le seul, l'unique mont Blanc. Au pied de ces mythiques sommets s'est formée une microrégion touristique, le pays du Mont-Blanc. On y trouve des stations huppées (Megève !) ou familiales (Les Contamines, Saint-Gervais Mont-Blanc), des villages ou des hameaux « dans leur jus » (Saint-Nicolas-de-Véroce ou Bionnassay) et la « capitale », Chamonix, bien sûr.

Après quelques virages vers le sud, voici **Les Saisies** , station posée à 1 650 m d'altitude, au niveau du célèbre col qui fait le trait d'union entre le Val d'Arly et la vallée du Beaufortain. L'été, on randonne entre alpages et forêts. L'hiver, dans un domaine familial mais sportif, on skie sur les pistes où un champion olympique, Franck Piccard, a fait ses premières descentes, à moins de préférer les superbes boucles de ski de fond.

Nous voilà déjà dans le Beaufortain, baptisé « le pays des mille chalets » par Roger Frison-Roche, alpiniste écrivain qui y a passé ses vacances lorsqu'il était enfant. Le ski n'y est pas inconnu (les premières remontées mécaniques datent de 1947), mais on ne lui a pas tout sacrifié. Beaufort-sur-Doron, gros bourg animé au confluent des torrents de l'Argentine et du Doron, a, avec son proche voisin Arêches – qui fait partie de la même commune, **Arêches-Beaufort** – développé une petite station de sports d'hiver où se côtoient tourisme et agriculture. Mais la grosse affaire reste bien ici la fabrication du... beaufort. Classé « Site remarquable du goût », Arêches-Beaufort organise chaque automne le Salon le plus important en la matière. Outre son délicieux fromage, Arêches possède de vieilles maisons serrées autour de l'église, mais aussi quelques mignonnes villas début du XXᵉ s qui témoignent d'un tourisme déjà ancien. Les deux villages réunis jouent aujourd'hui à fond la carte du développement durable (et bénéficient d'ailleurs du label « Domaine skiable écoresponsable »).

On traverse maintenant la vallée de la Tarentaise, qui évoque des domaines skiables immenses et des stations célèbres dans le monde entier. En été, la frénésie hivernale passée, on découvre un espace paisible dédié à la contemplation et à la randonnée, aux portes du parc national de la Vanoise. Cette Tarentaise qui nous émerveille, c'est celle des églises et chapelles qui laissent les siècles glisser sur leurs précieux décors baroques ; celle des tarines, ces vaches brunes aux grands yeux doux ; celle des villages cernés de vergers. C'est vers elle que nos pas nous ont naturellement portés, sans pour autant rechigner à côtoyer les stations d'altitude où, l'été, les fondus de glisse échangent leur paire de skis contre un VTT pour continuer à dévaler les pentes. Pas de jaloux, c'est bien l'ensemble de la Tarentaise qui est classé « Pays d'art et d'histoire ».

Arrivé à **Val-d'Isère** , difficile d'imaginer en remontant les « Champs-Élysées de la Savoie », une grande rue où s'alignent hôtels, boutiques et résidences, qu'il n'y avait là – il y encore 130 ans – qu'un hameau perdu dans une montagne grandiose et sévère, accessible par un mauvais chemin muletier coupé par la neige en hiver. Un hameau isolé qui n'avait même pas de nom avant 1887 ! C'est à partir des années 1930 que la station s'est développée avant de passer sous les projecteurs grâce aux exploits de Jean-Claude Killy et des sœurs Goitschel. Des gamins nés skis aux pieds, qui traverseront les *sixties* en haut des podiums, assurant pour quelques décennies la notoriété de Val-d'Isère. Depuis, le centre de la station n'en finit pas d'embellir et de monter en gamme, renouant avec la pierre, les lauzes et le bois. Avec son église de style baroque autour de laquelle se pelotonnent de gros chalets aux balcons de bois sculpté, Val-d'Isère ressemble – comparé à sa voisine Tignes – presque au village qu'il était autrefois, surtout quand la neige est de la partie. « Val », comme disent les habitués qui y viennent depuis des générations, est une station sportive et branchée, même si elle est moins frime que Courchevel.

Les Saisies et le mont Blanc

DU COL DE L'ISERAN À SAINT-VÉRAN

Une belle route en lacet à travers les alpages grimpe jusqu'au **col de l'Iseran** 9 à 2 770 m d'altitude, ce qui en fait le col routier le plus haut d'Europe. Le paysage y est encore sauvage, presque austère (seules constructions : une chapelle contemporaine et un resto). La vue sur les glaciers de haute Maurienne est imprenable.

Arrivé au pied du col côté vallée de la Maurienne, voici **Bonneval-sur-Arc** 10, à 1850 m d'altitude, dans un bout du monde formé par les glaciers. S'il n'y avait pas les quelques autocars sur le parking (la rançon du succès...), Bonneval, couleur schiste, se fondrait presque dans ce sublime paysage. Bonneval vit. Et pas seulement du tourisme, les tas de fumier en témoignent ! Pourtant, le village a failli mourir. Mi-juin 1957, l'Arc, gonflé par des pluies diluviennes, emportait ponts et chemins, ensevelissant la moitié des maisons sous des tonnes de sable. Le vieux village a depuis retrouvé sa superbe. Bonneval-sur-Arc, en misant sur le développement durable, les sports de plein air (il faut dire que le site s'y prête) et l'énergie de ses habitants, a su négocier avec le tourisme sans lui vendre son âme. Un des « Plus Beaux Villages de France », et on comprend pourquoi !

La Grave-La Meije

Encaissé dans une vallée d'une austère beauté, **Bessans** 11 a un côté plus brut, moins léché que Bonneval-sur-Arc. On y est accueilli par un diablotin, cornu et fourche bien en main, perché sur la fontaine de la place centrale. Parce que Bessans est le village du diable, des diables, même !

En continuant sur la D 902, on traverse Val-Cenis, qui regroupe cinq villages où il fait bon se poser et se reposer : Bramans, Sollières-Sardières, Termignon, Lanslebourg et Lanslevillard. Puis voici **Valloire** 12, petit village serré autour de son église baroque, l'une des plus somptueuses de la région. Valloire est aussi la plus grande station de sports d'hiver de Maurienne.

L'itinéraire continue jusqu'à la superbe route du col du Galibier, où se sont écrites quelques-unes des grandes pages du Tour de France, et qui donne, aujourd'hui encore, l'impression d'avoir arraché de haute lutte un droit de passage à la nature. Un arrêt au col (2 642 m), très sauvage, donne l'impression d'être seul au monde... On profite de la table d'orientation qui offre, par beau temps, une belle vue sur le mont Blanc, les Écrins, les aiguilles d'Arves... Évidemment, les couchers de soleil sont grandioses.

De retour sur la D 1091, on arrive à **La Grave** 13, classé comme l'un des « Plus Beaux Villages de France », en partie pour la qualité de son environnement. Le bourg s'accroche à l'adret de la vallée de la Romanche, face à l'un des plus somptueux paysages alpins : la « Reine Meije » et ses glaciers. Un spectacle vraiment impressionnant. Un peu plus haut, le charmant village de Villar-d'Arène (plusieurs fois durement touché par des incendies dans le passé), puis le col du Lautaret, classique du Tour de France, derrière lequel on rejoint **Briançon** 14 par la vallée de la Guisane. Carrefour naturel de plusieurs vallées, Briançon a été très tôt habité, et sa position en a fait rapidement une capitale régionale, chef-lieu de l'ensemble des Escartons. Mais c'est surtout à la proximité de l'Italie que Briançon doit son plus grand rôle et sa principale fonction : place forte et ville de garnison, elle a été fortifiée par Vauban et ceinturée de forts à l'est, vers l'Italie, tout au long des XVIIIe, XIXe et XXe s. Plus que des armes, Briançon vit maintenant du tourisme – l'accès direct aux pistes du domaine de Serre Chevalier Vallée et la proximité du parc national des Écrins ou de la station de Montgenèvre attirant bien du monde – et des cures. On y vient aussi pour la cité Vauban, dont les fortifications sont classées au Patrimoine mondial de l'Unesco (avec sa ceinture de forts). Haut perchée et traversée de gargouilles, elle a bien belle allure ! En revanche, la ville basse porte encore en mémoire le passé industriel que connut la cité de 1842 à 1933.

COUP DE CŒUR

LE QUEYRAS

Le **parc naturel régional du Queyras** est le plus haut parc naturel régional de France ! On ne se lasse pas de ses paysages superbes, entre influences méditerranéennes et alpines. Ses milieux naturels sont d'une grande diversité et d'une étonnante richesse patrimoniale. Par son climat, l'un des plus ensoleillés des Alpes, le Queyras a vu se développer une flore et une faune très particulières, parfois uniques, tels l'astragale queue-de-renard, la salamandre de Lanza ou encore le jonc arctique aux abords du mont Viso… Le chamois, le mouflon, le bouquetin (réintroduit), le loup (de retour) et la marmotte y batifolent aussi. Et l'aigle royal fend son air pur…

L'été, c'est le paradis des randonneurs et des amoureux de nature préservée. L'hiver, le Queyras n'est pas dépourvu d'intérêt avec ses itinéraires de ski de fond et nordique, très appréciés des amateurs. Pour autant, on n'y voit pas trop de remonte-pentes, et les stations sont d'abord des villages authentiques, à l'architecture souvent remarquable. C'est là tout l'attrait et l'originalité de ce parc.

Au cœur du parc naturel régional du Queyras, **Saint-Véran** 15 est l'un des « Plus Beaux Villages de France », incontestablement, mais aussi la plus haute commune d'Europe, perchée à 2 040 m. L'architecture traditionnelle, les cadrans solaires, l'église, l'environnement superbe de la vallée entre alpages sur l'adret et forêt sur l'ubac… tout contribue à l'harmonie générale de ce village authentique.

Fort -Queyras

DE BARCELONNETTE À MENTON

Retour sur la D 902 jusqu'à **Barcelonnette** 🔟, au cœur de l'Ubaye, qui possède à elle seule la moitié de la population de toute la vallée. On aime « Barcelo » pour son côté alpin tranquille et pour la gentillesse des gens du coin, qui savent recevoir. Mais aussi pour son ambiance feutrée, sans faux-semblants, ses petits concerts de rue en été, et les villas impressionnantes construites à leur retour par des immigrants du Mexique, entre 1830 et 1930 !

Bien plus au sud, Valberg, petite station familiale des Alpes-Maritimes, puis **Saint-Martin-Vésubie** 🔟, sont les points de départ de nombreuses randonnées, ainsi qu'une porte privilégiée du parc national du Mercantour, dont la vallée des Merveilles. Le décor alpestre et la douceur méditerranéenne ont valu à la région le qualificatif de « Suisse niçoise ».

FOCUS
LA VALLÉE DES MERVEILLES ET CELLE DE FONTANALBA

À l'ouest de **Tende**, dominé par le **mont Bégo**, s'étend un paysage grandiose, sauvage et presque mystérieux, célèbre pour ses exceptionnelles gravures préhistoriques classées au titre des Monuments historiques. **La vallée des Merveilles** est résolument minérale, presque austère avec ces roches déchiquetées, ces blocs éclatés, aux teintes roses, vertes ou bleues. **La vallée de Fontanalba** est plus hospitalière : vallons verdoyants et lacs miroitants. On accède à ces deux bijoux à pied (de fin mai à octobre), sauf en cas de neige. Ces vallées, outre leur indéniable intérêt historique, offrent l'occasion d'observer la faune protégée du Parc national du Mercantour : marmottes, bouquetins, chamois, rapaces...

Jardin Maria Serena, Menton

L'air marin se fait de plus en plus proche ! Le village de **Sainte-Agnès** 18, s'accroche au flanc d'un pic qui culmine à 780 m en surplomb de la Méditerranée. C'est d'ailleurs le bourg littoral le plus haut d'Europe. Site exceptionnel, effectivement. Se confondant presque avec la falaise, c'est l'archétype du vieux village pittoresque, avec ses rues enchevêtrées, ses porches anciens et ses passages voûtés. La rue Longue, pavée de galets, conduit à un belvédère d'où l'on découvre une vue superbe sur la Riviera. Par beau temps, on aperçoit même la Corse !

La route escarpée qui mène à **Menton** 19 est spectaculaire tant elle semble plonger dans la mer. À la fois si loin et si proche des montagnes qui tombent dans la mer, Menton a bien du charme avec sa cathédrale, son cimetière, ses palaces surannés, son marché débordant de couleurs… Indifférente en apparence au temps qui passe, tout imprégnée des douceurs de l'Italie baroque et du passé des princes de Monaco, la vieille ville descend vers la mer telle une coulée de lave ocre. Que l'on soit plage ou patrimoine, mer ou montagne, baroque ou moderne, on trouve ici son bonheur.

Route du col d'Izoard

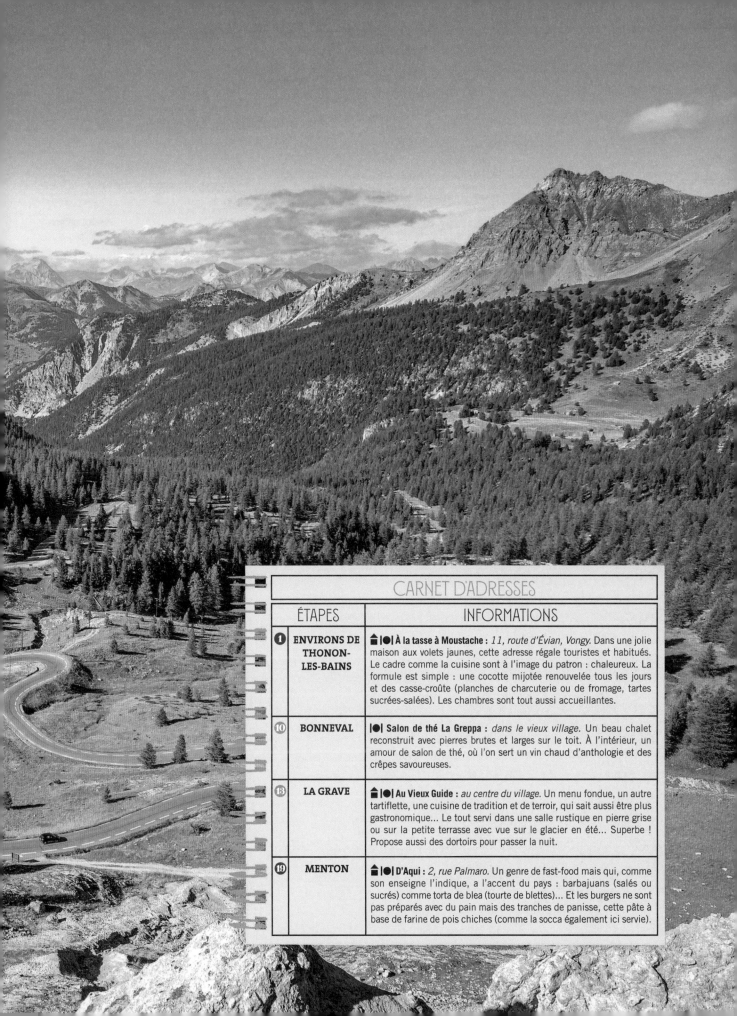

CARNET D'ADRESSES

ÉTAPES	INFORMATIONS
1 **ENVIRONS DE THONON-LES-BAINS**	🏠 |●| **À la tasse à Moustache :** *11, route d'Évian, Vongy.* Dans une jolie maison aux volets jaunes, cette adresse régale touristes et habitués. Le cadre comme la cuisine sont à l'image du patron : chaleureux. La formule est simple : une cocotte mijotée renouvelée tous les jours et des casse-croûte (planches de charcuterie ou de fromage, tartes sucrées-salées). Les chambres sont tout aussi accueillantes.
10 **BONNEVAL**	|●| **Salon de thé La Greppa :** *dans le vieux village.* Un beau chalet reconstruit avec pierres brutes et larges sur le toit. À l'intérieur, un amour de salon de thé, où l'on sert un vin chaud d'anthologie et des crêpes savoureuses.
13 **LA GRAVE**	🏠 |●| **Au Vieux Guide :** *au centre du village.* Un menu fondue, un autre tartiflette, une cuisine de tradition et de terroir, qui sait aussi être plus gastronomique... Le tout servi dans une salle rustique en pierre grise ou sur la petite terrasse avec vue sur le glacier en été... Superbe ! Propose aussi des dortoirs pour passer la nuit.
19 **MENTON**	🏠 |●| **D'Aqui :** *2, rue Palmaro.* Un genre de fast-food mais qui, comme son enseigne l'indique, a l'accent du pays : barbajuans (salés ou sucrés) comme torta de blea (tourte de blettes)... Et les burgers ne sont pas préparés avec du pain mais des tranches de panisse, cette pâte à base de farine de pois chiches (comme la socca également ici servie).

N°28

52 KM

FICHE PRATIQUE

 SITUATION

À env 50 km au sud-ouest de Montélimar.

 MEILLEURS SOUVENIRS

La descente des gorges en canoë, une halte à la grotte Chauvet-Pont d'Arc, les vertigineux panoramas depuis l'un des nombreux belvédères…

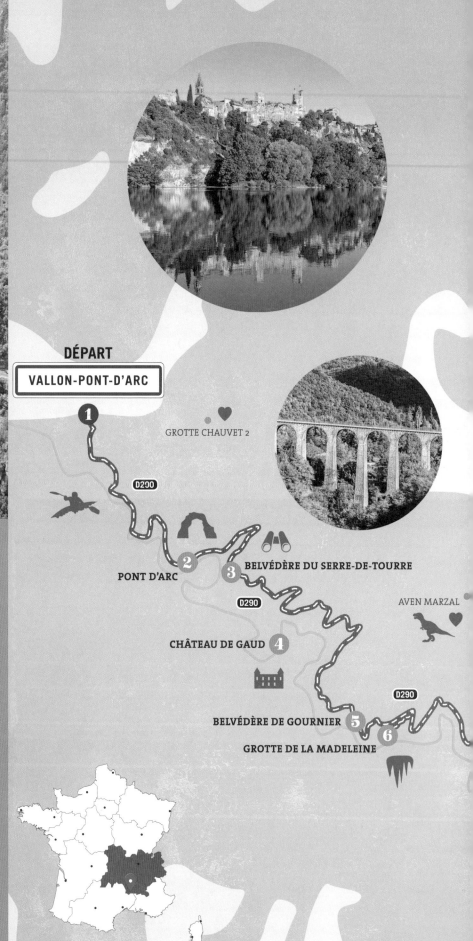

DÉPART

VALLON-PONT-D'ARC

1

GROTTE CHAUVET 2

D290

PONT D'ARC

2

3 BELVÉDÈRE DU SERRE-DE-TOURRE

D290

AVEN MARZAL

CHÂTEAU DE GAUD **4**

D290

BELVÉDÈRE DE GOURNIER **5**

6

GROTTE DE LA MADELEINE

LE LONG DES GORGES DE L'ARDÈCHE

VALLON-PONT-D'ARC ➤ SAINT-MARTIN-D'ARDÈCHE

Voici l'un des grands canyons du sud de la France, un canyon vertigineux creusé par le temps, le vent et l'eau. Sur une distance d'environ 32 km, la rivière Ardèche serpente entre de hautes falaises calcaires (200 à 300 m de hauteur), glissant entre des rocs blanchâtres, au sein d'une nature sauvage et prodigieuse. Les premiers hommes étaient pleins de bon sens. Il y avait là de l'eau, des animaux pour se nourrir et des cavernes pour se protéger. De leurs grottes à flanc de falaise (la grotte Chauvet est juste là, derrière), ils avaient vue sur tout. En été, sous le ciel bleu, les gorges sont envahies par les baigneurs et les amateurs de sports de découverte.

L'activité reine : le kayak.

GROTTE DE SAINT-MARCEL

D290

ARRIVÉE

SAINT-MARTIN-D'ARDÈCHE

RHÔNE

ARDÈCHE

LÉGENDES

ÉTAPES ●

À NE PAS LOUPER ·

FLEUVES, RIVIÈRES ▬

DÉBUT DE LA DESCENTE À VALLON-PONT-D'ARC

En été, **Vallon** , c'est Canoë-City, Kayak-Ville ! La population est multipliée par 40. Vallon-Pont-d'Arc est le point de départ de la descente des gorges de l'Ardèche. Le cœur battant de la région aux beaux jours. Entre deux coups de pagaie, on cabote jusqu'à la belle et massive mairie du XVIIe s. Très beau hall, escalier majestueux avec ferronneries classées du XVIIe s et loggia en pierre blanche d'Orgnac. Mais le clou de la visite est un ensemble de tapisseries d'Aubusson, visibles dans la salle des mariages. Elles furent tissées au XVIIIe s sous Louis XV. On observera les superbes rouges organiques, dont le rouge cramoisi qui provient du Pérou et du Mexique.

COUP DE CŒUR

LA GROTTE CHAUVET 2 (ARDÈCHE)

La reconstitution d'une partie de la grotte ornée du Pont d'Arc à l'échelle 1 est une véritable merveille technologique et artistique. Les artistes ont obtenu l'autorisation de se rendre dans la grotte originale pour faire des esquisses *in situ* et s'imprégner de l'atmosphère avant de travailler dans les ateliers selon les procédés de nos ancêtres. Il en résulte un condensé des éléments les plus remarquables. Stalactites, stalagmites et draperies sont identiques, tandis que l'obscurité, la fraîcheur et l'hygrométrie renforcent l'impression d'être dans la « vraie » grotte. Sur le sol, des ossements d'ours des cavernes et de loups, sur les murs, gravures, dessins et peintures, dont l'éblouissant *Panneau des lions*.

EXPÉRIENCE

Descendre les gorges de l'Ardèche en canoë-kayak

Une superbe balade, ludique, instructive, familiale et sportive à la fois. La grande particularité de cette rivière, et surtout de la partie enserrée dans les gorges, est qu'elle est accessible quasiment à tout le monde et pratiquement tout le temps.

Les différentes descentes possibles :

• **La minidescente** (appelée « la 8 km » mais compte en fait 6 km ; env 2h) : départ à Vallon-Pont-d'Arc et arrivée à Chames. Vers la fin, on passe le rapide Charlemagne, juste avant de passer sous le Pont d'Arc. C'est le parcours le plus fréquenté.

• **La descente entre Sampzon et Chames** (entre 12 et 14 km selon le point de départ) : ne se situant pas dans les gorges, les paysages sont moins spectaculaires.

• **La grande descente en 1 jour** (32 ou 25 km ; env 5h-5h30) : départ en aval du Pont d'Arc (le site) conseillé. Parcourir les 32 km en une seule journée, risque d'être indigeste.

• **La grande descente en 2 jours** (32 km ; 3h le 1er jour, 4h le 2e) : c'est de loin la meilleure manière de s'immerger dans ce monde particulier. Départ de Vallon-Pont-d'Arc. À vous les arrêts multiples sur les plages au soleil, l'exploration des rives, les haltes baignade !

Bon à savoir 💡 **Éviter les week-ends de l'Ascension et de la Pentecôte ainsi que les week-ends d'été. Reportez-vous également aux consignes de sécurité qui vous seront prodiguées.**

DÉBUT DE LA DESCENTE À VALLON-PONT-D'ARC

La route surplombe les gorges de l'Ardèche sur 32 km et permet de suivre la rivière à une hauteur moyenne de 200 m. Spectacle grandiose ! Un grand nombre de belvédères aménagés permettent d'admirer les boucles de l'Ardèche. Et de nombreuses grottes, pour certaines vraiment époustouflantes de beauté, jalonnent le parcours.

À 5 km de Vallon se dessine la silhouette du **Pont d'Arc ➋**, gigantesque arc de triomphe taillé par la nature dans le souple calcaire urgonien, et évidé en son milieu par l'action des eaux. L'Ardèche contournait ce promontoire par un large méandre. Mais, petit à petit, la rivière a creusé la roche tendre. L'autre passage, abandonné par la rivière, est aujourd'hui planté de vignes. Ce site n'est en fait pas complètement naturel : un fort existait ici sous Louis XIII et un sentier au sommet de l'arche reliait les deux rives. Il fut détruit lors des guerres de Religion. Point de vue fantastique sur l'arche depuis le belvédère situé au sud de l'arche. Deux plagettes en contrebas.

Ensuite, le long de la route, les somptueux belvédères défilent comme à la parade. Au **belvédère du Serre-de-Tourre ➌**, le regard se porte vers les gorges au levant et les Cévennes au ponant. Quelles merveilles ! S'ensuit le **belvédère du château de Gaud ➍**, ancien pavillon de chasse d'un certain Reynaud, que son cousin Alphonse Daudet immortalisa sous le nom de Tartarin de Tarascon… Puis le **belvédère de Gournier ➎**.

Un peu plus loin, arrêt obligatoire à la **grotte de la Madeleine ➏**. À la maison de la Réserve, une exposition évoque la formation des gorges, la présence humaine, la faune, la flore, ainsi que les problèmes de pollution. On accède ensuite à la grotte, aux deux grottes en réalité, celle de Lescure et celle de la Madeleine, reliées par un tunnel. On descend jusqu'à 65 m de profondeur et l'on découvre les orange-ocre, toutes les nuances de gris, puis les grandes formations blanches, de calcite pure, sous forme de stalagmites ou stalactites, de colonnes, de tuyaux, ou encore d'excentriques draperies. Un site de toute beauté.

➡ **POUR SE DÉGOURDIR LES JAMBES** 🚶

LES SENTIERS

• Un sentier de promenade mène au **belvédère de la Cathédrale** et offre un merveilleux point de vue sur le rocher du même nom. D'autres belvédères permettent d'admirer des panoramas différents et tout aussi magiques.

• **Plusieurs sentiers,** plus ou moins aisés, partent de cette route de corniche et descendent au bord de l'eau.

L'AVEN MARZAL

Dans ce **gouffre,** profond de plus de 125 m, on découvre un étrange paysage hérissé de stalactites et de stalagmites dont les couleurs varient du brun sombre au blanc neigeux. Des salles pleines de majesté, hérissées d'une série de fines stalactites et contenant un disque assez rare. Ossements de cerfs, rennes, ours, chevaux et bisons. Au musée du Monde souterrain, on raconte l'histoire de la spéléo à travers le matériel et les objets ayant appartenu aux pionniers. Enfin, le zoo préhistorique, à environ 150 m de là, redonne vie à de curieux animaux préhistoriques dans un jardin de quelque 2 ha. Amusant, surtout avec des enfants.

En reprenant la route des gorges, d'autres belvédères, notamment celui de la Cathédrale, et le balcon des Templiers, d'où l'on aperçoit les ruines de la léproserie des Templiers, de l'autre côté de la rivière.

La route poursuit son tracé équilibriste jusqu'à la **grotte de Saint-Marcel-d'Ardèche ➐**. Cinquante-huit km de galeries, dont 500 m aménagés, entre 30 et 150 m de profondeur. On accède à cette grotte en descendant un tunnel qui s'enfonce jusqu'à un immense espace où court une incroyable galerie, appelée « galerie des Peintres » à cause de la variété des couleurs de la roche.

Et puis le clou de la visite : disposés par paliers, une série de gours (ce sont des vasques ou bassins) savamment éclairés et remplis d'eau, d'un effet exceptionnel. Enfin, la salle dite « des cathédrales », aux dimensions extraordinaires. On en prend plein les yeux, les oreilles… et le nez ! Une partie de la grotte sert en effet de cave de vieillissement aux viticulteurs du secteur…

À 12 km au sud de Bourg-Saint-Andéol, au débouché des gorges de l'Ardèche, c'est l'arrivée à **Saint-Martin-d'Ardèche ➑**. Voici un petit village paisible en hiver, plus fréquenté en été.

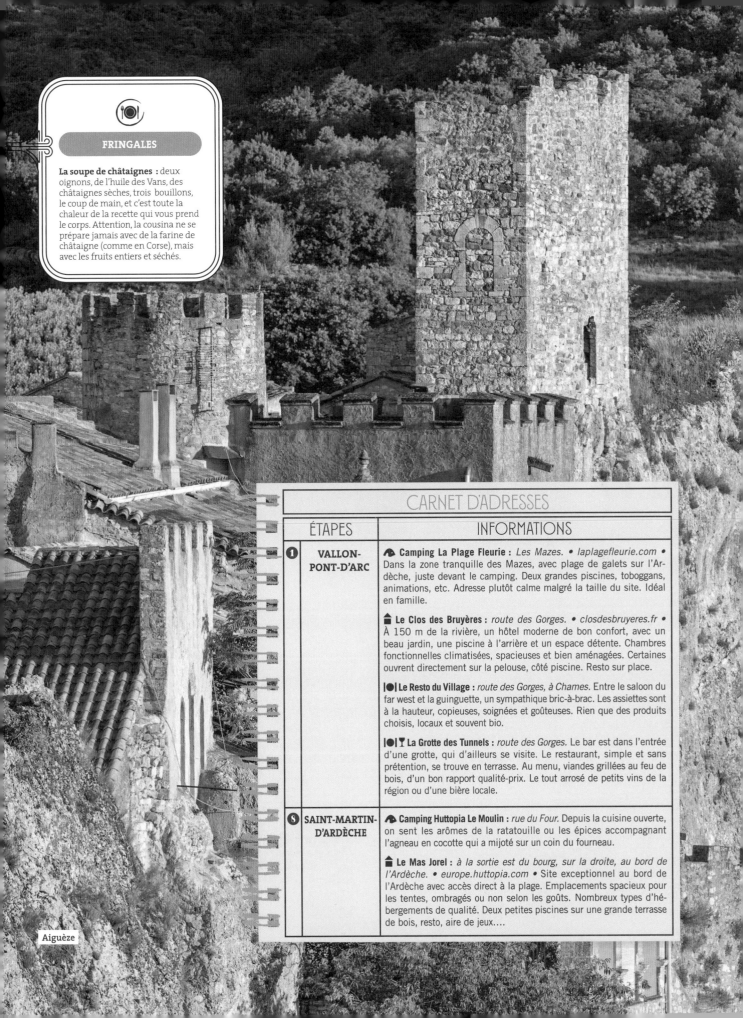

FRINGALES

La soupe de châtaignes : deux oignons, de l'huile des Vans, des châtaignes sèches, trois bouillons, le coup de main, et c'est toute la chaleur de la recette qui vous prend le corps. Attention, la cousina ne se prépare jamais avec de la farine de châtaigne (comme en Corse), mais avec les fruits entiers et séchés.

Aiguèze

CARNET D'ADRESSES

ÉTAPES	INFORMATIONS
1 VALLON-PONT-D'ARC	**⛺ Camping La Plage Fleurie :** *Les Mazes.* • *laplagefleurie.com* • Dans la zone tranquille des Mazes, avec plage de galets sur l'Ardèche, juste devant le camping. Deux grandes piscines, toboggans, animations, etc. Adresse plutôt calme malgré la taille du site. Idéal en famille.
	🏠 Le Clos des Bruyères : *route des Gorges.* • *closdesbruyeres.fr* • À 150 m de la rivière, un hôtel moderne de bon confort, avec un beau jardin, une piscine à l'arrière et un espace détente. Chambres fonctionnelles climatisées, spacieuses et bien aménagées. Certaines ouvrent directement sur la pelouse, côté piscine. Resto sur place.
	🍽 Le Resto du Village : *route des Gorges, à Chames.* Entre le saloon du far west et la guinguette, un sympathique bric-à-brac. Les assiettes sont à la hauteur, copieuses, soignées et goûteuses. Rien que des produits choisis, locaux et souvent bio.
	🍽🍷 La Grotte des Tunnels : *route des Gorges.* Le bar est dans l'entrée d'une grotte, qui d'ailleurs se visite. Le restaurant, simple et sans prétention, se trouve en terrasse. Au menu, viandes grillées au feu de bois, d'un bon rapport qualité-prix. Le tout arrosé de petits vins de la région ou d'une bière locale.
S SAINT-MARTIN-D'ARDÈCHE	**⛺ Camping Huttopia Le Moulin :** *rue du Four.* Depuis la cuisine ouverte, on sent les arômes de la ratatouille ou les épices accompagnant l'agneau en cocotte qui a mijoté sur un coin du fourneau.
	🏠 Le Mas Jorel : *à la sortie est du bourg, sur la droite, au bord de l'Ardèche.* • *europe.huttopia.com* • Site exceptionnel au bord de l'Ardèche avec accès direct à la plage. Emplacements spacieux pour les tentes, ombragés ou non selon les goûts. Nombreux types d'hébergements de qualité. Deux petites piscines sur une grande terrasse de bois, resto, aire de jeux….

N°29

91 KM

FICHE PRATIQUE

SITUATION

À 60 km au nord d'Aix-en-Provence.

MEILLEURS SOUVENIRS

Jouer les alpinistes à Gordes, admirer la lumière déclinante sur les ocres incandescents des façades dans les adorables villages semés sur la route...

MEILLEURE PÉRIODE

La région est vraiment victime de son succès en été. Privilégier la mi-saison est essentiel, notamment pour certains sites phares tels que Gordes.

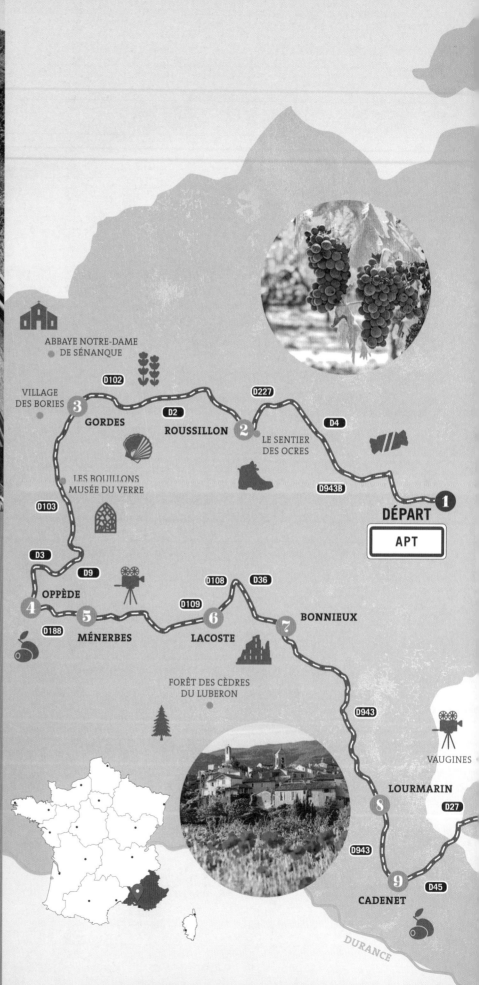

ABBAYE NOTRE-DAME
DE SÉNANQUE

D102

VILLAGE
DES BORIES

3 GORDES

D2

ROUSSILLON

2

D227

LE SENTIER
DES OCRES

D4

LES BOUILLONS
MUSÉE DU VERRE

D943B

D103

DÉPART **1**

APT

D3

D9

D108

D36

OPPÈDE

4

5

D109

6

7 BONNIEUX

D188

MÉNERBES

LACOSTE

FORÊT DES CÈDRES
DU LUBERON

D943

VAUGINES

LOURMARIN

8

D27

D943

9

D45

CADENET

DURANCE

LE TOUR DU LUBERON

APT ⟶ LA TOUR-D'AIGUES

Ce massif s'étire sur 80 km d'ouest en est, de Cavaillon à Manosque. Une barrière presque
infranchissable, sauf par la combe de Lourmarin et le col de Vitrolles-en-Luberon.
Au sud, des pentes douces qui s'alanguissent dans la vallée de la Durance. Au sommet,
une étroite et rectiligne suite de crêtes qui culmine à 1 125 m avec le Mourre Nègre.
Plus au nord, la montagne dégringole vers une vallée où serpente le Calavon descendu d'Apt :
pentes abruptes, vallées secrètes et superbes villages perchés.

10 CUCURON

D56

11 ANSOUIS

D56

GRAMBOIS

ARRIVÉE

12 LA TOUR-D'AIGUES

LÉGENDES

ÉTAPES ●

À NE PAS LOUPER •

FLEUVES, RIVIÈRES —

EXPÉRIENCE

Le Luberon à pied et à vélo

Le Luberon ne se livre vraiment qu'aux marcheurs. Attention aux grosses chaleurs de l'été et au manque d'eau cependant. Beau réseau de sentiers avec, entre autres, trois GR®. Demander dans les offices de tourisme le livret *Rendez-vous nature*, riche programme d'activités. Sinon, les petites routes du Luberon sont propices aux balades à vélo. Mais attention, ça grimpe ! Pour les plus sportifs, le circuit « Autour du Luberon » (Cavaillon-Apt-Forcalquier-Manosque, avec retour par Beaumont-de-Pertuis et Lourmarin) est long de 238 km.

Bon à savoir ☀ En été (1er juillet-15 septembre), l'accès au massif est limité et variable selon les jours en fonction des risques d'incendie.

POUR LES MOINS PRESSÉS : DÉBUT À APT

Cité romaine, puis ville épiscopale au Xe s, **Apt ❶** a perdu de sa superbe à cause de ces faubourgs sans âme que l'on traverse avant d'atteindre la vieille-ville. Ne pas rater le marché du samedi matin, qui s'étend dans tout le centre et où toute la région se retrouve autour des couleurs et des senteurs de Provence. Apt reste aujourd'hui la capitale mondiale du fruit confit. Chacun de ses artisans décline toutes les facettes de la confiserie : fruits confits égouttés, glacés ou cristallisés au candi. Sans oublier les pâtes de fruits, calissons et autres gourmandises. En quittant Apt, sur la route vers Roussillon, ne pas manquer les mines d'ocre de Bruoux à Gargas, la dernière carrière d'extraction d'ocre en activité.

Saint-Saturnin-les-Apt

DE ROUSSILLON À GORDES : LE NORD DU PARC DU LUBERON

À **Roussillon** ➋, les maisons sont aux couleurs des ocres extraites des carrières voisines depuis la fin du XVIIIᵉ s. Avant d'arpenter le centre-ville, on fait un arrêt à Ôkhra, le conservatoire des ocres et de la couleur. Installé dans l'ancienne usine Mathieu, un lieu « en or » pour tout savoir sur l'ocre. On se promène dans le village sans oublier le panorama près de l'église, ni les rues donnant sur le val des Fées (falaises rouges à l'ouest). On termine la balade par les falaises érodées du sentier des Ocres.

POUR SE DÉGOURDIR LES JAMBES 🚶

LE SENTIER DES OCRES
900 m : 35 mn • 1,3 km : 50 mn

Sentiers de 900 m (35 mn) et 1,3 km (50 mn) permettant de se balader dans les anciennes carrières. Les parcours sont jalonnés de panneaux explicatifs, de passerelles, de bancs.

Abbaye de Sénanque

L'arrivée à **Gordes** ➌ depuis Roussillon est mémorable. La vue sur le village est spectaculaire. La balade dans le village ancien est un peu sportive mais agréable (hors saison...). Vieilles maisons, dont l'aumônerie Saint-Jacques, ancienne auberge qui accueillait les pèlerins en chemin pour Compostelle, et de surprenants panoramas sur le Luberon. Aux caves du palais Saint-Firmin, rue du Belvédère, on remarque que l'industrie et l'artisanat se développaient autrefois sous les fondations des maisons. Une visite passionnante. Cap sur l'abbaye de Sénanque, à 2 km au nord du village. Un joyau de l'art roman, que l'on rejoint par une route escarpée qui livre une vue superbe sur le site, niché dans un creux de verdure, et noyé dans la lavande en saison. Un lieu hors du temps, où les visites sont restreintes pour mieux préserver la vie contemplative des moines. On reprend le volant vers le village des Bories, à 4 km à l'ouest du centre de Gordes. Ces habitations en pierre sèche ont été construites du XIVᵉ au XIXᵉ s et abandonnées il y a 150 ans. Ruelles, bergerie, cuve à vin, fouloir, etc. Un peu plus loin, sur la route de Saint-Pantaléon, le musée de l'Histoire du vitrail et du verre des Bouillons présente une belle collection de précieux objets égyptiens, grecs et romains qui témoignent de l'épopée verrière du Bassin méditerranéen. On découvre l'évolution du vitrail du Moyen Âge à nos jours, ainsi que celle des outils des verriers. On poursuit la visite avec le parc de sculptures qui conduit au musée du Moulin, un site gallo-romain relatant l'histoire de l'huile d'olive et du savon de Marseille en Méditerranée.

D'OPPÈDE À LOURMARIN :
LE PETIT LUBERON

La combe de Lourmarin sépare non seulement le Petit et le Grand Luberon, mais surtout deux mondes qui se boudent depuis la nuit des temps : le Sud (Vaugines, Ansouis, Cucuron) et le Nord (Goult, Lacoste, Roussillon). Au sud, dit-on, on trouve le vrai beau temps, les prix encore décents, la vraie gentillesse ; au nord, en revanche, les villages perchés les plus chics et les prix choc. À chacun de faire la part des choses.

Oppède ④ est un autre village perché, où voisinent ruines et maisons restaurées, bordées par des ruelles pavées ou en terre. Ne pas manquer la visite de la collégiale Notre-Dame-d'Alidon, en surplomb du village, ni celle du musée de l'Huile d'olive où tous les aspects du travail des mouliniers sont abordés.

Village-forteresse, ancien bastion huguenot, **Ménerbes** ⑤ s'étire en longueur sur un promontoire escarpé et en langueur à la belle saison, avec l'arrivée des premiers flots touristiques. Beaucoup plus de charme pour qui prend le temps de se promener au long des rues hors saison. Superbe panorama depuis le vieux château.

CINÉMA *Swimming Pool* (2003), de François Ozon, avec Charlotte Rampling et Ludivine Sagnier. Librement inspiré de *La Piscine* de Jacques Deray, ce film voit une autrice de polars tenter de renouer avec l'inspiration dans une somptueuse villa du Luberon.

Ménerbes

Bonnieux

Lacoste ⑥ est dominé par les ruines du château du marquis de Sade. Son passage dans le village fut assez tumultueux et dura 7 ans, jusqu'à son emprisonnement à la Bastille. André Bouer, ancien propriétaire, l'a restauré à son rythme pendant une quarantaine d'années. Désormais, le couturier Pierre Cardin en est propriétaire. Il y présente des expositions temporaires et ouvre au public quelques pièces restaurées et meublées des appartements du marquis. Et il continue d'investir dans la restauration du village.

La route continue son tracé funambule vers l'est et traverse **Bonnieux** ⑦. Village perché à découvrir au hasard de ses ruelles en pente. Entourées par les vestiges des remparts des XIIIe et XIVe s, les maisons semblent grimper à l'assaut du clocher du XIIIe s.

À voir aussi **La forêt des cèdres, à 7 km au sud-ouest de Bonnieux, est l'une des plus belles cédraies d'Europe.**

DÉRAPAGE INCONTRÔLÉ

Le 4 janvier 1960, Michel Gallimard propose à Albert Camus de le ramener de Lourmarin à Paris à bord de sa puissante Facel-Vega. À Villeblin, au nord-ouest de Sens, c'est l'embardée. Ils meurent tous les deux. On retrouva, dans la poche de Camus, un billet de train pour Paris.

Arrivé à **Lourmarin** ⑧, on laisse la voiture se reposer dans un des parkings aménagés (tous gratuits) à proximité, et on prend le temps de flâner d'une vitrine à l'autre, le long d'une rue principale qui concentre galeries et boutiques d'artisanat. Boire un verre en terrasse chez *Gaby*, un café bien croquignolet, au *Café de l'Ormeau* ou au *Café de la Fontaine*, tout en grignotant des « croquants de Lourmarin », avant d'aller se perdre dans des ruelles peu passantes. Dominant l'entrée de la combe de Lourmarin, le splendide château construit par les Agoult au XVe s, et remanié au XVIe s par ses héritiers dans un style Renaissance, étonne par sa construction comme par la richesse et la diversité de son mobilier.

À ne pas manquer ⌕ *Yeah !*, début juin, sur 3 j. Un grand festival de musiques actuelles (pop, rock, électro...). Concerts dans le château et fête dans tout le village. • festivalyeah.fr •

À voir aussi Lauris est un vieux village perché sur un éperon rocheux au pied duquel coule la Durance. Quelques belles maisons, fontaines anciennes et oratoires, ainsi qu'une tour du XIIIe s témoignent de la prospérité médiévale du bourg. Mais on viendra surtout pour les jardins en terrasses du château.

Ansouis

⑨ ⑩ ⑪ ⑫

LE SUD-LUBERON

Cap maintenant vers la partie la moins connue du Luberon. Perdu sur de petites routes tranquilles, on est loin de Gordes, Lacoste, Roussillon ou de Lourmarin, pourtant si proche à vol d'oiseau. Au pied d'une colline percée d'habitats troglodytiques, **Cadenet ⑨** est une petite bourgade provençale, surmontée par les ruines d'un château médiéval. Passer un jour de marché, le lundi, ou le samedi quand le marché paysan bat son plein, de mai à octobre. Autre rendez-vous gastronomique d'exception, la bastide du Laval produit une huile d'olive bio réputée. Visite gratuite de l'atelier, balade sur l'exploitation et dégustation dans la boutique.

À quelques encablures de là, **Cucuron ⑩** est niché au pied du Mourre Nègre, point culminant (1 125 m) du Luberon. Joli village d'une belle homogénéité architecturale où il fait bon flâner autour du bassin, ou le nez en l'air dans la rue de l'Église, aux couleurs napolitaines. Marché nocturne autour de l'étang l'été.

À voir aussi 📷 Vaugines, très joli village niché au pied du Luberon, avec son lot de maisons médiévales.

CINÉMA

Rappeneau a tourné à Cucuron des scènes du *Hussard sur le toit* (1995). Avec Olivier Martinez et Juliette Binoche. Et c'est dans la superbe église de Vaugines que Claude Berri a tourné la scène du mariage de l'héroïne (Emmanuelle Béart) et de l'instituteur du village (Hippolyte Girardot) ainsi que celle du banc de *Manon des sources* (1987).

À 5 km au sud-est de Cucuron, on arrive à **Ansouis ⑪**, splendide village perché sur une colline, au pied de son imposant château.

À voir aussi 📷 Pertuis et son beau marché du vendredi.

Petite capitale du pays d'Aigues, **La Tour-d'Aigues ⑫** possède en son centre un château Renaissance qui mérite le détour.

À voir aussi 📷 Grambois, sa petite place centrale agrémentée de quelques vieilles maisons et d'une mignonne église romane.

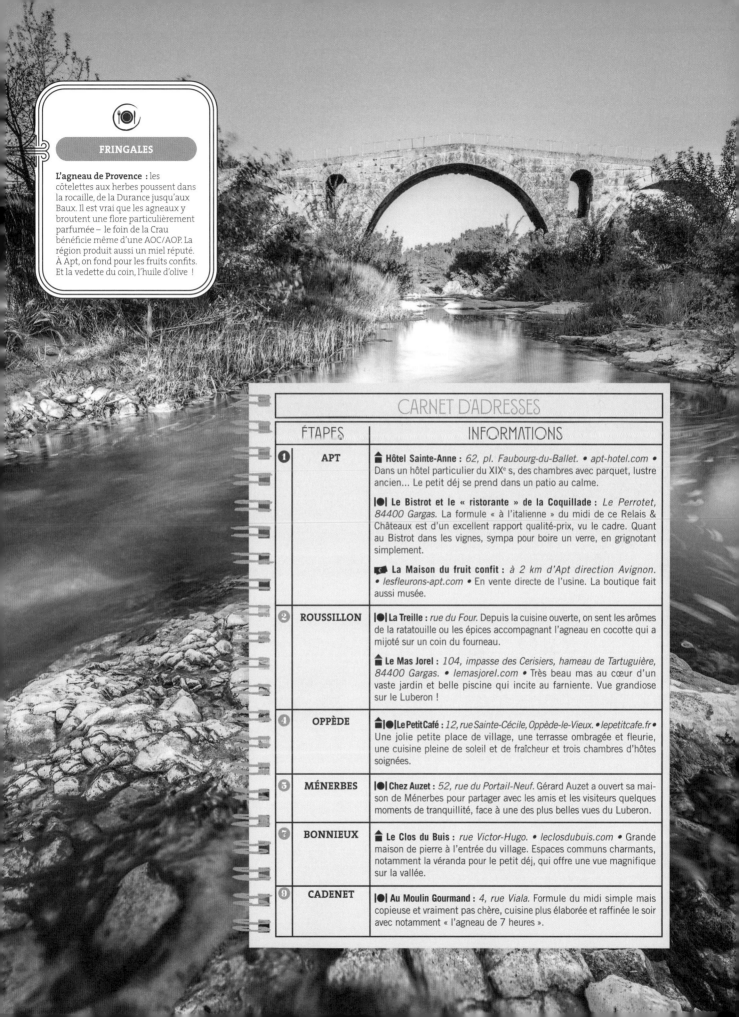

CARNET D'ADRESSES

ÉTAPES	INFORMATIONS
❶ APT	🏠 **Hôtel Sainte-Anne :** *62, pl. Faubourg-du-Ballet.* • *apt-hotel.com* • Dans un hôtel particulier du XIXᵉ s, des chambres avec parquet, lustre ancien... Le petit déj se prend dans un patio au calme. 🍽 **Le Bistrot et le « ristorante » de la Coquillade :** *Le Perrotet, 84400 Gargas.* La formule « à l'italienne » du midi de ce Relais & Châteaux est d'un excellent rapport qualité-prix, vu le cadre. Quant au Bistrot dans les vignes, sympa pour boire un verre, en grignotant simplement. 🛍 **La Maison du fruit confit :** *à 2 km d'Apt direction Avignon.* • *lesfleurons-apt.com* • En vente directe de l'usine. La boutique fait aussi musée.
❷ ROUSSILLON	🍽 **La Treille :** *rue du Four.* Depuis la cuisine ouverte, on sent les arômes de la ratatouille ou les épices accompagnant l'agneau en cocotte qui a mijoté sur un coin du fourneau. 🏠 **Le Mas Jorel :** *104, impasse des Cerisiers, hameau de Tartuguière, 84400 Gargas.* • *lemasjorel.com* • Très beau mas au cœur d'un vaste jardin et belle piscine qui incite au farniente. Vue grandiose sur le Luberon !
❹ OPPÈDE	🏠🍽 **Le Petit Café :** *12, rue Sainte-Cécile, Oppède-le-Vieux.* • *lepetitcafe.fr* • Une jolie petite place de village, une terrasse ombragée et fleurie, une cuisine pleine de soleil et de fraîcheur et trois chambres d'hôtes soignées.
❺ MÉNERBES	🍽 **Chez Auzet :** *52, rue du Portail-Neuf.* Gérard Auzet a ouvert sa maison de Ménerbes pour partager avec les amis et les visiteurs quelques moments de tranquillité, face à une des plus belles vues du Luberon.
❼ BONNIEUX	🏠 **Le Clos du Buis :** *rue Victor-Hugo.* • *leclosdubuis.com* • Grande maison de pierre à l'entrée du village. Espaces communs charmants, notamment la véranda pour le petit déj, qui offre une vue magnifique sur la vallée.
❾ CADENET	🍽 **Au Moulin Gourmand :** *4, rue Viala.* Formule du midi simple mais copieuse et vraiment pas chère, cuisine plus élaborée et raffinée le soir avec notamment « l'agneau de 7 heures ».

FICHE PRATIQUE

SITUATION

Sud-est de la France, Alpes-de-Haute-Provence et Var (Provence-Alpes-Côte d'Azur).

MEILLEURS SOUVENIRS

Observer les vautours, remonter le cours du Verdon en bateau ou le descendre en canoë-kayak, découvrir les gorges à pied le long des sentiers balisés.

PRÉPARER SON ROAD TRIP

WWW.

• lesgorgesduverdon.fr
• parcduverdon.fr

MOUSTIERS-SAINTE-MARIE
11

D952

BELVÉDÈRE DU GALETAS

MAYRESTE

COL D'ILLOIRE

LAC DE SAINTE-CROIX

9 8

7

AIGUINES

CIRQUE DE VAUMALE

SAINTE-CROIX-DU-VERDON
10

LAC MONTPEZAT

LE VERDON

D957

D49

MUSÉE DE LA PRÉHISTOIRE DES GORGES DU VERDON

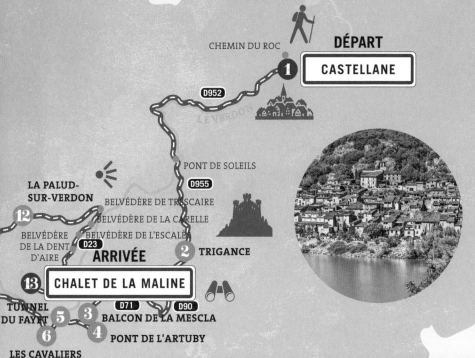

CHEMIN DU ROC

DÉPART

1 **CASTELLANE**

D952

LE VERDON

PONT DE SOLEILS

D955

LA PALUD-
SUR-VERDON

BELVÉDÈRE DE TRESCAIRE

12

BELVÉDÈRE DE LA CARELLE

BELVÉDÈRE
DE LA DENT
D'AIRE

BELVÉDÈRE DE L'ESCALÈS

D23

ARRIVÉE

2 TRIGANCE

13 **CHALET DE LA MALINE**

TUNNEL
DU FAYET

D71   D90

5   3   BALCON DE LA MESCLA

6   4   PONT DE L'ARTUBY

LES CAVALIERS

LES GORGES DU VERDON, UN CANYON À LA FRANÇAISE

CASTELLANE ➤ LA MALINE

Le Colorado a son Grand Canyon, le Verdon a ses gorges ! Les plus impressionnantes
d'Europe. Tel un grand coup de hache entre les Alpes-de-Haute-Provence et le Var,
elles forment une entaille de 21 km de long dans la terre. Là, le Verdon débite jusqu'à 800 m³
d'eau à la seconde au moment des plus fortes crues ! Falaises vertigineuses, chaos rocheux,
rives sauvages constituent un paradis pour les randonneurs et les grimpeurs. Mais le Verdon,
c'est aussi un parc naturel régional engagé dans la préservation de sa faune et sa flore,
un site naturel idéal pour les sports en eaux vives, de charmants villages perchés
et un patrimoine local original.

LÉGENDES

ÉTAPES   ●

À NE PAS LOUPER   ·

FLEUVES, RIVIÈRES   ▬

DE CASTELLANE AU LAC
DE SAINTE-CROIX PAR LA CORNICHE
SUBLIME

Porte d'entrée des gorges du Verdon, à l'est, **Castellane** ❶ est une charmante bourgade posée au milieu des montagnes. Elle semble protégée par un à-pic sur lequel est campée une chapelle. Les habitants s'y réfugiaient lors des incursions barbares. Napoléon est aussi passé par là, le 3 mars 1815, avant d'amorcer sa célèbre remontée à travers les Alpes. Aujourd'hui, la cité a des allures de « capitale du camping » en été et vit au rythme des amateurs de grand air. Dans le village, l'exposition géologique de la Maison nature & patrimoines rend hommage aux siréniens, que l'on appelle également vaches marines. Ces paisibles mammifères marins sont les ancêtres des lamantins. On voyage dans le temps depuis l'Antiquité jusqu'à nos jours. À compléter par la visite, au col des Lèques, du site protégé où fut découvert ce gisement de mammifères fossilisés vieux de 40 millions d'années.

**POUR SE DÉGOURDIR
LES JAMBES** 🚶

Le **Parcours de la chouette** invite à suivre de petites flèches triangulaires portant le symbole fétiche des Dijonnais. Compter 1 à 2h (ou plus si l'on s'arrête pour visiter certains édifices). Il existe aussi une version « junior ».

À 12 km au sud-ouest de Castellane, emprunter la Corniche Sublime, au niveau de Pont-de-Soleils. C'est la spectaculaire route du Sud, côté département du Var. Aller à **Trigance** ❷, coquet village perché dominé par un fier château flanqué de quatre grosses tours rondes. Prendre la D 90, et rejoindre la D 71 qui suit au plus près la corniche des gorges. Des balcons de la **Mescla** ❸, on jouit d'un panorama saisissant sur les eaux du Verdon qui se mêlent à celles de l'Artuby. Le Verdon semble se recroqueviller autour d'une étroite crête rocheuse…

Un peu plus loin, du vertigineux **pont de l'Artuby** ❹, audacieux ouvrage d'une seule portée, on domine la rivière de 180 m ! Aux **tunnels du Fayet** ❺, au niveau du deuxième tunnel (où l'on peut s'arrêter sur un parking), ne pas manquer la superbe vue plongeante sur la courbe du canyon. À la falaise des **Cavaliers** ❻, c'est un à-pic impressionnant (attention, il n'y a aucune protection). Aux falaises de Bauchet, la route longe la partie la plus étroite des gorges, offrant une belle vue en enfilade. Un peu plus loin se révèle le spectaculaire **cirque de Vaumale** ❼, au point le plus élevé de la route (1 200 m). Au **col d'Illoire** ❽, on profite de la dernière apparition du canyon, toujours aussi saisissant.

Après **Aiguines** ❾, la route redescend vers le lac de Sainte-Croix. La mer à la montagne ! C'est le plus vaste des lacs du Verdon (22 km²). Des eaux turquoise, émeraude, cyan… à faire pâlir un arc-en-ciel, au cœur d'une nature restée encore sauvage.

On rejoint sur ses rives la D 957 qui permet de rallier **Sainte-Croix-du-Verdon** ❿, village joliment posté au-dessus du lac.

COUP DE CŒUR

LE MUSÉE DE LA PRÉHISTOIRE
DES GORGES DU VERDON

L'un des plus grands musées de préhistoire d'Europe, rien que ça ! Dès l'entrée, on est accueilli par un mammouth, un mégacéros, un rhinocéros laineux et un tigre aux dents de sabre. Il abrite des milliers d'objets trouvés dans la région, dont certains remontent aux origines de l'homme. Très bons dioramas et plusieurs vidéos en 3D, dont une sur la grotte de la Baume-Bonne, le site historique qui a inspiré le musée. La visite pourra être complétée par celle du village préhistorique avec son jardin néolithique (à la sortie de Quinson).

Plus d'infos www. museeprehistoire.com

EXPÉRIENCES

Survol en parapente

Admirer les exceptionnelles gorges du Verdon et les eaux turquoise du lac de Sainte-Croix depuis le ciel, escorté par les vautours et les aigles. Les rapaces apprécient la région, qu'ils repeuplent grâce à des programmes de réintroduction efficaces. Ne les effrayez pas !

Canoë-kayak dans les gorges de Baudinard

Une vraie remontée dans le temps pour comprendre l'histoire et la préhistoire de ce site préservé. Seule la navigation permet d'accéder à cette partie très intime du Verdon. Magique ! Idéal en famille car on évolue en eau plate. Départ de la base nautique du lac de Montpezat.

Plus d'infos ww. canoe-verdon.fr • aquattitude.com

Remonter le cours du Verdon en bateau électrique

Il faut 5h de visite (aller-retour) pour parcourir toutes les gorges du Verdon entre Quinson et Esparron. La base se trouve presque à l'entrée des gorges. En 3h de balade, on a déjà un bel aperçu du paysage.

Plus d'infos ww. Verdon Electronautic, au lac de Quinson. • verdon-electronautic.com •

Moustiers-Sainte-Marie

DE MOUSTIERS À LA MALINE, PAR LA ROUTE DU NORD ET SES BELVÉDÈRES

Moustiers-Sainte-Marie ⑪ est l'un des plus jolis sites de la région, l'un des plus originaux aussi, brillamment mis en lumière les nuits d'été. Accroché à la montagne, le village a souvent été comparé à une crèche grandeur nature. Il fut fondé en 433 par des moines venus des îles de Lérins via Riez. Toutes les maisons s'étagent de part et d'autre de l'Adou, un petit torrent coiffé de pittoresques ponts en dos d'âne et qui dégouline en cascade. Se promener dans le village dès potron minet, découvrir ses lavoirs et se balader de petites places en ruelles pavées et passages voûtés est un pur bonheur.

Moustiers doit surtout sa réputation au XIIᵉ s à la chapelle Notre-Dame-de-Beauvoir, haut lieu de pèlerinage, qui surplombe le village. À la fin du XVIIᵉ s, la cité connaît un nouvel âge d'or avec l'essor de la faïence, réputée être « la plus belle, la plus fine du Royaume », et qui lui vaut aujourd'hui le label de Ville et Métiers d'art. On comptait alors jusqu'à 700 fours et plus de 30 ateliers employant 400 personnes. Même Richelieu et la Pompadour étaient clients ici. Malheureusement, le succès grandissant de la blanche porcelaine de Limoges aura raison des faïenciers de Moustiers et la production cessera en 1874 jusqu'à ce qu'un certain Marcel Provence décide de relancer la production en 1927. Depuis, la faïence a repris ses droits dans le village. Le musée de la Faïence livre tous les secrets de sa fabrication !

Depuis Moustiers, la route du Nord file au rythme d'une riche succession de belvédères, aux points de vue fabuleux. D'abord le belvédère de Galetas, sur le lac de Sainte-Croix et l'étroit débouché des gorges, puis celui de Mayreste, qui se dévoile après une petite grimpette. À **La Palud-sur-Verdon** ⑫, un arrêt à la Maison des gorges du Verdon s'impose. Ce musée constitue une introduction idéale à toute visite des gorges. Dessiné sur le sol, le trajet sinueux du Verdon sert de fil directeur à l'exposition pour évoquer l'histoire des gorges, les activités traditionnelles de la région (l'élevage d'ovins notamment), la faune et la flore….

Peu après La Palud, vers Castellane, prendre la D 23, appelée aussi route des Crêtes. Elle est en sens unique du belvédère du Pas de Baou jusqu'à La Maline. Une quinzaine de belvédères s'ouvrent sur de magnifiques panoramas. Depuis les deux premiers, ceux de Trescaïre bas et haut, l'impression est la plus frappante, littéralement à flanc de paroi. Du belvédère de la Carelle, la vue porte encore plus loin. De l'Escalès et la dent d'Aire, le regard englobe le canyon et l'arrière-pays. Tout en bas, après une longue descente à sens unique là encore, on parvient au **refuge de la Maline** ⑬.

La Palud-sur-Verdon

POUR SE DÉGOURDIR LES JAMBES

LES GORGES À PIED

Attention, randonner dans les gorges implique le respect de certaines règles ; renseignez-vous avant de partir !

- **Les sentiers de découverte du Lézard :** pour de courtes balades en famille. Parcours balisés de 30 mn à 4h. Petits circuits pédagogiques qui descendent à la rivière et entrent dans le Grand Canyon par les tunnels du Blanc-Martel (prévoir des lampes) permettant de mieux décrypter cet étonnant paysage et son histoire. Idéal avec des enfants.

- **Le sentier de l'Imbut :** de 4 à 6h, en boucle, aussi beau que difficile (déconseillé aux moins de 8 ans, interdit aux chiens), au cœur de la partie la plus sauvage des gorges, réservée à ceux qui ont déjà quelques kilomètres dans les chaussures et qui n'ont pas le vertige.

Canyon du Verdon

▶ À VOIR

- **Jeux interdits, de René Clément,** avec Brigitte Fossey (1951). Une orpheline est recueillie par une famille de paysans et se lie d'amitié avec leur jeune fils.
- **Les spécialistes,** de Patrice Leconte, avec Gérard Lanvin et Bernard Giraudeau (1984). Deux détenus en cavale préparent leur prochain casse dans un mas occitan.
- **Mal de pierres,** de Nicole Garcia, avec Marion Cotillard et Louis Garrel (2016). Adapté du roman italien de Milena Agus, *Mal di pietre* (2006). Enfermée dans un mariage arrangé par ses parents, une jeune femme ne se résout pas à renoncer à sa quête du grand amour.

CARNET D'ADRESSES

ÉTAPES	INFORMATIONS
① CASTELLANE	⚓ **Pour les campings, consulter •** *castellane-verdontourisme.com* • 🏠 ⦿ **Le Grand Hôtel du Levant :** *5, pl. Marcel-Sauvaire.* • *hoteldulevant-castellane.com* • On trouve ici des chambres bien de notre temps, de taille variable et aux salles de bains refaites. Restaurant sur place.
⑪ MOUSTIERS-SAINTE-MARIE	🏠 **Le Clos des Iris :** *chemin de Quinson.* • *closdesiris.fr* • Un mas provençal rose aux volets violets, caché sous les marronniers, les cerisiers et les figuiers, magistralement entretenu par une souriante maîtresse de maison. Chambres très coquettes. Idéal pour un séjour romantique. 🏠 **Hôtel La Ferme Rose :** *chemin de Peyrengue.* • *lafermerose.com* • Cette ancienne ferme provençale plaira aux amateurs de déco rétro et collectionneurs de tout poil. Une adresse originale pour amoureux en mal d'intimité douillette. Grande piscine avec transats. ⦿ **Les Tables du Cloître :** *passage du cloître.* Au chevet de l'église, un adorable petit resto installé dans l'ancienne salle capitulaire, fraîche et voûtée, avec une terrasse qui s'étale sur la calme place du presbytère. Cuisine simple et peu onéreuse, avec des plats du jour selon l'inspiration du marché. ⦿ **La Treille Muscate :** *pl. de l'Église.* Sur la terrasse de la place de l'Église bercée par le son de la cascade. Au-delà du cadre plus que plaisant, la cuisine réconforte : créativité, élégance et qualité pour des recettes à base de produits frais, d'herbes et d'olives du pays... ⦿ 🍷 **La Part des Anges :** *av. Frédéric-Mistral.* Certainement la plus belle terrasse de Moustiers, avec vue panoramique grandiose. Pour accompagner son cocktail ou son verre de vin, des tapas et planches de charcuterie. Concerts sur fond de coucher de soleil à l'occasion.
⑫ LA-PALUD-SUR-VERDON	🏠 ⦿ **Le Provence – Restaurant Le Styx :** *route de la Maline (D 23).* • *hotel-provence-verdon.com* • À peine en contrebas du village, un petit hôtel familial derrière une façade provençale mangée par la vigne vierge. Chambres lumineuses, climatisées, à la déco colorée. Cuisine efficace au resto : salades copieuses, burgers, plats du jour... 🏠 ⦿ **Gîte Chalet Le Refuge :** *Les Bondils.* • *verdon-chalet.com* • À 1 200 m d'altitude, sur un terrain herbeux incliné, Luce et Laurent vous régaleront d'une cuisine 100 % naturelle et pleine de saveurs. Également 4 chalets pour 2 personnes, une yourte ou 2 tipis pour 2-4 personnes. Vue superbe sur la vallée qui vaut bien la grimpette ! ⦿ **Chalet de la Maline :** *dans le bas de la route des Crêtes (D 23).* Une terrasse perchée au-dessus du vide, 300 m au-dessus du Verdon. Idéal pour boire un coup en pleine magie de cette merveilleuse route des Crêtes, face au panorama époustouflant. Petite restauration et bon plat du jour le soir. Pour les randonneurs, grimpeurs ou promeneurs en recherche de quiétude, des dortoirs de 4-6 lits pour poser son sac.
ROUGON	🏠 ⦿ **Auberge du Point-Sublime :** *auberge-pointsublime.com* • Une institution locale, dans la même famille depuis 1946. Chambres simples mais refaites au goût du jour et de bon confort. Côté resto, bonne et classique cuisine ménagère.

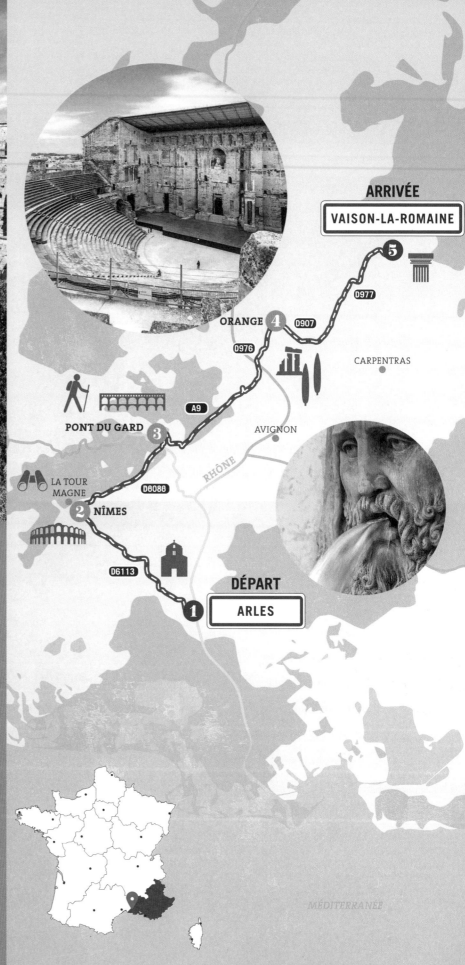

D977

ORANGE ④ D907

D976

CARPENTRAS

A9

AVIGNON

PONT DU GARD ③

RHÔNE

LA TOUR
MAGNE

D6086

② **NÎMES**

DÉPART

ARLES ①

D6113

N°31

100 KM

FICHE PRATIQUE

 SITUATION

PACA, Occitanie.

 MEILLEURS SOUVENIRS

Découvrir de magnifiques vestiges de
la Gaule romaine, dans des cités aux
traditions bien vivantes.

MÉDITERRANÉE

ILS SONT FOUS, CES RoMAINS !

ARLES ⟶ VAISON-LA-ROMAINE

DURANCE

La colonisation romaine a laissé une empreinte impérissable en France, avec la création de villes, de routes, de domaines agricoles, notamment en Provence et en Occitanie. Les vestiges de ces édifications témoignent de leur splendeur passée. Cet itinéraire invite à remonter le temps jusqu'à l'époque des gladiateurs à la conquête des ruelles du vieil Arles, de l'incroyable ouvrage du pont du Gard ou du musée de la Romanité à Nîmes. Voilà de quoi en apprendre davantage sur l'Antiquité… sous le soleil, s'il vous plaît !

LÉGENDES

ÉTAPES ●

À NE PAS LOUPER ·

FLEUVES, RIVIÈRES —

D'ARLES AU PONT DU GARD

Bordée par le Rhône, battue par le mistral et patinée par le soleil, **Arles** ❶ émeut tout en gardant un cœur de (vieilles) pierre(s) ! Des arènes à l'hôtel de ville, des demeures du XVIIe s au cloître Saint-Trophime, elle évoque Rome, ses toits de tuiles, ses couleurs douces et même quelque part sa *dolce vita*. Arles est loin d'être une ville-musée. Si, dans ses murs, se croisent en effet les chemins de l'Histoire, elle déborde par ailleurs de vie culturelle grâce, notamment, à la maison d'édition Actes Sud, à l'École nationale de la photo et à ses nombreux festivals.

Le théâtre antique remonte aux premières années du règne d'Auguste, quand Arles était au zénith de sa prospérité romaine. Près de 12 000 spectateurs pouvaient y prendre place. Bien conservées grâce à leur transformation en forteresse lors des invasions sarrasines (elles abritaient tout un village !), les arènes d'Arles pouvaient contenir plus de 20 000 spectateurs. Pour le bien-être du public, une immense voile (le *velum*) était tendue au sommet de l'édifice. Quant aux thermes de Constantin, ils datent du IVe s. Les ruines furent envahies au cours des siècles par des habitations, jusqu'à faire oublier leur existence. Aujourd'hui, seule la partie chaude – *caldarium* et *tepidarium* – a été dégagée. En complément à la découverte des monuments arlésiens, le musée départemental Arles antique expose de magnifiques maquettes et des œuvres prestigieuses, comme la statue monumentale de l'empereur Auguste.

À ne pas manquer 🔍 Arelate, journées romaines d'Arles : en août. • festival-arelate.com • Chaque année, les Romains prennent leurs quartiers d'été dans la « Petite Rome des Gaules ».

À voir aussi 📷 L'église Saint-Trophime et son portail, le cloître Saint-Trophime, le musée Réattu (musée des Beaux-Arts), le Museon Arlaten, la Fondation Van-Gogh-Arles et les Alyscamps.

On rejoint **Nîmes** ❷ depuis Arles par la D 6113. Carrefour des influences romaines et protestantes, la ville marque le centre de gravité de ce pays que traverse depuis plus de 2 000 ans l'ancienne voie Domitia, qui a laissé place aujourd'hui à l'autoroute de la Languedocienne. Avec Autun et Vienne, Nîmes fut l'une des cités les plus brillantes de la Gaule romaine. Rien que ça ! Après des décennies de somnolence, la « Rome française » bichonne désormais son passé tout en soignant son avenir. Mais la ville natale d'Alphonse Daudet, où flânait Apollinaire, est bien restée une cité du Sud, avec ses ruelles fraîches, ses terrasses de cafés, ses places ombragées et ses hôtels particuliers. La Colonia Augusta Nemausus était déjà bien alimentée en eau par l'aqueduc de Nîmes (et son fameux pont du Gard) quand on décida de construire l'amphithéâtre, autour de l'an 100, destiné essentiellement aux combats de gladiateurs. Inspirée du Colisée de Rome, son architecture est un modèle d'harmonie et d'équilibre. Bien qu'érodée par les intempéries, la pierre des arènes a tenu le choc des siècles. Résultat : c'est le monument le mieux conservé du monde romain.

Face aux arènes bimillénaires, le musée de la Romanité tranche avec son architecture ultracontemporaine. Sa façade ondulée, qui n'est pas sans rappeler le drapé d'une toge romaine, a été imaginée par l'architecte Elizabeth de Portzamparc. Un escalier monumental mène le visiteur aux collections archéologiques de Nîmes, selon un parcours chronologique et thématique abordant tour à tour l'art, l'urbanisme et la vie quotidienne. Quant à la Maison carrée, ce n'est ni une maison ni un carré, mais un magnifique petit temple romain admirablement conservé. Édifié au cœur du forum, entre l'an III et l'an V apr. J.-C., sous le règne d'Auguste, ce sanctuaire, inspiré de l'architecture du temple d'Apollon de Rome, est dédié à Caius et Lucius César, « princes de la Jeunesse » et petits-fils adoptifs d'Auguste. L'intérieur du temple n'abrite pas de musée, contrairement à ce que l'on pourrait imaginer, mais une salle de projection pour le film *Nemausus*, la naissance de Nîmes. Non loin du bassin de la Source, le temple de Diane est le monument gallo-romain le plus énigmatique de Nîmes, car on ignore sa fonction primitive. Sauna mystique ? Bibliothèque ? Pas un temple, en tout cas, et pas de Diane, surtout. Partiellement détruit, il a conservé quelques niches murales, des colonnes et des corniches, ainsi qu'un superbe voûtement d'arcs juxtaposés.

En haut du mont Cavalier, la tour Magne, ouvrage de défense autrefois inclus dans les remparts, s'érige en phare de la ville. La vue est sublime depuis le sommet ; par beau temps, on aperçoit les Cévennes, le mont Ventoux, les Alpilles et le pic Saint-Loup vers Montpellier ! À l'aide d'une table panoramique, on peut même imaginer la ville telle qu'elle était à l'époque romaine. Un peu plus loin du centre, non loin des jardins de la Fontaine, le *castellum* est un vestige du réseau hydraulique. C'est ici qu'aboutissait l'aqueduc romain qui alimentait la ville en eau.

À ne pas manquer 🔍 **Les grands jeux romains : fin avril ou début mai, pendant 3 jours.** Reconstitution historique durant laquelle la ville remonte le temps jusqu'à l'époque romaine, avec défilé de l'empereur, cérémonie, marché romain, animations et ateliers pour les enfants. Également un spectacle dans les arènes, avec plus de 500 figurants.

À voir aussi 📷 **Le musée des Beaux-Arts, le musée du Vieux-Nîmes, la cathédrale Notre-Dame-et-Saint-Castor, le Carré d'Art (musée d'art contemporain) et les jardins de la Fontaine.**

Après l'exploration de Nîmes, il convient de remonter à la source, jusqu'au **pont du Gard** ❸. De tout temps, cette majestueuse construction romaine, inscrite au Patrimoine mondial de l'Unesco, a suscité l'admiration. C'est aujourd'hui l'un des monuments les plus visités de France. Cet aqueduc (qui n'avait donc rien d'un pont) a été construit par les Romains entre 40 et 60 apr. J.-C. Son rôle était alors d'alimenter la colonie nîmoise en eau potable. Pour cela, les hydrologues romains allèrent jusqu'à Uzès pour capter l'eau des sources d'Eure et de Plantéry, qui existent encore aujourd'hui. Puis on construisit cet immense aqueduc de 50 km de long, lequel, souterrain en grande partie, devenait aérien à partir du lieu-dit Bornegre, et dont les arches franchissaient les gorges du Gardon. La déclivité entre Nîmes et Uzès n'étant que de 12 m, soit 24 cm par kilomètre seulement, son édification impliqua de savants calculs et beaucoup d'ingéniosité !

POUR SE DÉGOURDIR LES JAMBES 🚶

LE PONT DU GARD
9 km • 3h

On n'est jamais seul à visiter le monument antique le plus célèbre de France… En voiture, venez très tôt le matin ou le soir vers 18h ou 19h. Évitez absolument l'après-midi du 15 août, par exemple… L'entrée donne accès aux espaces culturels (musée, projection, etc.). L'idéal est encore d'y aller à pied, en laissant son carrosse à Saint-Bonnet-du-Gard par exemple, d'où l'on rejoint le GR 6 (Compter 3h et 9 km A/R, sans difficulté). Ou alors, en kayak !

Plus d'infos 🌐 ww. pontdugard.fr

D'ORANGE À VAISON-LA-ROMAINE

La route se poursuit jusqu'à **Orange** ④ sur près de 40 km par l'A 9 et la D 976. Colonie romaine fondée en 35 av. J.-C, cette ville a gardé du passage des premiers légionnaires des vestiges remarquables. Son théâtre antique est l'un des mieux conservés de l'Antiquité ! Outre une excellente acoustique, le mur de scène est quasiment intact. En surplomb, le parc public de la colline Saint-Eutrope abrite les ruines d'un temple que l'on peut apercevoir au sommet de la colline. De là-haut, très beau panorama sur le Ventoux et les Dentelles de Montmirail. Jamais aucune victoire ne fut commémorée sous l'arc de triomphe. Qu'importe, voilà l'un des plus beaux monuments de la Gaule romaine. Construit au Ier siècle de notre ère, peut-être en l'honneur d'Auguste, il se situe en dehors des remparts romains, sur la voie dite d'Agrippa. L'arc fut aménagé lorsqu'il servit de tour au Moyen Âge et qu'il était habité. Restauré récemment, il trône majestueusement à l'entrée de la ville.

À ne pas manquer 🔍 **Chorégies** : fin juin-début août.
• choregies.fr • Fêtes pour comices agricoles au départ (« fêtes romaines » en 1869 !), elles ont accueilli, au fil des décennies, toutes sortes de spectacles en plein air, comportant ou non des chœurs. Depuis 1972, le festival s'est spécialisé dans l'art lyrique, produisant de véritables créations d'opéras. Sinon, le Off des Chorégies propose une dizaine de concerts.

À ne pas manquer aussi 🔍 **Les Légions romaines** : vers la mi-sept, pendant un w-e. Défilés et reconstitutions dans le théâtre antique.

Capitale celto-ligure, puis cité alliée à Rome, **Vaison-la-Romaine** ⑤, ultime étape de ce voyage dans le temps, affiche quelques beaux témoignages de cette époque. Le parc archéologique s'organise en deux sites antiques : le site de la Villasse et celui de Puymin. La vaste villa à l'Apollon lauré, visible au début du champ de fouilles du quartier de Puymin, est l'un des plus beaux sites antiques qui soient. Le théâtre, de l'autre côté de la colline, est plus petit et moins bien conservé que celui d'Orange. Enfin, le quartier de la Villasse, situé vers la cathédrale, est de loin la partie la plus impressionnante. On déambule dans les vénérables rues antiques, s'imaginant sans mal la vie trépidante qui régnait dans ces quartiers où les échoppes côtoyaient les villas fastueuses et les thermes. Même réduite à l'état de « plan », cette ville romaine dégage une atmosphère fascinante.

À ne pas manquer 🔍 **Semaine de théâtre antique** : 15 j. mi-juil. Festival de théâtre antique, moderne et contemporain inspiré… de l'Antiquité, évidemment. Conférences et forum.

Vaison-la-Romaine

CARNET D'ADRESSES

ÉTAPES	INFORMATIONS
❶ ARLES	🏠 **Hôtel du Musée** : *11, rue du Grand-Prieuré.* • *hoteldumusee.com* • Une excellente adresse installée dans une demeure du XVIIᵉ s. Chambres toutes différentes et confortables.
	🏠 **Hôtel Constantin** : *59, bd de Craponne.* • *hotel-constantin-arles.com* • Sur le vieux quai le long du canal, cet hôtel agréable et stylé, à la façade noyée de vigne vierge, a été rénové au fil des ans.
	|◉| **Le Plaza – La Paillotte** : *28, rue du Dr-Fanton.* Une institution locale où le chef nous régale avec ses entrées fraîches et goûteuses, ainsi que ses plats de tradition française et provençale, joliment revisités.
	|◉| **Du Bar à l'Huître** : *12, pl. du Forum.* Ce petit resto, tenu par un ancien poissonnier de Salin-de-Giraud, navigue bien sûr du bar à l'huître, en passant par les tellines, tourteaux, etc.
❷ NÎMES	🏠 **Hôtel de l'Amphithéâtre** : *4, rue des Arènes.* • *hoteldelamphitheatre.com* • Un hôtel sérieux, installé dans une grande maison du XVIIIᵉ s. Des chambres au décor sobre et plutôt raffiné.
	|◉| **Halles Auberge** : *dans les halles centrales (entrée rue Guizot).* Un comptoir plus qu'agréable pour goûter des petits plats mitonnés à base des produits du marché couvert.
	|◉| **Le Passage de Virginie** : *15, impasse Fresque.* Délicieux produits de la mer cuisinés de façon créative, sans oublier la traditionnelle brandade de morue maison.
❹ ORANGE	🏠 **Hôtel Lou Cigaloun** : *4, rue Caristie.* • *hotel-loucigaloun.com* • Dans une bâtisse historique du XVIIᵉ s, des chambres pleines de charme, toutes différentes.
	|◉| **À la Maison** : *4, pl. des Cordeliers.* Cuisine traditionnelle et provençale servie sur une jolie terrasse à l'ombre de platanes centenaires, à côté du théâtre antique.
	|◉| **Les Saveurs du Marché** : *24, pl. Silvain.* Des produits de qualité, dans une ambiance agréable et décontractée.
❺ VAISON-LA-ROMAINE	|◉| **Bistro du O** : *37, rue Gaston-Gévaudan, Haute-Ville.* Sous une voûte de pierre blanchie, une jolie adresse où officie un chef passé dans de belles maisons, qui s'applique dans le répertoire néoterroir épuré.

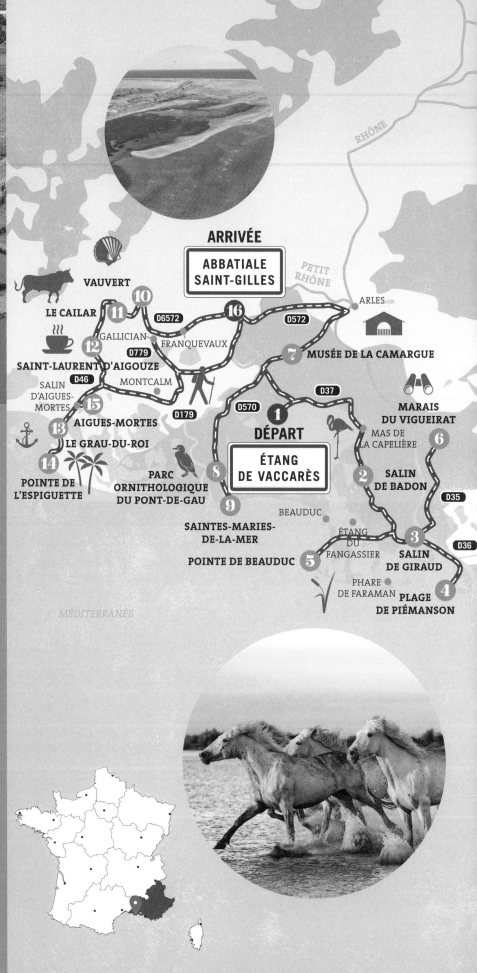

N°32

160 KM

FICHE PRATIQUE

SITUATION

Bouches-du-Rhône et Gard, PACA et Occitanie.

MEILLEURE PÉRIODE

Réservation impérative de votre hébergement lors des vacances scolaires. Attention, zone humide oblige, les moustiques sont particulièrement féroces de mai à juin et de septembre à novembre. La bonne nouvelle, c'est qu'ils font la trêve en été !

MEILLEURS SOUVENIRS

Des paysages aux couleurs envoûtantes quand le soleil joue avec le vert des rizières et le rose des salins, une balade à cheval sur une étendue de sable sans fin...

CONSEIL DE TONTON ROUTARD

Pour observer les animaux, patte de velours et discrétion sont de mise... Évidemment, on ne voit rien de bien exceptionnel depuis une voiture lancée à toute allure sur la départementale, alors on lève le pied !

RHÔNE

PETIT RHÔNE

ARRIVÉE

ABBATIALE SAINT-GILLES

VAUVERT

LE CAILAR

11

10

16

D6572

D572

ARLES

GALLICIAN

FRANQUEVAUX

12

D779

SAINT-LAURENT D'AIGOUZE

7

MUSÉE DE LA CAMARGUE

D46

MONTCALM

D179

D37

SALIN D'AIGUES-MORTES

15

D570

1

MARAIS DU VIGUEIRAT

AIGUES-MORTES

13

DÉPART

MAS DE LA CAPELIÈRE

6

LE GRAU-DU-ROI

ÉTANG DE VACCARÈS

2

SALIN DE BADON

14

8

D35

POINTE DE L'ESPIGUETTE

PARC ORNITHOLOGIQUE DU PONT-DE-GAU

9

BEAUDUC

ÉTANG DU FANGASSIER

3

D36

SAINTES-MARIES-DE-LA-MER

POINTE DE BEAUDUC

5

SALIN DE GIRAUD

PHARE DE FARAMAN

4

PLAGE DE PIÉMANSON

MÉDITERRANÉE

AU FIL DE LA CAMARGUE

LE VACCARÈS ➤➤➤➤ PETITE CAMARGUE

Bienvenue en Camargue, terre lointaine, séparée du reste de la France par les deux bras du Rhône à son embouchure. Une terre formée par les alluvions déposées au fil des siècles, avant que, à la fin du XIXe s, l'endiguement ne donne enfin un lit à ce fleuve. Le delta, longtemps hostile, a alors été apprivoisé, domestiqué par l'homme et ses roubines, ces canaux de riziculture qui le sillonnent en tous sens. La Camargue, c'est aussi une terre de traditions bien vivantes et le royaume d'un quatuor emblématique : le gardian, son petit cheval blanc, le taureau camarguais et le mouton baptisé « mérinos d'Arles ». La beauté rêche et âpre de la Camargue, la luminosité du ciel, la richesse de la faune en font un must pour les amateurs de tableaux hors du commun. Et puis il y a aussi les flamants roses...

LÉGENDES

ÉTAPES ●

À NE PAS LOUPER ·

FLEUVES, RIVIÈRES —

VIRÉE AU FIL DES ÉTANGS DE CAMARGUE

La balade commence autour du plus grand étang de la Camargue, **le Vaccarès ①**. C'est avant tout un lieu de prédilection pour l'observation des bêtes à plumes, car cet étang de 600 ha, peu profond et isolé de la Méditerranée par une digue à la mer, abrite des volatiles en pagaille : canards, flamants roses ou encore des espèces plus discrètes, comme le rollier d'Europe. Autour de l'étang, visite de La Capelière, le centre d'information de la réserve nationale de Camargue. Le **Salin-de-Badon ②** livre à son tour des sentiers aménagés à travers une ancienne saline royale.

L'arrivée à **Salin-de-Giraud ③** provoque un petit choc culturel : sans les platanes, on se croirait soudain dans le Nord, au milieu des corons. Cette cité ouvrière fut bâtie à la fin du XIXe s par les entreprises venues exploiter la soude qui servait à la fabrication du savon de Marseille. Les salines qui s'y trouvent sont les plus grandes d'Europe. Un point de vue aménagé permet d'embrasser du regard tout le site. À la fin du cycle de décantation et d'évaporation, le sel est récolté et mis en pyramides, que l'on appelle les « camelles ». Ces petites montagnes sont les seuls reliefs du delta du Rhône ! À vos altimètres.

Par la D 36, on atteint la **plage de Piémanson ④**. Longue de 25 km, cette étendue de sable est emblématique de cette côte. Elle fut longtemps un haut lieu du camping sauvage, désormais interdit. Attention, la baignade peut être dangereuse. Au loin, se détache le joli phare de Faraman.

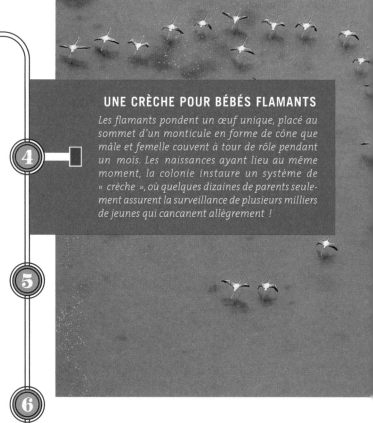

On revient sur nos pas en direction de la **pointe de Beauduc ⑤**, avec au passage, l'étang du Fangassier, un havre de douceur et de beauté où, d'avril à mi-juillet, 10 000 couples de flamants roses nidifient avec grâce et volupté. Bon, ces dernières années, les volatiles se font désirer… La plage de Beauduc est très prisée des kitesurfeurs. Par sécurité, mieux vaut stationner à l'entrée de la plage, non loin de la station de pompage. Les anciens surnommaient Beauduc « la fin du monde », à cause de ses cabanons rapiécés de tôle et de planches rongées par le sel et le temps, noyés parmi les carcasses de camions et de bus rouillées. Désormais, il ne reste qu'une poignée de cabanons historiquement bâtis sur les terrains (privés) des salins. On peut planter la tente en journée mais la nuit, c'est interdit.

Par le bac de Bacarin qui traverse le Rhône, la D 35 en direction d'Arles mène aux **marais du Vigueirat ⑥**. Ce site naturel protégé couvre près de 1 200 ha et constitue un très bel exemple de l'environnement et du paysage camarguais (on peut y louer des jumelles).

SUR LA ROUTE DES SAINTES-MARIES-DE-LA-MER

Sur la D 570, à 12 km d'Arles, au mas de Pont-de-Rousty, se trouve le **musée de la Camargue ⑦**. Le bâtiment ultramoderne accueille des expositions temporaires alors que, sous sa belle et massive charpente d'origine, l'ancienne bergerie abrite l'exposition permanente. Parfait pour se plonger dans la Camargue d'hier et d'aujourd'hui.

POUR SE DÉGOURDIR LES JAMBES

SENTIER DE DÉCOUVERTE DEPUIS LE MUSÉE DE LA CAMARGUE
3,5 km • env 1h30

Le belvédère (sous-titré *Horizons*, œuvre de Tadashi Kawamata), près du musée de la Camargue, marque le départ du chemin qui conduit à pied ou à vélo jusqu'à l'**observatoire des oiseaux** dans le marais. On suit alors le canal d'irrigation des rizières.

À une poignée de kilomètres des Saintes, le **parc ornithologique du Pont-de-Gau ⑧** plaira aux observateurs de volatiles. Sur 60 ha, deux circuits pédestres de 2,6 et 4,3 km, ponctués de panneaux thématiques, s'enfoncent dans les marais… où batifolent en liberté des centaines d'oiseaux. Flamants roses et cols-verts toute l'année, aigrettes et hérons nichant au printemps et bien d'autres canards en hiver.

Célèbres pour leur pèlerinage gitan (les 24 et 25 mai), les **Saintes-Maries-de-la-Mer** ⑨ ont su préserver un charme typique malgré la saturation estivale qu'on leur connaît. Le bourg est encore loin des excès urbanistiques de nombre de ses voisins du littoral languedocien… D'ailleurs, après avoir visité la très mignonne église Notre-Dame-de-la-Mer, quelques pas sur la digue à la mer suffiront à vous immerger dans une Camargue préservée.

POUR SE DÉGOURDIR LES JAMBES

LA DIGUE À LA MER
13 km • 5h

Accès automobile jusqu'au parking de la Comtesse. Ensuite, possibilité de suivre **la digue** à pied (ou à VTT) du phare de la Gacholle jusqu'aux Saintes. Compter 5h aller pour parcourir les 13 km, dont 10 km dans la réserve.

Pour une balade plus courte, on peut emprunter, 2 km après le phare de la Gacholle, le **chemin des Douanes**, qui rejoint la plage à travers les dunes. Au phare, petit centre d'information sur la réserve, avec expo sur le littoral.

BALADE AU CŒUR DE LA PETITE CAMARGUE

À environ 35 km à l'ouest d'Arles, **Vauvert** ⑩ est un gentil bourg, posé sur une colline dominant tout juste la Petite Camargue, et une halte sur le chemin de Saint-Jacques-de-Compostelle. Il s'anime lors des courses camarguaises et de la fête votive pendant 10 jours vers le 15 août.

Le rond-point par lequel on arrive au village du **Cailar** ⑪ est tout un symbole, puisque trois taureaux s'y retrouvent : l'un en sculpture, l'autre en peinture, le troisième en… sépulture. Ici repose à jamais, debout et sous les tridents du gardian, le fameux « Sanglier ». Aucun doute : on entre là dans « La Mecque de la bouvine ». Au Cailar bat réellement le cœur de la Petite Camargue. Tous les prés environnants sont occupés par les célèbres manades locales, et la fête votive est ici une institution. Quant au village, il est charmant avec sa placette ombragée, ses ruelles circulaires, ses arènes classées et son église où Saint Louis vint se recueillir avant de partir en croisade…

Plus loin, **Saint-Laurent-d'Aigouze** ⑫ réunit ses visiteurs sur la place du village, très vivante avec son arène accolée à l'église et ses terrasses de café tout autour. C'est la seule place ronde du Languedoc-Roussillon où le toril (lieu où l'on enferme les taureaux) se trouve dans l'ancienne sacristie de l'église ! Il faut dire qu'ici les jeux taurins sont pratiqués toute l'année. C'est sacré ! La fête du mois d'août attire un large éventail d'amateurs partageant la *fe di biòu* (« passion du taureau »).

À l'origine, **Le Grau-du-Roi** ⑬ se résumait à un petit port de pêche le long du passage naturel entre l'étang et la mer. Aujourd'hui, cette station balnéaire très convoitée a su garder son port et une petite partie de son charme d'antan avec son phare, son pont tournant et son quai bordé de chalutiers et de palmiers… Par un sentier à travers les dunes, on accède à la **pointe de l'Espiguette** ⑭, un superbe site naturel. Cette immense plage de quelque 11 km, bordée de dunes plantées de pins parasols, est tout public, du moins sur sa première moitié. Plus loin, un espace naturiste pour les moins frileux.

EXPÉRIENCE

Kitesurf

Le Grau-du-Roi est un spot incontournable pour les adeptes de ce sport. Écoles de kite et loueurs de matériel sur place. Mais aussi, kayak, canoë, paddle, promenades et pêche en mer…

⑮ D'AIGUES-MORTES À SAINT-GILLES PAR LE CHEMIN DES ÉTANGS

Aigues-Mortes ⑮, modèle d'architecture militaire médiévale destiné à défendre la porte vers l'orient du royaume de France, est devenu un lieu touristique très prisé. Et la vieille cité a été heureusement largement préservée des errances qui ont parfois défiguré d'autres sites en France. Aigues-Mortes offre une part de rêve, un soupçon d'irréel à quiconque l'approche aux heures creuses, quand la cité retrouve un rythme apaisé. Le chemin de ronde des remparts (sur 1 634 m, à 11 m de haut) constitue une belle balade pour découvrir la cité et apprécier l'état de conservation parfait de cette enceinte. Voir aussi l'église Notre-Dame-de-Sablons, de style gothique primitif. On pourra ensuite visiter le **salin d'Aigues-Mortes.** Le site accueille une faune et une flore intéressantes (ainsi que quelques moustiques...). Le faible degré hygrométrique de l'air et le fort ensoleillement favorisent la production : 15 000 t par jour pendant la récolte. Le sel stocké forme ici une impressionnante colline que l'on aperçoit à des kilomètres à la ronde et que l'on peut gravir jusqu'à une terrasse d'observation.

 POUR SE DÉGOURDIR LES JAMBES

Depuis Aigues-Mortes, suivre le **chemin de halage** vers le nord sur 8 km environ, jusqu'au pont des Tourradons. Tourner à gauche sur une route devenue une voie verte sur le trajet de la fameuse ViaRhôna. Tout à coup, le paysage change : ce sont les prés du Cailar où paissent les taureaux. Une petite route à ornières coupe les champs. Ne jamais traverser les prés, ne jamais ouvrir une barrière, ne jamais exciter les bêtes, un accident est vite arrivé. On longe ces prés jusqu'au Vistre, un petit ruisseau qui serpente, puis par la tour Carbonnière, on rejoint les remparts. C'est long, c'est beau et... c'est plat !

⑯

Au hasard des petites routes qui sillonnent la région se dévoilent des paysages particuliers. D'abord, la Sagne, la plus grande roselière d'Europe de l'Ouest où officient encore de grands sagneurs, les coupeurs de roseaux qui fournissent la chaume des toits du nord de l'Europe. Et puis, des étangs, des *sansouïres* (zones humides où pousse la salicorne) et des rizières... Les modestes hameaux de **Gallician** et **Franquevaux,** tournés vers les étangs, sont charmants. De Gallician à Montcalm, les paisibles D 779 et D 179 traversent des décors typiques de la Petite Camargue, notamment les étangs du Charnier et de Scamandre et le marais des Gargattes, dont une partie est cultivée en rizières. Et puis on termine à l'**abbatiale Saint-Gilles** ⑯. Inscrite au Patrimoine mondial de l'Unesco, elle surprend au premier coup d'œil par sa faible hauteur. Édifiée au XIIe s, elle était au Moyen Âge le quatrième lieu de pèlerinage du monde chrétien après Rome, Jérusalem et Saint-Jacques-de-Compostelle. Les guerres de Religion ont réduit de moitié ses dimensions, et les saccages de la Révolution ont achevé de mettre l'édifice à mal.

S'offrir une **balade à cheval**, au printemps ou à l'automne. Il n'y a sans doute pas mieux pour profiter des paysages camarguais, au rythme tranquille de sa monture. Il existe également des kilomètres de sentiers et de pistes à travers les roubines (les canaux camarguais) à parcourir **à pied ou à vélo**.

FRINGALES

- **Fougasses d'Aigues-Mortes :** une sympathique sucrerie aromatisée à la fleur d'oranger pour combler un petit creux.
- **La gardianne de taureau :** daube de taureau accompagnée de riz.
- **Le sel de Camargue :** il décante doucement dans les bassins de Salin-de-Giraud, avant d'aller relever tous les plats provençaux.
- **Le riz de Camargue :** il est cultivé depuis le XIIIe s en Camargue. Pourtant, les rizières ne se sont vraiment étendues qu'au cours de la 2de Guerre mondiale, l'interruption du trafic maritime engendrant une pénurie alimentaire. Jusque-là, la riziculture servait surtout à préparer le sol pour la vigne.

LIVRES DE ROUTE

- *Le Grand Batre*, de Frédérique Hébrard (Plon, 1999).
- *Noces de sel*, de Maxence Fermine (Albin Michel, 2012).

CARNET D'ADRESSES

ÉTAPES	INFORMATIONS
14 SAINTES-MARIE-DE-LA-MER	**⚑ Le Clos du Rhône** : *route d'Aigues-Mortes.* • *camping-leclos.fr* • Entre le Petit Rhône et la mer, avec accès direct à la plage, un camping familial et tranquille.
	🏠 Gîtes Le Mas des Colverts : *route d'Arles.* • *masdescolverts.com* • Un mas camarguais entouré d'étangs. Le matin, on déjeune dans le jardin, les pieds dans l'eau au milieu des canards, poules d'eau, foulques et hérons. Chambres et studios tout équipés, avec terrasse. Le chef est un magicien qui défend depuis des années la vraie cuisine camarguaise.
	🏨 Hôtel Le Galoubet : *26, route de Cacharel.* • *hotelgaloubet.com* • Petit hôtel agréable à l'écart du centre et à 500 m des plages. Planté face aux étangs, il propose des chambres classiques.
	🏨 Hôtel Le Mirage : *14, rue Camille-Pelletan.* • *hotel-lemirage.fr* • Dans une grande maison blanche des années 1950 qui était jadis un cinéma. Chambres petites mais bien rénovées.
	🍽 Le Chante Clair : *3, pl. des Remparts.* En plus d'être central, ce restaurant n'a oublié ni la qualité d'accueil, ni la créativité des plats proposés, dans la mouvance locavore.
	🍽 La Manade des Baumelles : *les cabanes de Cambon.* Du vrai de vrai, et convivial. Une carte qui varie peu, depuis plus de 25 ans, mais qui assure.
15 AIGUES-MORTES	**🏨 Hôtel Canal** : *440, route de Nîmes.* • *hotel-canal.fr* • Ça ne se voit pas depuis la route, mais cet hôtel se révèle fort élégant à l'intérieur, voire bucolique du côté du canal et des péniches.
	🍽 Le Dit-Vin : *6, rue du 4-Septembre.* Un décor de bistrot bourgeois avec de vieilles pierres, un patio, une verrière, une cave à vins visible sous les pieds et une brocante chic. Bar à vins et à tapas, parfait pour l'apéro ou un grignotage.
	🍽 L'Aromatik : *9, rue Alsace-Lorraine.* Bistronomique et Aromatik, ça rime. Ici, on a de la chance, on déguste une cuisine maison juste, vraie, et sans façon.

N°33

24 KM

FICHE PRATIQUE

 SITUATION

Sur la Côte d'Azur (Alpes-Maritimes).

 MEILLEURE PÉRIODE

On préfère la demi-saison, voire l'hiver, pour éviter l'affluence touristique.

 MEILLEURS SOUVENIRS

Les magnifiques panoramas courant des Alpes du Mercantour à la Corse, le sillage argenté des bateaux sur la Grande Bleue, les fleurs exotiques des jardins, les châteaux fortifiés.

 BON À SAVOIR

La Pass Côte d'azur offre des remises, gratuités sur de nombreux musées, sites et activités. Plus d'infos :
• cotedazur-card.com •

 PRÉPARER SON ROAD TRIP

• niceazur.com
• cotedazurfrance.fr

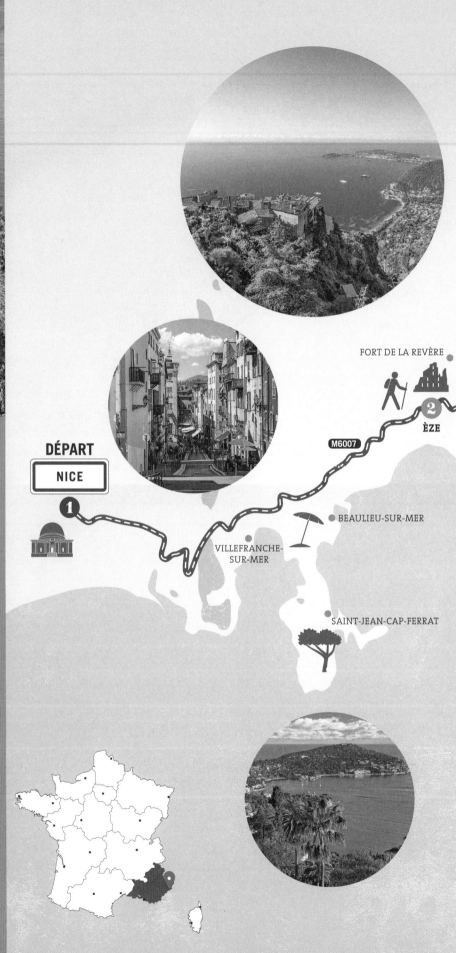

DÉPART

NICE

FORT DE LA REVÈRE

ÈZE

M6007

BEAULIEU-SUR-MER

VILLEFRANCHE-SUR-MER

SAINT-JEAN-CAP-FERRAT

SAINTE AGNÈS

ITALIE

ARRIVÉE

5 | MENTON

D52

ROQUEBRUNE-CAP-MARTIN

4

MÉDITERRANÉE

D2564

3 LA TURBIE

MONACO

LA GRANDE CORNICHE
DE LA RIVIERA

NICE ➤ MENTON

Trois corniches, trois possibilités pour découvrir la Côte d'Azur par ce qu'elle a de plus beau à offrir. De Nice à Menton, de splendides points de vue égrènent la côte jusqu'à la frontière italienne. Chaque corniche a son charme et ses couleurs suivant la lumière du lever ou du coucher du soleil. Nous vous proposons de suivre le tracé ondulant de la Grande Corniche.

Construite à l'initiative de Napoléon, taillée sur des hauteurs très escarpées, elle embrasse d'un regard quasi aérien le littoral de la Riviera française. Cette corniche, la plus panoramique, atteint 500 m d'altitude au col d'Èze. Prêt pour le grand saut ?

LÉGENDES	
ÉTAPES	●
À NE PAS LOUPER	•
FRONTIÈRE	– –

24 KM

DE NICE À MENTON,
PAR LA GRANDE CORNICHE

Départ de **Nice** ❶, ville éclectique qui mérite qu'on s'y attarde un instant. Du centre-ville, il ne faut pas plus de 5 mn pour atteindre la plage par la Promenade des Anglais… Mais tant qu'à faire, on prendra la peine d'arpenter les trésors du vieux Nice : ses places et ses églises, le cours Saleya (un jour de marché), le palais Lascaris, le musée d'Art moderne et d'Art contemporain, les musées Masséna, des Beaux-Arts, Chagall et Matisse, sans oublier les jardins et promenades. La coupole blanche de l'Observatoire, dessinée par un certain Garnier et fabriquée par Eiffel, est visible depuis toute la ville. Elle abrite un centre de calcul et une Grande Lunette astronomique de 18 m qui fut autrefois la plus puissante du monde.

Flâner dans le Vieux Nice en dégustant socca, pan-bagnat ou pissaladière est un must ! Les becs sucrés, eux, savoureront une étonnante glace à la lavande chez *Fenocchio* ou les merveilleux fruits confits de chez *Auer*, célèbre confiserie en face de l'opéra.

POUR ALLER PLUS LOIN

LA BASSE CORNICHE

Une alternative à notre itinéraire. La Basse Corniche sinue le long du littoral et dessert toutes les villes et plages depuis Villefranche-sur-Mer jusqu'à Menton. Depuis le centre de **Nice**, on se dirige vers la M 6098 et on contourne le mont Boron. On traverse les hauteurs de **Villefranche-sur-Mer** où la route culmine à 100 m. La vieille ville étage ses maisons du XVIIᵉ s au-dessus du port de la Darse, niché dans une rade de rêve, avec plages de galets. Après la citadelle, on se perd volontiers sous les sombres voûtes de l'étonnante rue Obscure. Sans manquer bien sûr d'aller admirer les fresques de la chapelle Cocteau, l'une de ses plus belles œuvres. La Basse Corniche retrouve le niveau de la mer au port de **Beaulieu-sur-Mer**, charmante station balnéaire un rien rétro, au climat protégé. En 1902, l'archéologue Théodore Reinach, passionné par la civilisation grecque, se fit construire une merveilleuse villa grecque, à la pointe de la baie des Fourmis : la villa Kérylos. Elle est aujourd'hui propriété de l'Institut de France et se visite pour son architecture.

FOCUS
LE CAP FERRAT

Au sud de Villefranche, les pinèdes de la presqu'île du cap Ferrat ont séduit depuis longtemps les célébrités, du roi de Belgique à Chaplin et Belmondo. La villa et les jardins Ephrussi-de-Rothschild semblent sortis d'un rêve. Autour d'un palazzino mi-italien, mi-mauresque tout de rose et de blanc, orné de tableaux d'exception, un parc de 7 ha plonge dans la mer d'un bleu profond. Ne pas manquer non plus la merveilleuse villa Santo-Sospir, au bout du cap. Cocteau la décora de fresques durant un long séjour, en compagnie de sa mécène et amie, Francine Weisweiller.

En partant de Nice, suivre la M 2564 qui longe le quartier chic de Cimiez par le boulevard Bischoffsheim, puis par le boulevard de l'Observatoire. La route se dirige vers l'est et le col des Chemins (321 m) pour monter au belvédère du col d'Èze (512 m), point d'arrivée de la course cycliste Paris-Nice.

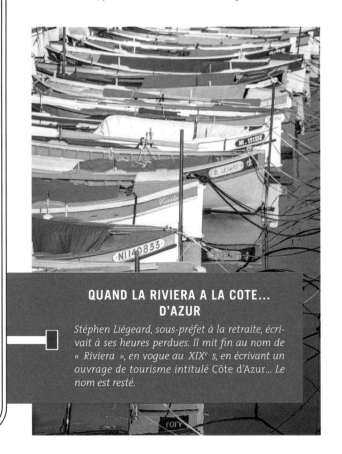

QUAND LA RIVIERA A LA COTE…
D'AZUR

Stéphen Liégeard, sous-préfet à la retraite, écrivait à ses heures perdues. Il mit fin au nom de « Riviera », en vogue au XIXᵉ s, en écrivant un ouvrage de tourisme intitulé Côte d'Azur… Le nom est resté.

Sur la droite se dessine la silhouette fortifiée du vieux village d'**Èze** ② (429 m). « Les sinuosités de la côte offrent à chaque pas un décor magique. Les ruines d'Èze, plantées sur un cône de rocher, avec un pittoresque village en pain de sucre, arrêtent forcément le regard. C'est le plus beau point de vue de la route, le plus complet, le mieux composé », s'exaltait déjà George Sand. Au nord, les sommets enneigés des Alpes répondent à la pureté du ciel tandis que, vers le sud, l'étendue verte de la rade de Villefranche s'unit au bleu de l'azur. Maisons médiévales aux toits de tuiles, ruelles étroites, escaliers et vieilles pierres s'empilent derrière la double porte monumentale qui donne accès au village d'Èze. Des panneaux historiques guident le visiteur, et les anciennes caves à moutons ont été transformées en magasins de souvenirs. Les amateurs de baroque pénètreront dans la magnifique nef de l'église de l'Assomption (XVIIIe s) et visiteront la chapelle des Pénitents Blancs. L'acteur Francis Blanche, enterré au proche cimetière, y fit graver son épitaphe : « Laissez-moi dormir, j'étais fait pour ça ! » Le jardin botanique, suspendu entre ciel et mer, offre une vue plongeante, depuis les ruines du château, sur la Grande Bleue, de Saint-Tropez à l'Italie et même la Corse !

POUR SE DÉGOURDIR LES JAMBES

LE SENTIER FRÉDÉRIC-NIETZSCHE
1h30

Compter 1h30 de marche. Ce sentier relie Èze-Bord-de-Mer à Èze-Village, au milieu des oliviers et des chênes verts. « Cette partie fut composée pendant une montée des plus pénibles de la gare au merveilleux village maure d'Èze, bâti au milieu des rochers », affirmait Nietzsche. Il s'essaya même à une poésie vantant le mistral, que Frédéric Mistral traduisit en provençal.

PAS DE CÔTÉ

Pourquoi ne pas envisager un détour par le parc départemental de la Grande Corniche, au **Fort de la Revère** (à 700 m d'altitude) ? Si le fort ne se visite pas, le parc offre un panorama exceptionnel à 360° de la Corse au Mercantour avec des animations sur les lunettes et télescopes de l'Astrorama.

Depuis Èze, bientôt se profilent les ruines romaines de **La Turbie** ③, célèbre pour son trophée d'Auguste.

FOCUS
LA PETITE HISTOIRE DE LA TURBIE

Ne vous étonnez pas devant ces colonnes romaines blanches qui voisinent les toits de tuiles de la petite église de La Turbie. Ce monument national fut construit en hommage à la victoire remportée par l'empereur Auguste sur les tribus environnantes. Une statue primitive de 35 m s'élevait autrefois sur ce rocher haut de 500 m sur la via Augusta. Tout à la gloire de Rome, elle servait de vigie aux navigateurs.

La Grande Corniche longe alors l'autoroute A8, avec de magnifiques panoramas sur Monaco, son rocher et sa rade. Elle croise une petite route allant vers Peille, Peillon et les autres villages pittoresques de l'arrière-pays de Menton, si le cœur vous en dit…

Bientôt, on redescend vers **Roquebrune-Cap-Martin** ❹, coiffée de son château médiéval, pour rejoindre la Moyenne Corniche puis la Basse Corniche, les trois corniches ne faisant plus qu'une sur la D 6007. On ira visiter la villa E-1027 et le cabanon de Le Corbusier, auquel on accède par le sentier des Douaniers. Attention, le site n'est pas accessible aux moins de 7 ans. Il fallut trois années pour édifier ce « manifeste architectural pour célibataire sportif », comme le surnommaient ses créateurs, Eileen Gray et l'architecte Badovici.

En 1952, Le Corbusier s'installa en voisin dans un cabanon destiné à s'intégrer au paysage. Il n'imaginait pas que ce travail serait classé un jour de 2016 au Patrimoine de l'Unesco. En forme de bateau, son mobilier est avant tout fonctionnel.

La D 6007 sinue jusqu'à la frontière italienne, à 3 km à l'est de **Menton** ❺, capitale du citron. Ce petit « bout de France » jouit d'un climat d'une douceur unique qui permet parfois de déjeuner dehors en… décembre ! Les montagnes qui dégringolent dans la mer, la cathédrale, le cimetière, les petites places secrètes où prendre un verre, les marchés odorants du matin, Menton vaut bien les embouteillages qui bloquent son accès aux heures de pointe. La visite du musée Cocteau, des chapelles, de la basilique et celle des nombreux jardins dont le Val Rahmeh, font de cette ville une ultime étape de choix.

À voir aussi 📷 À 12 km au nord de Menton par la D22, Sainte-Agnès est le village littoral le plus haut d'Europe ! Un site exceptionnel, accroché au flanc d'un pic qui culmine à 780 m en surplomb de la Méditerranée. En plus, le vieux village ne manque pas de charme, avec ses rues enchevêtrées, ses porches anciens et ses passages voûtés. Sans oublier la visite du fort de Sainte-Agnès, véritable ville souterraine de 2 000 m², qui a largement contribué à la défense de la côte en juin 1940.

POUR ALLER PLUS LOIN

LA MOYENNE CORNICHE

« L'amour est là qui fait risette… On est heureux Nationale 7 », chantait Charles Trenet en 1955. La Moyenne Corniche suit le trajet de l'ex N7 par la D 6007. C'est l'itinéraire le plus rapide. Elle est à quatre voies sur une bonne partie de son trajet. À droite du départ de la Grande Corniche à **Nice**, prendre la D 6007 vers l'avenue Bella Vista qui tient ses promesses ! Longeant la partie septentrionale du Mont-Boron et son fort, elle franchit le superbe col de Villefranche avec vue imprenable sur la baie de **Villefranche-sur-Mer** et le **cap Ferrat**. Plus loin, cette route évite la traversée de **Monaco** et passe seulement par son Jardin exotique au-dessus de la ville et de son rocher, offrant ainsi des points de vue spectaculaires.

MAUVAISE PIOCHE

Amusant clin d'œil de l'histoire, c'est par référendum que les Roquebrunois décidèrent, en 1860, leur rattachement définitif à la France. Monaco était trop pauvre, alors… On en connaît qui s'en mordent les doigts !

Menton

POUR SE DÉGOURDIR LES JAMBES

À 5 km au nord de Menton, on rejoint le village perché de **Castellar** par la D24. Le GR® 52 passe là, point de départ de nombreuses promenades balisées. L'occasion d'admirer des points de vue plongeants sur la Côte. Jusqu'au Restaud (1 145 m), compter 1h45 d'ascension. Pour le Grammont (1 380 m), 3h. Moins longue, la balade menant aux ruines du vieux Castellar se fait en 1h.

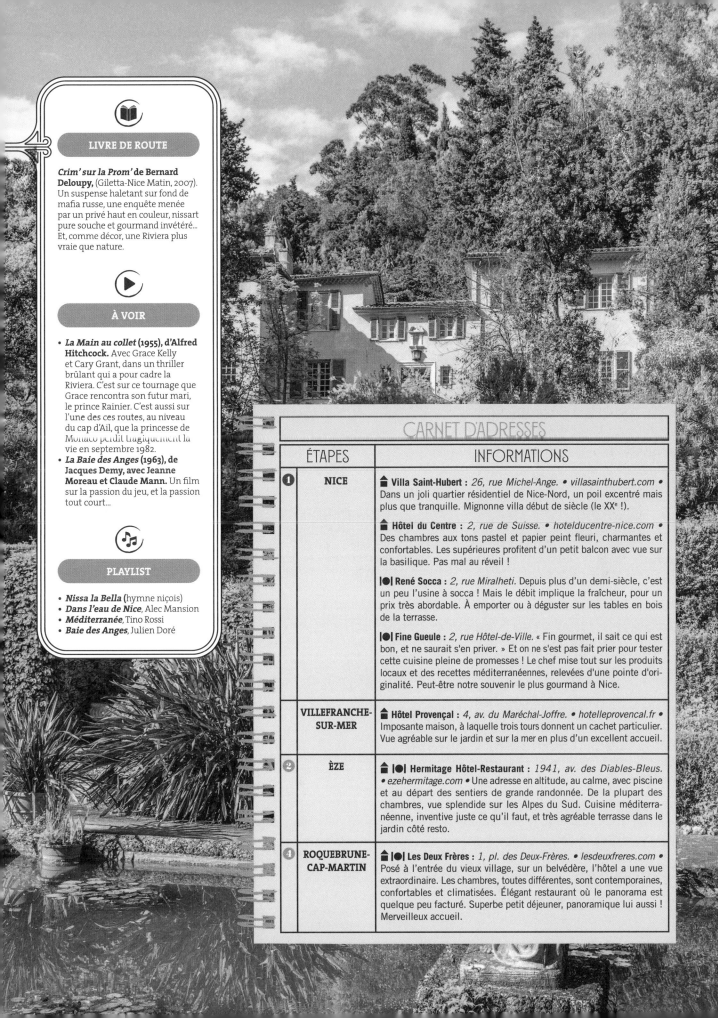

CARNET D'ADRESSES

ÉTAPES		INFORMATIONS
❶	NICE	🏠 **Villa Saint-Hubert** : *26, rue Michel-Ange.* • *villasainthubert.com* • Dans un joli quartier résidentiel de Nice-Nord, un poil excentré mais plus que tranquille. Mignonne villa début de siècle (le XXᵉ !).
		🏠 **Hôtel du Centre** : *2, rue de Suisse.* • *hotelducentre-nice.com* • Des chambres aux tons pastel et papier peint fleuri, charmantes et confortables. Les supérieures profitent d'un petit balcon avec vue sur la basilique. Pas mal au réveil !
		🍴 **René Socca** : *2, rue Miralheti.* Depuis plus d'un demi-siècle, c'est un peu l'usine à socca ! Mais le débit implique la fraîcheur, pour un prix très abordable. À emporter ou à déguster sur les tables en bois de la terrasse.
		🍴 **Fine Gueule** : *2, rue Hôtel-de-Ville.* « Fin gourmet, il sait ce qui est bon, et ne saurait s'en priver. » Et on ne s'est pas fait prier pour tester cette cuisine pleine de promesses ! Le chef mise tout sur les produits locaux et des recettes méditerranéennes, relevées d'une pointe d'originalité. Peut-être notre souvenir le plus gourmand à Nice.
	VILLEFRANCHE-SUR-MER	🏠 **Hôtel Provençal** : *4, av. du Maréchal-Joffre.* • *hotelleprovencal.fr* • Imposante maison, à laquelle trois tours donnent un cachet particulier. Vue agréable sur le jardin et sur la mer en plus d'un excellent accueil.
❷	ÈZE	🏠 🍴 **Hermitage Hôtel-Restaurant** : *1941, av. des Diables-Bleus.* • *ezehermitage.com* • Une adresse en altitude, au calme, avec piscine et au départ des sentiers de grande randonnée. De la plupart des chambres, vue splendide sur les Alpes du Sud. Cuisine méditerranéenne, inventive juste ce qu'il faut, et très agréable terrasse dans le jardin côté resto.
❹	ROQUEBRUNE-CAP-MARTIN	🏠 🍴 **Les Deux Frères** : *1, pl. des Deux-Frères.* • *lesdeuxfreres.com* • Posé à l'entrée du vieux village, sur un belvédère, l'hôtel a une vue extraordinaire. Les chambres, toutes différentes, sont contemporaines, confortables et climatisées. Élégant restaurant où le panorama est quelque peu facturé. Superbe petit déjeuner, panoramique lui aussi ! Merveilleux accueil.

FICHE PRATIQUE

 SITUATION

La côte méditerranéenne entre Var et Alpes-Maritimes.

MEILLEURS SOUVENIRS

De stations balnéaires en villages agrippés à flanc de falaise, le contraste entre la roche rougeoyante de la côte accidentée et l'azur de la mer.

BON À SAVOIR

La *Côte d'Azur Card* permet des remises et gratuités sur de nombreux musées, sites et activités. • cotedazur-card.com •

PRÉPARER SON ROAD TRIP

• cotedazurfrance.fr
• esterel-cotedazur.com

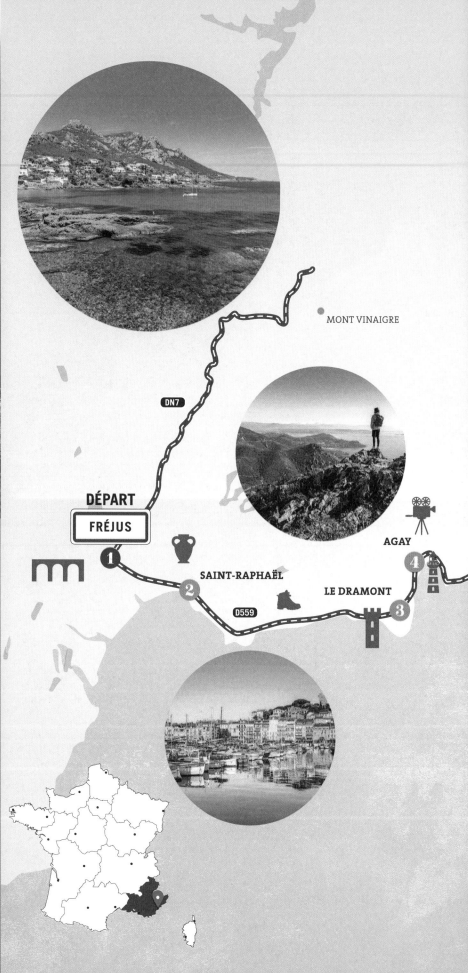

MONT VINAIGRE

DN7

DÉPART

FRÉJUS

1

2

SAINT-RAPHAËL

D559

LE DRAMONT

3

AGAY

4

ARRIVÉE

CANNES

(9)

(8) MANDELIEU-LA-NAPOULE

THÉOULE-SUR-MER

ÎLES DE LÉRINS

(7) POINTE DE L'AIGUILLE

D6098

MÉDITERRANÉE

(6) MIRAMAR

POINTE DU CAP ROUX

(5)

D559

LA CORNICHE DE L'ESTÉREL

FRÉJUS ➤➤➤ CANNES

Un petit morceau d'Afrique sur la Côte d'Azur ! Arraché à son continent d'origine lors de la formation de la Méditerranée, ce massif volcanique offre parmi les plus étonnants paysages de la côte : de vastes éboulis, des crêtes hachées, des falaises déchiquetées qui plongent dans la mer. Une végétation débordante et sauvage. Et partout ces roches d'un rouge flamboyant, se teintant ici ou là de violet, de jaune ou de gris. On est au pays du soleil et de la douceur de vivre, des parties de pétanque, des palmiers, des mimosas qui fleurissent au cœur de l'hiver ou des bougainvillées.

LÉGENDES

ÉTAPES ●

À NE PAS LOUPER ·

L'ESTÉREL DE FRÉJUS À SAINT-RAPHAËL

Fréjus est la première étape au pied des premiers contreforts de l'Estérel. Si Fréjus-Plage ne séduira que les fondus de tourisme balnéaire, la vieille ville mérite une visite avec ses belles façades bourgeoises des XVIIIe et XIXe s. Au no 53 de la rue Sieyès, splendide porte aux Atlantes (Renaissance) ; au no 75 de la rue du Général-de-Gaulle, élégant hôtel des Quatre-Saisons (XVIIIe s). Ne pas manquer non plus le groupe épiscopal et sa cathédrale à double nef, l'une romane, la seconde de style gothique provençal. On y admire également l'un des plus anciens baptistères de France et un adorable cloître. On file ensuite jeter un œil à l'aqueduc, élevé par les Romains au Ier s pour alimenter Forum Julii en eau depuis Montauroux et Mons. Il aligne une quarantaine d'ouvrages d'art, mais surtout d'interminables galeries creusées à main d'homme. À 2 km de là, la mosquée Missiri étonne dans ce paysage provençal. Dernier arrêt à la chapelle Cocteau – Notre-Dame-de-Jérusalem, où l'on admire une fresque de l'artiste mêlant allègrement sacré et païen.

À ne pas manquer 🔍 *Les Nuits auréliennes*, 2e quinzaine de juillet et début août. Au théâtre romain, superbement aménagé.

> **Bon à savoir** 💡
> Le *Fréjus Pass Intégral* donne accès aux Musée archéologique, arènes (amphithéâtre), théâtre romain, cloître, musée d'Histoire locale et chapelle Notre-Dame-de-Jérusalem.

POUR SE DÉGOURDIR LES JAMBES 🥾

LE MONT VINAIGRE
DN 7 • 30 mn

Point culminant de l'Estérel, on y accède en voiture depuis Fréjus par la DN 7. C'est parti pour 30 mn de marche jusqu'au sommet. De l'ancienne tour de vigie, la vue, très dégagée, s'étend de la côte italienne et à la Sainte-Baume.

Le Trayas, Saint-Raphaël

C'est en 1864, avec l'arrivée du chemin de fer, que **Saint-Raphaël** ❷ devient une station balnéaire huppée. Fitzgerald y écrit *Gatsby le Magnifique* ; Marcel Aymé y perche ses chats ; la future Elizabeth II séjourne chez les Rothschild ; Gounod y compose *Roméo et Juliette*... De cette époque, la ville a conservé son casino, sa basilique néo-byzantine, sa promenade des Bains et le chic quartier résidentiel de Valescure, peuplé de somptueuses villas. Sans oublier l'intéressant musée de la Préhistoire et d'Archéologie sous-marine qui rassemble le résultat de fouilles réalisées sur le littoral. Jarres sarrasines très rares et superbe reconstitution d'un chargement d'amphores sur un navire romain du Ier s av.-J.C. Plus étonnantes : des pompes romaines en bronze utilisées pour vidanger les cales des bateaux. C'est d'ici également que l'on accède à l'église romane du XIIe siècle qui accueille des expos temporaires.

POUR SE DÉGOURDIR LES JAMBES

LE SENTIER DU LITTORAL
11 km • env 4h

Départ de l'extrémité sud du port de Santa-Lucia ; arrivée à la plage du Pourrousset dans la baie d'Agay.

EXPÉRIENCE

Plongée

Au pied de l'Estérel, la zone de cantonnement du cap Roux garantit de découvrir quelques beaux spécimens de la faune et de la flore méditerranéennes.

Clubs de plongée :

- **Europlongée :** port de Boulouris. • europlongee.fr•

- **CIP Fréjus :** sur l'aire de carénage de Port-Fréjus-Est. • cip-frejus.com •

Meilleurs spots :

- **Le Lion de Mer :** le long d'un tombant chaotique, on aborde « Notre-Dame-des-Fonds-Marins », statue de bronze du XIXe s scellée par 12 m de fond, avant de céder aux charmes de la sirène plantureuse (- 18 m).

- **L'île d'Or :** enchaînement de plateaux, éboulis, tombants, avec nombreuses failles, arches et canyons. Mérous, daurades, murènes et langoustes batifolent...

- **Le village sous-marin de Silver :** plongée ludique dans un village de Lilliputiens.

- **La balise de la Chrétienne :** un site archéologique célèbre pour sa dizaine d'épaves antiques.

- **Les péniches d'Anthéor :** vestiges éclatés de deux péniches torpillées en 1944.

DE SAINT-RAPHAËL À LA BAIE DE CANNES

Cap sur la corniche d'Or, route sublime serpentant au pied de l'Estérel. Elle offre de splendides points de vue, des criques et des sentiers qui sillonnent les sommets dans une végétation sauvage. Un univers de spectaculaires blocs rouges de porphyre déchiquetés qui mène d'abord au **Dramont** ❸. C'est ici que commencent les découvertes nature de la corniche de l'Estérel.

Suite des réjouissances à **Agay** ❹, station balnéaire bordant une adorable rade. La baie est surveillée par le phare de la Baumette (cap où Saint-Exupéry résida plusieurs fois) et dominée par les roches rouges du Rastel d'Agay. C'est un bon point de départ pour des excursions dans l'Estérel ou des sessions de farniente sur les plages de sable fin de la côte et criques sauvages de la corniche d'Or.

CINÉMA Woody Allen a tourné ici de nombreuses scènes de son film *Magic in the Moonlight* (2014).

TOUBIB *OR NOT* TOUBIB ?

Après un repas très arrosé, le médecin Auguste Lutaud rafla aux cartes l'île d'Or, face au cap Dramont. Il y fit ériger une tour d'inspiration sarrasine et s'autoproclama roi sous le titre d'Auguste Iᵉʳ, en 1913. On y émettait (illégalement !) une monnaie et des timbres.

❹

POUR SE DÉGOURDIR LES JAMBES

LE SENTIER DU LITTORAL

- **Le cap Dramont :** le sentier zigzague à flanc de colline au-dessus de jolies criques, dans une végétation méditerranéenne. Les roches rouges contrastent avec le bleu de la mer. Superbe !

- **Le sentier biologique du rocher Saint-Barthélemy :** suivre la route forestière sur 3,5 km avant de tourner à droite. Ce parcours piéton de 2 600 m, accessible aux personnes à mobilité réduite, met en valeur les essences locales.

- **La grotte de la Sainte-Baume :** suivre la route forestière sur 10,5 km jusqu'au col Notre-Dame. Compter ensuite 40 mn A/R, à pied. Cistes, bruyères et bouquets de lavande papillon. Au passage d'un collet, on aperçoit au loin la mer et les îles de Lérins. L'arrivée à la grotte est saisissante.

- **L'étang d'Aubert :** suivre la route forestière sur 2,5 km, puis prendre à gauche 500 m plus loin à la patte-d'oie jusqu'au col Notre-Dame. Compter ensuite 3 h A/R, à pied. Balade tranquille où seuls les derniers 200 m font travailler les mollets. Des gorges sauvages, avec des pitons de roches porphyriques rouges. On grimpe ensuite pour découvrir le panorama sur l'étang d'Aubert.

- **Le pic de l'Ours :** suivre la route forestière sur 10,5 km jusqu'au col Notre-Dame. Compter ensuite 1h30 en boucle, à pied. L'un des plus hauts sommets du massif. Vue imprenable des Maures au Mercantour, sur la baie de Cannes et les îles de Lérins. Retour via la dent de l'Ours, plutôt sportif. Ou par la route, plus tranquille.

❺

La somptueuse route de la corniche d'Or, entaillée de calanques et criques confidentielles, se poursuit. Peu avant la pointe de l'Observatoire, vue étonnante à gauche sur un ravin couronné par les rochers rouges de Saint-Barthélemy, du Saint-Pilon et du cap Roux. De la pointe du **cap Roux** ❺, superbe panorama sur le golfe de La Napoule.

LE LONG DE LA BAIE DE CANNES

Changement de décor à **Miramar** ⑥, microstation populo-cossue. Un sentier monte en 5 mn au point de vue de l'Esquillon d'où le panorama sur la grande bleue, le golfe de La Napoule et les îles de Lérins est grandiose. Sur la route, deux curiosités architecturales. L'inénarrable Palais bulle construit à partir des années 1970 pour le couturier Pierre Cardin. Ce jaillissement de bulbes de béton ocre se découvre depuis la route car il ne se visite pas. En contrebas se dévoile la cité marine de Port-la-Galère, dont les façades semblent avoir été sculptées par la mer. Là aussi c'est privé mais la maison Bernard, elle, se visite.

On parvient finalement à **Théoule-sur-Mer** ⑦, seul véritable village du littoral. Au-delà, la French Riviera fait courir sa conurbation jusqu'à Menton. En soirée, balade romantique au pied des rochers, le long des plages, pour roucouler sur des bancs face à l'horizon.

POUR SE DÉGOURDIR LES JAMBES 🚶

LA BALADE À LA POINTE DE L'AIGUILLE
Compter 2h

On suit d'abord la promenade Pradayrol, à droite des plages. Le sentier, en surplomb de la plage de l'Aiguille, offre un joli point de vue sur les îles de Lérins et Cannes. Au 1er plan, quatre criques de galets et la belle arche de la grotte de Gardanne. Sans oublier la superbe aiguille rocheuse qui a laissé son nom à l'endroit. On peut ensuite reprendre la grimpette vers les hauteurs ou revenir par le chemin côtier.

⑧

Ultime étape sur la route de la corniche d'Or, **Mandelieu-la-Napoule** ⑧ est bordée, à l'ouest, par le massif du Tanneron qui abrite la plus grande forêt de mimosas d'Europe. L'ancien port de pêche de La Napoule, tout près d'un imposant château, a beaucoup de charme.

Théoule-sur-Mer

CANNES NE FAIT PAS QUE DU CINÉMA !

Palaces, Rolls et casinos, Croisette, luxueuses boutiques, Festival du film... Cannes a l'image d'un univers inaccessible et m'as-tu-vu. Mais il faut s'aventurer hors des sentiers battus pour découvrir les îles de Lérins, les avenues de La Californie cachées sous les pins, les chemins de la Croix-des-Gardes ou les placettes ombragées du Cannet. Sans se priver d'arpenter l'incontournable Croisette. Indissociable de l'identité luxueuse de **Cannes** 9 avec ses palaces et ses boutiques pour millionnaires, c'est une promenade de bord de mer agréable, plantée de palmiers, ornée de parterres fleuris. Et, pour une déambulation plus intime, on file dans la vieille ville par la pittoresque rue Saint-Antoine, restée dans son jus avec ses brochettes de restos. Dans le lacis de petites rues, prendre le temps de détailler les maisons basses aux volets colorés, les vieilles plaques, les entrées en ogive... et se refaire une santé en avalant une fondante socca au marché Forville.

À ne pas manquer 🔍 *The winner is THE Festival de Cannes,* le seul, l'unique, qui fait sa star à la mi-mai, 15 jours durant. • festival-cannes.com •

Plongée 🤿 La baie de Cannes offre une bonne trentaine de « plongées stars » pour débutants et confirmés.

Route de la corniche d'Or

FRINGALES

L'appel de la mer se fait sentir.
Délicieux anchois (hummm, la pissaladière !), copieuses bourrides, loups et saint-pierre, aux chairs soyeuses... Et la star locale, l'olive bien sûr !

À LIRE

Bonjour tristesse, Françoise Sagan, éd. Pocket, 160 p., 2009.
Cécile, 17 ans, passe l'été dans une villa de la Côte d'Azur entourée de pinèdes et s'éveille aux sentiments amoureux cruels.

À VOIR

- **Le Corniaud** (1965) au Dramont,
- **La Main au collet** (1955) d'Hitchcock...

	CARNET D'ADRESSES	
	ÉTAPES	INFORMATIONS
1	**FRÉJUS**	⌂|●| **La Bastide du Clos des Roses** : *sur la D 37.* • *clos-des-roses.com* • Beau domaine, décoration chic et moderne. Les chambres sont vastes, avec jolie vue sur la campagne. Pour un moment gourmand, direction la salle à manger coiffée d'un plafond en rotonde.
2	**SAINT-RAPHAËL**	|●| **La Table** : *47, rue Thiers.* Immense table façon veillée campagnarde ou mange-debout plus intimes, bibliothèque à vins aux murs. À l'ardoise, les plats ont un avant-goût bistrotier, mais laissent un arrière-goût bistronomique.
3	**MANDELIEU-LA-NAPOULE**	|●| **Le Bistrot de l'Oasis** : *26, av Henry-Clews (hôtel du Riou).* Dans un décor rustique, l'ardoise suggère, selon le marché, une cuisine savoureuse : daube de joue de bœuf à la provençale, pavé de saumon grillé à l'américaine... Belle carte des vins. Et desserts d'anthologie.
	LE CANNET	|●| **Le Bistrot des Anges** : *rue de l'Ouest.* D'un côté, le gastro (L'Archange), de l'autre, côté verrière, le bistrot chic. Entre les deux, un chef, Bruno Oger, aussi discret que talentueux. La formule déjeuner est épatante !
9	**CANNES**	⌂ **La Villa Tosca** : *11, rue Hoche.* • *villa-tosca.com* • Hôtel de charme, très contemporain. Les espaces, même les plus étroits, sont intelligemment employés. ⌂ **Hôtel Splendid** : *4, rue Félix-Faure.* • *splendid-hotel-cannes.fr* • Derrière les majestueuses façades très début XXᵉ s, belles chambres régulièrement rénovées, avec des meubles anciens et de jolies salles de bains. Une adresse de charme pour un voyage romantique. |●| **Aux Bons Enfants** : *80, rue Meynadier.* Une institution du vieux Cannes ouverte depuis 1935. Les produits sont achetés chaque jour au marché et la cuisine familiale est d'une stricte orthodoxie italo-provençale.

N°35

450 KM

FICHE PRATIQUE

SITUATION

Un tour presque complet de la Corse.

MEILLEURE PÉRIODE

Pour éviter la chaleur estivale et le pic de fréquentation touristique, on préfère les mois de mai-juin et de septembre-octobre. Et, au printemps, le maquis est en fleur !

MEILLEURS SOUVENIRS

Paysages grandioses, plages paradisiaques, montagnes, patrimoine historique, sport nature, gastronomie…

PRÉPARER SON ROAD TRIP

• toute-la-corse.com
• visit-corsica.com

BARCAGGIO
3
CENTURI
4
D80   D80
ERBALUNGA
NONZA
5   2
PATRIMONIO
DÉSERT DES AGRIATE
SAINT-FLORENT
7   6   1
DÉPART
L'ÎLE-ROUSSE   D81
BASTIA
T30
CATHÉDRALE
DE LA CANONICA
CALVI
8

D81B

RÉSERVE NATURELLE
DE SCANDOLA
9
GIROLATA
PORTO
LES CALANQUES
DE PIANA   10
11
CAPO D'ORTO

D81

AJACCIO
12
GRAND SITE
SANGUINAIRES PARATA
BASTELICA
D55

LE SITE PRÉHISTORIQUE
DE FILITOSA
ARRIVÉE
PORTO-POLLO   13
PROPRIANO
14
PORTO-VECCHIO
BELVÉDÈRE-CAMPOMORO   15   16   SARTÈNE
D21   20
MONACIA-D'AULLÈNE   GOLFE
DE SANTA GIULIA
TIZZANO   PLAGE
17   18   DE PALOMBAGGIA
ROCCAPINA
T40   T10

BONIFACIO   19   ÎLES LAVEZZI
PHARE DE PERTUSATO

LA CORSE EN LONG, EN LARGE ET EN TRAVERS

BASTIA ➤➤ PORTO-VECCHIO

Le soleil comme compagnon de route, la mer plus bleue que bleue pour toile de fond et des terres tour à tour efflanquées et fertiles pour terrain de jeu… Voilà une île grisante, secrète et sauvage, berceau d'une nature bénie des dieux, repaire de villes et villages somptueux. Si bien que Haute-Corse ou Basse-Corse… on n'a pas su choisir !

LÉGENDES

ÉTAPES ●

À NE PAS LOUPER ·

Centuri

DE BASTIA À CALVI : CAP SUR LE CAP CORSE

Trop souvent négligée, **Bastia** ❶ mérite davantage qu'un passage en coup de vent. Rater le Vieux-Port, la citadelle ou l'exubérance baroque de église Saint-Jean-Baptiste serait une grossière erreur de boussole... Amarrée au flanc d'une montagne haute de 900 m, elle défie la Méditerranée de ses demeures altières. Ça grimpe sec jusqu'à la citadelle mais le jeu en vaut la chandelle. Là haut, se trouvent l'intéressant musée d'Histoire de Bastia et, clou du spectacle, l'oratoire de la confrérie de la Sainte-Croix, éblouissant de rococo.

À ne pas louper 🔍 L'oratoire de Monserato, à 2 km de Bastia. Ce lieu modeste cache un monument rare : un escalier saint (*Scala Santa*), réplique de celui de la basilique Saint-Jean-de-Latran à Rome.

À voir aussi 📷 L'ancienne cathédrale de la Canonica, à 25 km au sud de Bastia. L'une des plus belles églises de Corse, consacrée en 1119.

De là, direction le cap Corse, *l'isula di l'isula*, « l'île de l'île ». Une alternance de criques confidentielles, le tout entrecoupé de montagnes. Dans la partie orientale, des vallées débouchent en douceur dans la mer, tandis qu'à l'ouest les reliefs tombent brutalement dans la Méditerranée, décrivant une série d'à-pics et de nids d'aigle, où s'accrochent des grappes de maisons. La route joue elle aussi les équilibristes, sinuant à flanc de montagne jusqu'à **Erbalunga** ❷ d'abord, authentique marine, avec ses maisons blotties sur une petite avancée rocheuse couronnée par les vestiges d'une tour génoise. On quitte ensuite la D 80 pour aller se mesurer aux lacets qui mènent à **Barcaggio** ❸. Ce port de poche a des allures de bout du monde, encerclé d'étendues sauvages.

Retour sur la D 80 jusqu'à **Centuri** ❹ et son croquignolet petit port de pêche : c'est l'une des étapes les plus réjouissantes de l'itinéraire.

Un peu moins de 40 km plus au sud, on tombe sous le charme de **Nonza** ❺, petit bijou accroché entre ciel et mer, avec un bistrot sous les platanes, quelques maisons héroïquement soudées à la montagne et la tour Paoline, depuis laquelle le panorama est saisissant.

Patrimonio ❻ occupe lui aussi un site exceptionnel, aggripé à la roche : ici, des versants ensoleillés couverts de vignobles ; là, une vue superbe sur la baie de Saint-Florent.

Pour rejoindre Calvi, emprunter la D 81. Petite halte à **Saint-Florent** ❼, coquette cité lovée dans une ravissante baie encadrée par les montagnes du cap Corse et du Nebbio. De là, on peut pousser jusqu'à Murato, pour son église San Michele, joyau de l'art roman perché sur un promontoire isolé, avec une vue très étendue sur le golfe, les Agriate et, bien sûr, les montagnes du Nebbio.

À ne pas louper 🔍 L'Île-Rousse, ses trois belles plages de sable fin et son arrière-pays d'une beauté époustouflante.

Calvi

POUR SE DÉGOURDIR LES JAMBES 🚶

LE DÉSERT DES AGRIATE

Le sentier du littoral des **Agriate**, une magnifique randonnée sans difficulté majeure (35 km, compter 2 jours).

DÉLOCALISATION

Darryl Zanuck, le producteur du Jour le plus long, avait loué, pour pas bien cher, les services de 22 vaisseaux de la 6ᵉ flotte de l'US Navy, qui manœuvraient au large de la Corse. Pas question d'aller en Normandie, on choisit la plage de Saleccia pour le tournage des scènes du Débarquement à Omaha Beach. Les marines américains jouèrent les figurants. Les autres scènes furent tournées sur l'île de Ré.

On lâche avec plaisir le volant à **Calvi** ❽, ancienne cité génoise dont la citadelle du XIIᵉ s surplombe une plantureuse baie. À ses pieds, une superbe plage frangée de pins vous tend les bras. Et le spectacle se poursuit en mer, la ville étant un haut lieu de la plongée sous-marine ! Alors on enfile son masque et on part à la découverte de l'épave d'un bombardier américain B-17 nonchalamment alanguie sur le sable clair, à condition d'être rompu à l'exercice. Pour les débutants, d'autres spots permettent d'aller à la rencontre des dentis, mérous et murènes qui habitent les lieux.

DE CALVI À AJACCIO

⑩ Après Calvi, **Girolata** ⑨ offre une pause photogénique avec sa rade et sa tour génoise. Seul hic (ou pas), on ne peut s'y rendre que par un sentier pédestre (compter 2h, 2h30 pour le retour). C'est l'occasion d'une jolie balade jusqu'à ce site superbe (mais bondé en été). Le soir, filer à **Porto** ⑩ pour admirer l'un des plus beaux couchers de soleil de la Méditerranée. De là, on pourra s'octroyer le temps d'une balade en bateau vers les falaises de Scandola.

LA RÉSERVE NATURELLE DE SCANDOLA

Cette presqu'île inhabitée est réputée pour ses décors montagneux grandioses recouverts d'une flore riche et peuplée d'animaux sauvages. Falaises déchiquetées, orgues de pierre volcanique renversées, failles abyssales, flancs érodés, magie des couleurs et de curieux trous appelés *taffoni*, encore un mystère pour les spécialistes, vous fascineront. Et, de loin en loin, une tour génoise n'en finit plus de monter la garde... Un panorama stupéfiant de beauté.

Bon à savoir ☀ Pour les balades en bateau au départ de Cargèse ou Sagone, renseignements au U Filanciu (☐ 07-60-14-03-04).

Calanches de Figa Baleri

⑪ À 7 km de Porto commencent les **calanques de Piana** ⑪, des à-pics vertigineux de 300 m de haut, des falaises de granit rouge (du porphyre) déchiquetées et ravagées par le temps, à voir, si on le peut, aux heures crépusculaires !

À ne pas louper 🔍 **L'ascension du capo d'Orto (compter 5h30 aller-retour).**

Voilà déjà **Ajaccio** ⑫ qui, si elle ne séduit pas d'emblée, recèle quelques jolies surprises, à commencer par la maison Bonaparte, où vécut l'illustre famille à partir de la fin du XVIIe s, et qui doit son aspect actuel à Napoléon III. Une visite didactique parmi les aménagements, étonnamment simples, est proposée. Point d'orgue d'une balade dans la ville, le palais Fesch sert d'écrin au musée des Beaux-Arts à la muséographie originale et aux collections de peintures italiennes d'une indiscutable richesse.

LA FORTUNE DU CARDINAL FESCH

Joseph Fesch, l'oncle de Napoléon, devint prêtre mais se défroqua lors de la Terreur. Il fit fortune en devenant fournisseur des armées d'Italie. Il reprit la soutane pour devenir cardinal. Passionné d'art, il constitua sa collection à Rome. À sa mort, il possédait 16 000 œuvres quand le Louvre en détenait moins de la moitié.

À 12 km à l'ouest d'Ajaccio, ne pas louper le Grand Site Sanguinaires Parata. Au coucher du soleil, ces îlots de porphyre prennent des reflets rougeâtres – enfin surtout la mer et le ciel. On peut aussi rejoindre ce site à pied par le sentier des Crêtes (compter 3h depuis Ajaccio).

POUR SE DÉGOURDIR LES JAMBES 🚶

L'arrière-pays d'Ajaccio est sillonné par de belles randonnées pour tous niveaux. On accède à **Bastelica** au fil de routes tortueuses semées de maisonnettes en pierre et de fertiles forêts. Compter 40 km. De là part le sentier du canal de la Volta (aller-retour en 2h30 ; dénivelée : environ 300 m), un peu difficile au début pour les jeunes enfants (ça grimpe sec). C'est un résumé saisissant de la Corse intérieure.

Merveilles sous-marines

Le golfe d'Ajaccio offre des plongées impériales ! Ici, peu d'épaves mais d'infinies richesses vivantes que contempleront fiévreusement les routards plongeurs, néophytes et aguerris, le long de tombants souvent vertigineux.

Pointe de la Parata

DE PORTO-POLLO À PORTO-VECCHIO : LE GRAND SUD

Porto-Pollo ⑬ offre une vue sublime sur le golfe du Valinco. Ce port est la destination la plus prisée du golfe et reste pourtant très tranquille, avec son petit mouillage, ses quelques hôtels et sa gentille animation nocturne. Quelques bateaux de pêche et des voiliers se balancent nonchalamment. Les familles viennent ici pratiquer des activités nautiques ou lézarder sur la magnifique plage de Cupabia, aux eaux limpides.

LE SITE PRÉHISTORIQUE DE FILITOSA

Ce haut lieu de la Préhistoire, l'un des plus importants de Méditerranée, est à 10 km au nord de Porto-Pollo. Les menhirs sculptés, plantés parmi les oliviers, font l'originalité du site : ici œuvrèrent les premiers artistes de Corse ! Filitosa V, notamment, est la statue-menhir la mieux « armée » du site (poignard et épée). C'est le plus beau mégalithe de toute la Corse.

La route débouche ensuite sur le port de **Propriano** ⑭, l'occasion d'une étape farniente, agréable à défaut d'être spectaculaire. On peut aussi filer directement vers Sartène, en n'omettant pas de s'arrêter à **Campomoro** ⑮, à l'extrême pointe sud du golfe du Valinco, charmant village lové dans une anse remarquable et bien abritée dont on apprécie la grande plage. Attention, la route est étroite et sinueuse, mais quel point de vue ! Après avoir jeté un œil à l'imposante tour génoise du XVIᵉ s, on pourra emprunter l'un des sentiers qui quadrillent la région. Plusieurs très belles boucles raviront les randonneurs : 1h30 à 6h de marche, voire plus, pour aller jusqu'à Senetosa. Là, le phare a été aménagé en refuge.

Retour sur la route pour rallier **Sartène** ⑯, rempart de granit dominant la vallée, entaillé de ruelles pavées. Quelques « palais » décrépis dans le quartier des notables ajoutent au caractère de cette cité hors du temps. Et cette grand-place est LA place corse par excellence… C'est aussi l'une des plus grandes de l'île. On y trouve le musée départemental de Préhistoire corse et d'Archéologie, très didactique.

PAS DE CÔTÉ : TIZZANO

À une quinzaine de kilomètres de Sartène par la D 48, niché au fond d'un cul-de-sac, voici un petit havre de tranquillité, avec son port de pêche, ses criques et sa jolie plage. Sur la route, on ne manquera pas les **mégalithes de Cauria,** c'est-à-dire les sites préhistoriques de Stantari, Fontanaccia et Renaju. C'est également l'occasion d'une promenade dans le maquis.

La végétation se fait plus rare, plus courte, et la côte sud apparaît, superbe, au niveau de **Roccapina** ⑰, comme un décor de théâtre, avec une longue plage de rêve en contrebas de la route. Le secteur est célèbre pour ses énormes rochers aux étranges formes animales. Sur la crête qui ferme un côté de la baie, l'un d'eux représente un lion couché, le Lion de Roccapina. À deux pas, une tour génoise. En regardant attentivement, bien plus près dans le champ de vision, légèrement sur la gauche, on remarque un autre rocher en forme de tête d'éléphant avec sa longue trompe de profil ! Filer ensuite à la *Casa di Roccapina* pour percer les secrets de ces étonnantes formations minérales.

Dernière étape avant la miraculeuse Bonifacio, **Monacia-d'Aullène** ⑱ est un charmant village fleuri, gentiment animé, même en été. Blotti au pied de l'uomo di Cagna, drôle de montagne coiffée par une énorme roche qui joue les équilibristes, la bourgade est le point de départ d'une excellente randonnée permettant d'aller à l'assaut de ce rigolo bilboquet rocheux (montée en 3h-3h30 et descente en 2h30 environ). Sinon, de bien jolies plages, comme souvent, vous attendent.

Et voici venu l'un des temps forts de l'itinéraire, **Bonifacio** ⑲, bijou brut sculpté par l'homme au fil des siècles, l'une des plus belles villes de Corse. Il faut imaginer de hautes falaises crayeuses, taillées par le vent et les embruns, au sommet desquelles ces fous de Génois construisirent un fort, puis toute une ville fortifiée, entourée de 2,5 km de remparts ! Dans la vieille ville, les maisons hautes et étroites laissent à peine filtrer la lumière et font juste la place aux minces ruelles où même le vent perd son souffle. À ses pieds, une calanque, profonde de 1,5 km, fait du port de Bonifacio le meilleur mouillage de la Méditerranée occidentale. Si l'alignement des luxueux bateaux de plaisance fait craindre un snobisme tropézien, après avoir dépassé le premier quai, on parvient au petit port de pêche, bien plus charmant avec ses quelques « pointus » – barques traditionnelles colorées –, ses pêcheurs et ses filets entassés.

À ne pas louper 🔍 **Le col Saint-Roch.** On y accède du port par la montée Rastello. Le belvédère est à gauche de la montée Saint-Roch, qui mène à l'une des portes de la Ville Haute. Le panorama est grandiose sur les falaises d'un côté, les remparts de l'autre. En contrebas, la mer turquoise, l'écume qui vient se fracasser au pied des falaises et une petite crique. De là, un sentier court le long de la côte jusqu'au phare de Pertusato (compter 1h30 aller) et offre des vues sublimes sur les falaises.

> **Bon à savoir** 💡
>
> Pour profiter pleinement de la ville, arriver tôt le matin (vers 8h-8h30) et repartir en fin de matinée (ce qui n'empêche pas de revenir le soir !).

Bonifacio

COUP DE CŒUR

EXCURSIONS AUX ÎLES LAVEZZI

Les **îles Lavezzi** sont un amas d'énormes blocs de granit gris, superbes et étranges, polis par l'érosion marine. Des langues de sable blanc s'étirent presque en cachette, formant de merveilleuses enclaves au milieu de ce chaos minéral. Inhabitées, elles sont classées réserve naturelle. Véritable sanctuaire de la vie sous-marine, les plongeurs seront comblés. En venant par le premier bateau du matin, vous aurez l'espace à vous tout seul pour quelques instants, même au cœur de l'été.

Retour sur la terre ferme pour gagner **Porto-Vecchio** 20, dernière étape du périple sur l'île de Beauté. En chemin s'égrènent une poignée de belles plages qui invitent à la baignade. Mais c'est dans les environs de Porto-Vecchio, que l'on atteint enfin après 30 km de route, qu'elles sont les plus époustouflantes. Sans compter que le centre-ville, blotti autour de son église, est tout à fait charmant… Nos deux spots de baignade préférés sont la plage de Palombaggia et le golfe de Santa Giulia. Au large, les eaux turquoise et limpides vous réservent d'étonnantes balades sous-marines, où relief granitique et nature préservée rivalisent d'extravagance.

Palombaggia

À LIRE

Battì : ses dessins de presse et savoureux albums bilingues de B.D., en particulier *E in più di què so Corsu* (« Et en plus de ça, je suis corse »), reflètent l'humour, la tendresse et l'autodérision de tout un peuple.

PLAYLIST

- ***Curagiu***, de I Muvrini
- ***Furtunatu***, de Petru Guelfucci
- ***Una Tarra Ci Hè***, de A Filetta

CARNET D'ADRESSES

ÉTAPES		INFORMATIONS
1	**BASTIA**	🏠 **Hôtel Central** : *3, rue Miot.* • *centralhotel.fr* • Un hôtel fort bien tenu. Sans doute le meilleur rapport qualité-prix-charme du centre de Bastia. Des chambres chaleureuses et colorées, toutes différentes.
		🍽 **Chez Vincent** : *12, rue Saint-Michel.* L'une des bonnes adresses de la citadelle, offrant une belle vue sur le Vieux-Port depuis la terrasse.
8	**CALVI**	🏠 **Hôtel Le Magnolia** : *rue Alsace-Lorraine.* • *hotel-le-magnolia.com* • À deux pas du port, la fière bâtisse est précédée d'une jolie cour arborée. Chambres tout confort, à la déco classique.
		🍽 **A Piazzetta** : *pl. Marchal.* L'adresse préférée des gens du coin. Pour son cadre chaleureux, son accueil sympa et décontracté, ainsi que ses plats traditionnels généreusement servis.
12	**AJACCIO**	🏠 **Hôtel Marengo** : *2, rue Marengo.* • *hotel-marengo.com* • Petit hôtel caché dans une cour intérieure, elle-même au fond d'une impasse, donc au calme. Chambres simples, bien tenues et dotées de tout le confort.
		🍽 **A Nepita** : *4, rue San-Lazaro.* Menu en fonction du marché et de l'inspiration pour un repas toujours raffiné et savoureux. Réservation impérative.
16	**SARTÈNE**	🏠 🍽 **Hôtel Les Roches** : *av. Jean-Jaurès.* • *sartenehotel.fr* • Une grande et solide bâtisse de schiste, où certaines chambres offrent un large panorama sur la vallée. La grande terrasse et le resto proposent aussi une jolie vue.
		🍽 **Restaurant La Bergerie d'Acciola** : *à Acciola, au carrefour de Giuncheto.* Superbe terrasse panoramique pour se sustenter. Belles et copieuses assiettes.
19	**BONIFACIO**	🏠 **Hôtel Colomba** : *4-6, rue Simon-Varsi.* • *hotel-bonifacio-corse.fr* • Une vénérable maison de famille transformée en un bel hôtel de semi-luxe, niché dans une ruelle tranquille. Une adresse cosy pour profiter de la Ville Haute.
		🍽 **Aria Nova** : *4, rue Fred-Scamaroni. Dans la citadelle.* Terrasse donnant sur le port, offrant des assiettes goûteuses et bien tournées.
20	**PORTO-VECCHIO**	🍽 **L'Antigu** : *51, rue Borgo.* De la terrasse, on profite d'une cuisine d'une belle régularité, basée sur de bons produits.

Route du col de l'Izoard, Queyras

COPYRIGHTS

Légende : b=en bas, h=en haut, g=à gauche, c=au centre, d=à droite

PHOTOGRAPHIES

HEMIS.FR

Alamy : p106 hd, p111 h, p198 g, p202 hd, p254 • **Jon Arnold Images :** p30 g, p70, p128 g, p133, p167, p178 g, p181 h, p185, p245 g, p270 hd, p270 g, p273 g, p276 b • **Pascal Avenet :** p81 • **Jean-Paul Azam :** p165 d, p170 b, p174 h, p175 c, p176 bg, p184 d, p191 b, p195, p196, p237 d • **Bruno Barbier :** p140 g • **Jean-Marc Barrère :** p161, p162 b, p166 g • **Emmanuel Berthier :** p61 g, p62 d • **Philippe Blanchot :** p141 bd • **Christophe Boisvieux :** p36 g • **Michal Boubin / Alamy Stock Photo :** p68 • **Stéphane Bouilland :** p10 b • **Johannes Braun :** p255 bg • **Denis Bringard :** p122 g, p124 hg, p124 d, p127 • **Michel Cavalier :** p231, p235, p246, p248 h, p249, p252, p257, p267 b, p272 b, p276 c, p278 g, p279 h, p283, p287, p293 • **Franck Chaput :** p244 g, p270 hd, p200, p201 d • **Franck Charel :** p125 bd • **Franck Charton :** p238 • **Arnaud Chicurel :** p20, p77 b, p85 d, p93, p100 g, p187 • **Matthieu Colin :** p146 g • **Francis Cormon :** p8 hd, p14, p16 g, p19 h, p21 h, p27 g, p27 d, p28 g, p34 hc, p208 g, p210 g, p211 bg, p212 hg, p212 hd, p213, p222 g, p222 d • **Jean-Pierre Degas :** p88 c, p91, p216 hd, p219 bg, p245 c, • **Dominique Delfino :** p176 hd • **Michel Denis-Huot :** p47, p183 h, p183 bg • **Parick Escudero :** p102, p103 b, p103 h, p105, p150 d, p182 d • **Alain Felix :** p157 g • **Frances- Wysocki :** p190 d • **Patrick Frilet :** p268 h • **Bertrand Gardel :** p143 g • **Gregory Gerault :** p43, p54 bd • **Laurent Giraudou :** p242 g • **Gil Giuglio :** p113 • **Franck Guiziou :** p32, p33, p37, p41, p45 hd, p49, p52 h, p53 b, p54 hg, p62 g, p64 g, p74 g, p77 h, p106 g, p109, p142 g, p198 b, p198 c, p201 g, p202 bg, p203 hg, p203 hd, p205, p211 hd, p212 b, p236 hd, p241, p289 • **Christian Guy :** p76, p90 g, p138 b, p141 h, p156 hd, p172, p174 c, p208 bd, p210 d, p211 cg, p216 g, p219 hd, p221, p223 • **Patrice Hauser :** p146 c, p148 h, p192 b, p193 • **ImageBROKER/ hemis.fr :** p258 g, p262, p266 hd • **Pierre Jacques :** p164 h, p165 g, p170 hd, p171, p173, p225 d, p226 d, p227 hd, p229 bg, p239 • **Gilles Lansard :** p288 hd • **Olivier Leclercq :** p8 g, p10 c, p36 d, p42 g, p106 bd, p108, p110 g, p110 d, p112 • **Stéphane Lemaire :** p45 hg • **Hervé Lenain :** p34 d, p39 h, p40, p80 g, p84 d, p84 g, p87, p88 g, p92 g, p94, p97, p104 bd, p139 hg, p157 d, p159 d, p162 c, p169, p208 hd, p215, p250 g, p275 • **Francis Leroy :** p63 bg, p66 g, p71 g, p73, p79, p136 g, p140 d, p141 bg, p145, p156 g, p166 d • **Jean-Pierre Lescourret :** p148 b, p247 h, p270 b, p272 h, p274 g • **Lionel Lourdel :** p29, p88 b, p128 ch, p131, p153, p155, p159 g, p264 g • **Christophe Madamour :** p286 • **Richard Manin :** p194, p284 bd • **René Mattes :** p9 hg, p11, p12 g, p13 d, p50 bd, p50 g, p50 hd, p52 b, p57, p59 d, p65, p69 b, p69 h, p72 g, p72 d, p114 c, p116, p125 g, p139 bg, p158, p170 c, p174 b, p175 b, p177, p236 g • **Camille Moirenc :** p24 g, p34 g, p201 d, p224 g, p233, p244 d, p250 b, p258 d, p264 hd, p266 g, p269, p276 g, p278 d, p294, p296 • **Lionel Montico :** p170 g, p175 h, p181 b, p182 g, p227 hg, p230 d • **Bruno et Tuul Morandi :** p85 g, p90 d, p92, p96, p129 d • **Philippe Moulu :** p23 • **Cédric Pasquini :** p55 g, p188 b, p188 g, p190 g, p197 • **Philippe Renault :** p95 b, p95 h • **Bertrand Rieger :** p24 b, p30 d, p67, p119, p124 bg, p200, p248 b, p253, p271 (Alfa Romeo Giulietta décapotable de collection, société « Rent a Classic ») • **Philippe Roy :** p137, p139 bd, p149 b, p226 g • **Jean-Michel Sotto :** p60, p71 d, p142 d • **Arnaud Spani :** p184 g, p202 hg, p268 bg • **Benoît Stichelbaut :** p56, p58 g • **Pierre Witt :** p229 hd • **Didier Zylberyng :** p31 b. p121, p162 g, p191 h.

SHUTTERSTOCK.COM

p8 bd, p9 b, p9 hd, p10 h, p12 d, p13 g, p15, p16 c, p16 hd, p16 bd, p17, p18, p19 bd, p19 bg, p21 b, p24 hc, p24 c, p25, p26 d, p26 g, p28 d, p31 h, p34 b, p38 b, p38 h, p39 b, p42 c, p42 d, p44 h, p44 b, p45 bd, p46, p50 c, p51, p53 h, p55 d, p58 hd, p58 hb, p59 g, p61 d, p63 hg, p63 hd, p64 d, p66 bd, p66 c, p66 hd, p74 b, p74 c, p75, p80 hd, p80 c, p80 bd, p82 g, p82 d, p83, p86, p88 hd, p100 d, p101 d, p101 g, p104 hg, p107, p111 b, p114 hd, p114 bd, p115 bd, p115 bg, p117 d, p117 hg, p117 bg, p122 d, p122 c, p123, p125 hd, p128 bd, p129 g, p130 g, p130 d, p136 hd, p136 c, p136 b, p138 h, p139 hd, p143 d, p146 b, p147 g, p147 d, p149 h, p150 g, p151 b, p151 h, p152, p156 b, p156 c, p162 hc, p163, p164 b, p178 bd, p178 hd, p179 d, p179 g, p180 d, p180 g, p183 bd, p186 hg, p188 bd, p188 c, p189, p192 h, p198 hd, p199 d, p199 g, p203 b, p209 d, p209 g, p216 cd, p216 b, p218, p219 hg, p220, p224 d, p225 hg, p225 b, p227 b, p228 g, p230 g, p232 bg, p232 hg, p242 hd, p243 c, p243 g, p243 d, p247 b, p250 c, p251, p255 hd, p258 c, p259 g, p259 d, p260, p261 g, p261 d, p264 b, p265 d, p265 g, p267 h, p270 c, p272 g, p273 d, p274 d, p277, p279 b, p281 g, p284 hd, p284 cd, p285, p288 bg, p290 bg, p290 hd, p291, p292 hg, p240.

STOCK.ADOBE.COM

p228 d : Francois-Roux-photography.com • p229 bd : Pierre-Antoine Laine • p236 bd : jojojo07 • p237 g : bobdu11 • p242 bd : Olivier Tuffé.

ILLUSTRATIONS

Toutes les illustrations sont de Shutterstock.com.

CARTES

Claire Lemonnier.

Route de la corniche d'Or, Estérel

INDEX

POUR LE ROUTARD

Directeur de collection et auteur : Philippe Gloaguen

Rédaction France : sous la direction d'Amanda Keravel, avec la collaboration de Mathilde de Boisgrollier, Marie Burin des Roziers, Diane Capron et Laura Charlier.

Rédaction : Isabelle Al Subaihi, Emmanuelle Bauquis, Carole Bordes, Thierry Brouard, Véronique de Chardon, Florence Charmetant, Gavin's Clemente Ruïz, Fiona Debrabander, Anne-Caroline Dumas, Éléonore Friess, Bénédicte Gloaguen, Pierre Josse, Géraldine Lemauf-Beauvois, Benoît Lucchini, Olivier Page, Alain Pallier, Anne Poinsot, André Poncelet.

Une partie des textes de cet ouvrage sont également dûs à la plume de :

Jean Tiffon, Hélène Duparc et Gérard Bouchu.

POUR HACHETTE

Direction : Sidonie Chollet
Contrôle de gestion : Jérôme Boulingre et Yannis Villeneuve
Secrétariat : Catherine Maîtrepierre
Direction éditoriale : Élise Ernest
Responsable de projet : Matthieu Devaux
Édition : Margaux Lefebvre avec Olga Krokhina-Antonov, Julie Dupré, Gia-Quy Tran, Emmanuelle Michon, Pauline Janssens et Amélie Ramond
Direction Artistique et créations graphiques :
Le Bureau des Affaires Graphiques • le-bdag.com •
Graphiste : Claire Lemonnier
Lecture-correction : Marie Gosset
Fabrication : Nathalie Lautout et Audrey Detournay
Relations presse : COM'PROD, Fred Papet. ☎ 01 70 69 04 69. • info@comprod.fr •
Martine Levens (Belgique) et Maureen Browne (Suisse)
Direction marketing : Stéphanie Parisot, Élodie Darty et Charlotte Brou
Logo : Clément Gloaguen
Direction partenariats : Jérôme Denoix
Contacts partenariats et régie publicitaire : Florence Brunel-Jars. • fbrunel@hachette-livre.fr •

LES ROUTARDS PARLENT AUX ROUTARDS

Faites nous part de vos expériences, de vos découvertes, de vos tuyaux :
Les Routards parlent aux Routards : 122, rue du Moulin-des-Prés, 75013 Paris – e-mail : guide@routard.com
site internet : routard.com

CONSEILS AUX VOYAGEURS

Chers lecteurs, nous vous invitons à la plus grande prudence sur les routes.
Par ailleurs, les cartes figurant dans cet ouvrage sont indicatives, et ne peuvent en aucun cas se substituer à une carte routière.

Cet ouvrage est imprimé sur un papier issu de forêts gérées

© HACHETTE LIVRE (Hachette Tourisme), 2020
Tous droits de traduction, de reproduction et d'adaptation réservés pour tous pays.

Édité par Hachette Livre (58, rue Jean-Bleuzen, CS 70007, 92178 Vanves Cedex, France)
Photogravure par Reproscan
Imprimé par Estella Gráficas (Espagne)
Achevé d'imprimer le 13 octobre 2020
Collection n° 22 - Édition n° 01
46/3039/9
I.S.B.N. 978-2-01-787104-0
Dépôt légal : octobre 2020